BIBLIOTHÈQUE ITALIENNE
Dirigée par Serge Quadruppani

LE MATÉRIEL DU TUEUR

Gianni BIONDILLO

LE MATÉRIEL DU TUEUR

*Traduit de l'italien
par Serge Quadruppani*

Éditions Métailié
20, rue des Grands Augustins, 75006 Paris
www.editions-metailie.com
2013

Titre original : *I materiali dell killer*
© 2011 Ugo Guanda Editore S.p.A., Viale Solferino 28, Parma
Traduction française © Éditions Métailié, Paris, 2013
ISBN : 978-2-86424-925-2
ISSN : 1264-5834

Hors d'ici

1

La brume, la brume, cristaux de glace suspendus, nuage pédestre, la brume qui monte, petite pluie fine, orgeat opalin qui cache les choses lointaines, halo blanchâtre, pâle, diffuseur laiteux d'abstraites réminiscences lunaires, la brume dure, presque, solide, trempée, des millions de gouttelettes dansantes, qui estompent, émoussent, amortissent l'ouïe, la brume qui presse, qui étouffe les chuchotements, capitonne les pas, fait taire les chiens, se couche sur la plaine, la brume, drap de coton étendu, voûte de voile, coupole de fumée, vapeur, brouillard, la brume, celle des contes de fées, mystérieuse, menteuse, domestique, la brume des rêves, celle que les enfants de Milan n'ont jamais vue, mur d'ouate, rideau de théâtre, haleine de la terre, la brume qui presse dans le cadre en damier de la fenêtre, qui voudrait se précipiter, gicler, entrer dans l'obscurité de la cellule, se répandre, glace sèche, fumigène, la brume qui enfin se retient, pudique, effrayée par les hurlements de détresse qui résonnent dans le noir profond, la brume qui se fait vague lueur, verre gravé, qui se retire, retourne dans le monde, et, vaincue, quitte les cris et les gargouillis de sang éructés par les mâchoires épuisées de l'homme, écroulé sur la civière, à un pas de la mort. Peut-être.

2

Effondré sur le fauteuil déchiré, en attendant la fin de son service de nuit, le gardien de prison ne prêta pas tout de suite attention aux hurlements dans la deuxième unité. Il serrait et manipulait avec fougue son engin entre ses jambes, dans une

9

masturbation furieuse face aux mises à jour continues de YouPorn qu'il gardait ouvertes sur plusieurs fenêtres ; dès que celle de la blonde en levrette, servile comme les femmes devraient l'être (vu que la parité des sexes est une connerie de notre époque), plantait, il passait, d'une légère pression sur le *touchpad*, à la quinquagénaire couguar en train de sucer l'ami de son fils, si ce n'était pas carrément son fils.

C'est du moins ce qu'on devinait d'après la présentation de la vidéo, étant donné qu'elle était en anglais (alors que les deux personnages semblaient ukrainiens), et comme dans la maigre rémunération de l'administration le cours intensif d'anglais par correspondance n'était pas compris, peu lui importait de découvrir les degrés de parenté et les éventuels arbres généalogiques incestueux de ces corps exposés pour son plaisir privé.

Puis, dans les cellules de tout l'étage, il y eut un tapage explosif de gamelles contre les portes blindées. Sans lui laisser le temps de remettre l'engin dans son slip, son collègue de l'étage inférieur ouvrit grand la porte pour l'insulter et lui dire de se bouger le cul, qu'apparemment il y avait une merde dans la cellule 42. Prends les clés, lui dit-il en regardant son érection qui ne voulait pas dégonfler. Putain, la honte, pensa-t-il tandis qu'il sortait, le pantalon encore déboutonné, haïssant son collègue, la cellule 42, la prison de Lodi et le monde entier qui, depuis l'enfance, ne lui laissait pas exprimer le meilleur de sa créativité innée, comme il l'aurait mérité. Entre-temps, la couguar ingérait l'érection adolescente avec conscience et professionnalisme, suçant ainsi, en plus du jeune rejeton, le crédit restant sur la clé internet de l'artiste inexprimé, à présent serviteur affligé de l'État.

Ils avaient allumé les lumières de l'unité et des cellules. Sur tout l'étage régnait un bordel infernal, tous les détenus hurlaient, juraient, tapaient des pieds, cognaient leurs gamelles ou leurs couverts contre les portes. Comme ça, juste pour faire comprendre à leur façon qu'ils s'en battaient les couilles, des bonnes manières. Il y avait un homme, parmi eux, qui crachait du sang et il fallait faire vite, parce qu'on le sait très bien que vous, flicards de merde, vous n'en avez rien à foutre de nous ; on pourrait tous mourir comme des chiens enragés !

Le cœur des gardiens battait comme un marteau pneumatique. Le plus vieux des deux posa la main sur la matraque, puis fit un signe d'entente au branleur qui cafouilla un bon moment autour de la serrure avec son trousseau de clés. Il entra, l'autre resta sur le seuil. Ils étaient quatre dans la cellule. Aux deux hommes assis sur les couchettes supérieures fut intimé l'ordre de ne pas bouger, et puis il y avait celui qui hurlait le plus, son regard était halluciné. Ce n'était pas lui qui se trouvait mal. Mais c'est lui qui avait découvert son compagnon en train de vomir du sang et la chose l'avait beaucoup perturbé en le plaçant devant des thèmes à haut contenu philosophique qui ne le lâchaient plus : qui sommes-nous, d'où venons-nous, où allons-nous ; qu'est-ce que c'est que cette vie de merde, dans laquelle on peut mourir étouffé dans son propre sang à l'intérieur d'une cellule de merde au cœur de la plaine padane. Le gardien lui demanda de s'écarter, vu que c'était lui qui s'en occupait, maintenant, mais le taulard, agressif, continuait à se plaindre et à gesticuler, à dire de se bouger, qu'il n'y avait pas de temps à perdre. Entra alors dans le périmètre de la cellule le collègue galonné qui repoussa le philosophe existentialiste dans un coin, libérant la vue du lit où un noir gisait en position fœtale, son tricot de corps maculé de sang. Ses yeux étaient révulsés, le blanc des globes oculaires et sa boule à zéro dégouttant de sueur lui conféraient un aspect démoniaque, de ceux qu'on se rappelle toute la vie. Aussi brève qu'elle puisse être.

3

Les deux gardiens portèrent le prisonnier dans leurs bras jusqu'à l'infirmerie, tandis que dans les cellules, ça criait sans arrêt qu'ils ne voulaient pas mourir comme des chiens et que les flics étaient tous des fils de pute. Mais il y en avait aussi un qui se plaignait parce qu'il voulait dormir et arrêtez-moi ces cris de pédales, que s'ils n'arrêtaient pas, il s'en occuperait lui,

11

dans les douches, le lendemain, pour montrer qui est-ce qui commande. Et étant donné que là, celui qui commandait, c'était bien lui, Mauro Onorato dit Tête de Chien, la protestation s'éteignit avec la même rapidité qu'elle avait commencé.

Gino, l'infirmier, fut pris de palpitations. Il n'y avait que lui à l'infirmerie et le docteur ne se pointerait pas avant le lendemain. Merde, qu'est-ce que je vais faire de ce type ? pensa-t-il, tandis qu'il faisait coucher l'homme.

— Haile ? l'appelait-il. Haile, qu'est-ce que tu as ?

En lui parlant, il lui retirait le tricot souillé de sang. D'instinct, il évalua s'il y avait des coupures, des abrasions, des blessures sur le corps. Mais pas seulement. C'est qu'avant d'être transféré à Lodi, Gino s'était tapé trois ans à San Vittore. Le premier jour de travail avait été un vrai baptême de l'horreur. La veille au soir, un détenu souffrant de troubles mentaux avait donné des signes d'instabilité. Bref, aux dires du psychologue de la prison, il avait des pulsions suicidaires. C'est pourquoi, après l'avoir bourré de calmants, on l'avait mis sous observation en cellule d'isolement. Mais comme la prison était (et qu'elle est, et qu'elle sera à jamais) surpeuplée, on avait ouvert en toute hâte une cellule souterraine depuis longtemps abandonnée. Nue, vide, fétide. Juste un galetas et une couverture de flanelle dans laquelle le détenu s'était enveloppé comme un rouleau de printemps, pour se protéger les yeux de la lumière de contrôle nocturne.

Le lendemain matin, ne le voyant pas bouger, les gardiens avaient essayé de le réveiller à tâtons. Puis un flic avait déplacé la couverture d'un geste plastique digne d'un toréador et ils avaient découvert le détenu couvert de sang de la tête aux pieds. Des milliers de poux, de puces et de Dieu sait quels autres très dégueulasses parasites au nom latin imprononçable avaient même pénétré de plusieurs centimètres dans le corps sans défense de l'homme, le boulottant comme un chapon de Noël. Le spectacle était à vomir, Gino se gratta pendant des semaines. Et aujourd'hui encore, chaque fois que quelqu'un arrivait à l'infirmerie, la première chose qu'il faisait était de vérifier s'il y avait des puces quelque part, avec le zèle des babouins envers leurs semblables.

Mais Haile, de ce point de vue, était ok. Le sang venait de l'intérieur, personne n'était en train de le lui sucer.

– Haile, insistait l'infirmer, dis-moi quelque chose.

L'homme se pressait les mains au creux de l'estomac.

– Ça va mal, souffla-t-il.

Il dit avoir des douleurs aux épaules, aux flancs, mais surtout au duodénum. C'était comme s'il avait un extraterrestre dans son estomac qui se frayait un chemin pour sortir à la lumière. Il ne le dit pas vraiment comme ça, mais Gino le devina. Ulcère perforé, j'y parierais une couille, pensa l'infirmier.

– Rigoldi, on peut pas le garder ici, dit-il en s'adressant au gardien le plus ancien. Ce type va nous mourir entre les pattes.

– Quelle histoire à la con, dit Rigoldi, juste pour dire un gros mot, le premier qui se présentait.

– Qu'est-ce qu'on fait ? demanda l'autre, tandis qu'il essayait d'effacer la tache de liquide séminal qui lui avait collé la braguette aux poils du pubis.

– Il faut qu'on l'emmène à l'hôpital, dit Gino, excité. Valerio, appelle tout de suite une ambulance.

Il appelait le branleur par son prénom, un peu parce qu'il était plus jeune que lui, un peu par affection, même si Valerio n'appréciait pas trop cette familiarité : les bruits couraient vite et dans ce milieu on a vite fait de vous traiter de tantouze.

4

Le mur laiteux fut transpercé avant, bien avant, par la plainte intermittente et récurrente de l'alarme acoustique et après, longtemps après, par la faible clarté violacée de la sirène lumineuse ; enfin apparut l'ambulance entière, d'un coup, comme extraite du mouchoir d'un prestidigitateur.

Un bénévole aux rayures phosphorescentes descendit de la cabine et ouvrit en toute hâte la portière arrière.

– Qu'est-ce qu'on a ? demanda-t-il comme dans un épisode d'*Urgences.*

Gino, qui ne serait jamais Clooney, le mit au courant.

– Amenez-le tout de suite à l'hôpital, j'ai déjà téléphoné aux urgences.

En disant ça, il aidait Valerio à monter avec Haile dans le fourgon. Les deux hommes étaient reliés par des menottes, parce que bon, ils veulent bien faire ce qu'on voudra, mais ils sont pas débiles à ce point !

Le bénévole ferma la portière et donna deux claques avec la main, comme pour dire qu'ils pouvaient partir à l'instant. Le chauffeur, évidemment, ne bougea pas avant que cet exalté n'ait fait le tour de l'ambulance et, bien tranquille, soit monté à bord. Puis il mit les gaz mais pas trop, étant donné que dans cette bouillasse, il devait conduire le nez collé au pare-brise.

Gino les vit disparaître en un battement de paupière. Il haussa les épaules, transi, et rentra dans la prison.

– Tout va bien ? demanda Rigoldi, tandis qu'il refermait la première grande porte.

– Oui, oui, tout va bien. Ils le savent que la via Indipendenza est fermée ?

– Brume de mes couilles, dit le maton, qui ne parvenait pas à éviter de citer les génitoires masculins et les zones érogènes en général à chacun de ses commentaires.

Pendant ce temps, la couguar dans le réduit du troisième étage, après s'être abreuvée à la source de la jeunesse du camarade de classe de son fils, restait là, inactive et vaguement effrayée par une vie virtuelle qui semblait à présent approcher de la fin. C'est du moins ce que disait le crédit de la clé USB de Valerio. Même si, à bien y réfléchir, conclure ainsi, agenouillée en adoration devant son propre trophée avec des rigoles de sperme sur le menton, peut-être n'était-ce pas la pire des fins possibles.

Même avec une via Indipendenza fermée au trafic pour travaux, arriver à l'hôpital ne prendrait que quelques minutes, dix au maximum. La prison était pratiquement au centre, tout comme l'hôpital. Il suffisait de prendre la via Defendente da Lodi – le prototypique summum de l'histoire locale qu'en Italie aucune ville digne (ou indigne) de ce nom ne peut se permettre de ne pas avoir –, de passer par Borgo Adda et le plus gros était fait.

Sauf qu'on voyait que dalle. Ils étaient au centre-ville mais ils auraient pu être n'importe où, dans une bulle spatiotemporelle, sans aucune coordonnée. On se serait cru dans un verre de lait d'amandes. Le chauffeur conduisait judicieusement au pas mais son assistant trépignait pire que s'ils étaient en train d'emmener son père frappé d'un AVC foudroyant.

– Tu avances ? demandait-il, énervé.

– Pourquoi foncer ? *Chi va piano va sano* et…

– Et va te faire foutre !

Il regarda sa montre, impatient.

– Il y a le derby sur Sky et je ne vais pas le rater pour un taulard… un nègre en plus… dit-il, manifestant avec ostentation son peu de dévouement à la cause.

Le chauffeur ricana dans sa moustache. Il était supporteur de la Juventus et il n'en avait strictement rien à battre, du derby.

– Allez, dans quelques minutes, on est arrivés.

Mais au croisement de la via Dieci Maggio, il pila soudain. À l'intérieur de l'ambulance, Haile, affaibli, faillit tomber de la civière en se traînant derrière le gardien.

– Mais putain…

Le bénévole à côté du chauffeur cogna du front contre le pare-brise.

– Mais comment tu conduis, merde, dit-il en se tâtant l'os occipital pour vérifier son intégrité.

Le collègue ne répondit pas, il regardait fixement au-delà de la vitre. Alors, lui aussi regarda et il s'aperçut que deux voitures placées face à face bloquaient le passage.

— Bordel de merde, un accident frontal ! soupira-t-il, préoccupé par l'excès de travail nocturne qui s'annonçait.

Il baissa la vitre et lança un appel dans la brume :

— Oh là, tout va bien ? Il y a des blessés ?

Puis il se tourna vers le chauffeur :

— C'est sûr qu'ils ont du cul, ceux-là, ils ont même pas encore appelé qu'on est arrivés.

Il eut un sourire imbécile. Le chauffeur aussi grimaça un sourire de circonstance. C'est que ce garçon l'emmerdait et quand il se retrouvait en service avec lui, il n'arrivait pas à lui répondre autrement que par des monosyllabes émis à grand-peine.

De l'intérieur, on entendit la voix de Valerio :

— Qu'est-ce qui se passe ? Pourquoi on s'est arrêtés ?

Le chauffeur voulut manœuvrer mais il n'y avait pas d'espace pour faire demi-tour et revenir en arrière. Il plaça l'ambulance de travers, sans réussir à aller ni d'un côté ni de l'autre.

— Je descends, dit le bénévole, je vais voir.

Il eut à peine le temps d'ouvrir la portière et de se tourner vers le néant que le canon d'une mitraillette surgit sous son nez comme par miracle. Ce n'était certes pas la Madone, mais c'était quand même en rapport avec l'autre monde, celui où il fut immédiatement expédié par une rafale en pleine face qui répandit son cerveau dans tout l'habitacle. Le chauffeur se retrouva couvert de sang et de cervelle sur tout le corps, comme si une pastèque lui avait explosé sur les cuisses.

— Oh mon Dieu, oh mon Dieu ! hurlait-il, bouleversé en regardant ses mains et ses vêtements trempés de débris, dans une pose qui lui donnait l'air plus ennuyé par la note de pressing à venir que par la mort de son collègue. La mitraillette tira une autre série de coups vers lui juste pour le faire taire. Il émit un râle et se tut, en s'effondrant sur le corps de son collègue, tandis qu'il sentait nettement son poumon gauche se dégonfler, et puis plus rien.

À l'intérieur, à l'arrière, Valerio avait tout entendu et il était terrorisé comme un enfant. Ou comme un adulte, parce que quand on a affaire à la mort, la terreur est identique.

– Mais putain… mais putain…

Il ne savait pas quoi faire, il ne savait pas qui appeler, comment bouger. Il ne savait rien. Sauf qu'il était menotté à un nègre rasé et sanglant au beau milieu de nulle part. Alors, il retira la sûreté de son pistolet d'ordonnance et pria mentalement son saint protecteur, saint Valerio, soldat et martyr, voyez un peu l'ironie du sort.

Les deux hommes entendirent clairement des pas qui se rapprochaient de la portière arrière. La tension artérielle monta démesurément, le cœur cognait dans les oreilles.

Puis un coup, sec et métallique. La portière s'ouvrit brusquement. D'instinct, Valerio tira à l'aveuglette, vers les fantômes cachés dans la brume.

1

Le premier à s'ouvrir fut le gauche, quoique avec difficulté : les abondantes sécrétions de la conjonctive s'étaient agglomérées au bord et aux coins de la paupière. En somme, Ferraro avait l'œil chassieux, presque collé. Il eut même, en ouvrant les yeux, la certitude d'entendre le bruit des cils qui se détachaient de leur étreinte nocturne. Le réveil hurlait quelque part dans la pièce la chanson de "joyeux anniversaire" : un cadeau de sa fille. Qu'il détestait. Le réveil, évidemment, pas sa fille. Un œil ouvert et l'autre enfoncé dans l'oreiller, il trouva sa tong au pied du lit et exécuta un lancer digne de Boris Becker. Le réveil roula sur lui-même, incrédule devant un traitement aussi ouvertement hostile, et se tut, vaincu après avoir tenté deux fois de conclure au moins le petit air si joyeux qui faisait le bonheur de tous, grands et petits. Ferraro savait que quand le jeu devient dur, les durs continuent à dormir et il se tourna en conséquence de l'autre côté. Son œil droit lui faisait mal, il lui semblait avoir dormi toute la nuit la pupille appuyée sur un coin de table.

Mais le réveil retrouva un nouveau souffle et reprit son jingle électronique pour qu'il ne soit pas dit dans le monde qu'il ne savait pas finir une chanson. Ferraro jura contre tous les saints du mois de janvier, puis se retourna, à la recherche de l'autre tong qui s'était pendant la nuit planquée sous le lit, effrayée à l'idée de devoir cogner comme chaque matin contre le mur de la maison.

— Bordel de merde, jura le flic entre ses dents. Où t'es passée, putain ? lança-t-il à l'adresse de la savate tandis que le réveil continuait sa chanson cristalline matinale.

Il la trouva juste à l'instant où son mobile aussi se mettait à sonner. Une conjuration, en définitive. Écrasé par cette démonstration de force massive, il se résigna à ouvrir aussi l'autre paupière et à répondre au téléphone. Il approcha la tong de son oreille en disant "allô ?" et se sentit définitivement ridicule devant Dieu et devant les hommes.

Le portable insistait, en duo avec le réveil, comme de vieux copains de bistrot après s'être descendu une caisse de bières. Un enfer. Il se leva d'un bond et shoota dans le réveil, qui connut l'ivresse du vol puis ouvrit le portable :

– Bordel, qu'est-ce que tu veux ? éructa-t-il.

– Bonjour, mon amour, lui répondit Comaschi. Ça fait longtemps que tu es réveillé ?

Le réveil ne voulait pas mourir et, comme un Japonais qui n'admet pas la fin de la guerre, continuait de sous une armoire à présenter ses vœux de bon anniversaire à son bourreau.

Qu'est-ce que j'ai fait de mal ? pensa Ferraro mais peut-être le dit-il vraiment, étant donné que Comaschi lui répondit.

– Nous sommes nés pour souffrir, collègue. Brosse-toi les dents et viens ici, via Pietro Maffi, ne passe pas par le commissariat…

– Putain… qu'est-ce qui se passe ?

Ferraro avait un anneau de métal rouillé vissé autour du crâne, chaque mot qu'il articulait ou même seulement pensait était un sadique tour de vis qui lui serrait davantage la calotte.

– Sang, mort, chaos… les trucs habituels, quoi… dit le collègue à l'autre bout de la ville, avant de couper la communication.

Le réveil cessa de sonner ; peut-être était-il programmé pour se taire au bout d'un certain nombre de minutes. Ferraro regarda en direction du silence mais il n'eut pas envie de s'abaisser à le chercher.

"Bienvenue dans le monde des vivants", pensa-t-il plutôt en se dirigeant vers la salle de bains.

2

Il avait une cuillerée de boue dans la bouche, qu'il cracha dans le lavabo avant de commencer le brossage des dents. Puis il s'observa dans le miroir, se trouvant répugnant. Trois jours qu'il ne s'était pas rasé et maintenant les poils blancs lui infestaient le menton. Les premiers étaient apparus quand on l'avait muté à Rome, plus de trois ans auparavant. Avec patience, il les cherchait et les éliminait à la pince à épiler mais au bout d'un moment, il s'était rendu compte que c'était comme de vouloir vider la mer avec une petite cuillère. Voilà ce qui lui était resté de Rome, le souvenir de ses premiers cheveux blancs. Un peu juste, en effet. C'est qu'il n'arrivait pas à la comprendre, cette ville, et peut-être même qu'il ne la comprendrait jamais. On est romain de naissance, pensait-il. Non pas dans le sens d'appartenir à une ethnie particulière ou à Dieu sait quelle couillonnade raciste. La romanité était un état d'esprit. Il connaissait un tas de Romains nés à Milan et qui n'avaient jamais vu Rome. Trop grande, trop illogique, trop tout pour lui. Il n'arrivait même pas à comprendre si elle était belle, c'était comme d'être diabétique et de se trouver dans une pâtisserie. Il fallait un tempérament d'acier pour ne pas se laisser submerger par l'histoire et par la circulation automobile, par le découragement et le cynisme généralisés. Il voyait les Romains comme un peuple héroïque, obligé de camper sur les ruines d'un mythe ; embarqués sur un radeau à l'équilibre instable, rempli à ras bord de monuments encombrants, ils ne pouvaient qu'à grand-peine avancer au fil des jours et chercher un abri pour la nuit. Une ville fatigante. Pas méchante, non, accommodante, même, avec ce climat qui montrait sans pudeur, pendant des mois, la splendeur d'un ciel limpide, pas méchante, mais difficile. À la fin, il avait eu la sensation qu'on ne pouvait pas l'embrasser tout entière, comme le lui racontait sur le mode rhétorique la colonnade du Bernin. De la place, l'effet optique rapprochait la façade de Saint-Pierre du peuple, pour qu'on sente l'église apostolique romaine plus avisée et plus maternelle. Mais depuis la façade, du point de vue du clergé, on tombait les masques. L'illusion d'optique maintenait le peuple à sa place, à bonne distance. De même avec le cinéma, la politique, l'administration, la télévision. Tout le monde le savait et tout le monde faisait semblant de ne pas le savoir, difficile de vivre dans une telle succession de bourgs qui faisaient semblant d'être une ville. Il ne la connaîtrait jamais tout entière, il n'en aurait jamais la topographie imprimée dans son âme, se perdre dans ses lieux communs était presque obligatoire.

Mais plus simplement, il n'avait pas réussi à l'aimer parce que ça n'avait pas marché avec Elena. Sinon, il serait encore là-bas aujourd'hui, à faire, si ça s'était présenté, le guide touristique au Colisée, dévidant les beautés de la ville éternelle pour un de ces groupes scolaires de Brescia ou de Bergame qui arrivaient en masse dans la capitale, remplis de la morgue des habitants de la vallée pour ensuite, confrontés à l'absolu, se sentir effroyablement provinciaux et mesquins.

Pendant ce temps, pour ne pas laisser l'appartement de Quarto Oggiaro fermé, et donc exposé au risque d'une intrusion du premier venu qui se livrerait au racket des squats, ses parents étaient revenus y vivre. Le *buen retiro* sur le lac après la retraite – de beaux endroits, un beau panorama, air propre et cuisine saine – n'avait pas tardé à emmerder son père, qui n'en pouvait plus, de cette bande de vieux couillons en couche-culotte prêts à se plaindre de tout et de tous sur les rives du lac.

Aller à Rome avait aussi été pour Ferraro un geste de défi puéril envers Francesca, son ex-femme, il voulait lui démontrer que ce n'était pas vrai, qu'il n'était pas un loser indolent, incapable de grandir, enchaîné aux lieux de son enfance. C'était elle qui avait raison, évidemment, mais il ne l'admettrait jamais. Aussi, maintenant que Zeni avait pris sa retraite, quand De Matteis, le nouveau patron du commissariat de Quarto, lui avait demandé de revenir, il avait été abasourdi. De Matteis le détestait, il lui avait toujours mis des bâtons dans les roues, quel sens cela avait-il de le rappeler ? À moins qu'il ne prenne plaisir à l'humilier, ce qui était très probable. Mais alors, pourquoi accepter sur-le-champ, ce qui revenait à admettre que les vexations de son supérieur représentaient un inconvénient minime devant l'avantage de revenir chez lui, avouant ainsi sa défaite ?

Et puis, aussi, il était revenu pour Giulia. Ces trois dernières années, il avait l'impression de l'avoir négligée, de ne l'avoir quasiment pas vue grandir. Non pas qu'ils aient cessé de se fréquenter, mais six cents kilomètres de distance compliquent tout. À présent, la fillette qu'il avait laissée à sa mère était une pré-adolescente pleine de poils sur le pubis et aux aisselles, et qui avait honte de montrer son décolleté à son père, comme si c'était un étranger. C'était simplement un homme, un adulte, et la pudeur de sa fille était tendre et sans malice. Mais Ferraro n'arrivait pas à s'habituer à ces embarras. Le temps n'admettait pas de dérogations, la bulle de son éternelle jeunesse avait définitivement explosé. Sa fille était presque plus grande que lui et lui, malgré la pince à épiler et la bonne volonté, avait le menton couvert d'un duvet blanchâtre, il fallait se faire une raison.

3

Le problème, c'était de se rappeler où il avait garé la voiture.

Grâce à sa spectaculaire capacité à faire le mauvais choix au mauvais moment, quand Ferraro était revenu à Milan, il avait trouvé à se loger du côté de Pasteur, dans la seule zone qui avait entre-temps dépassé en mauvaise réputation son quartier d'origine et avait assumé d'autorité le rôle d'"enfer sur terre", selon les plus branchés des journalistes télé, toujours aussi empressés de vous flanquer une croix sur le dos pour s'inventer une info. La via Padova faisait désormais passer Quarto Oggiaro pour un gracieux quartier résidentiel habité de gentilshommes d'autrefois et de nobles dames vouées à la canasta. L'administration municipale, bien entendu, y mettait du sien, toujours aussi chirurgicalement efficace quand il s'agissait d'inoculer les bacilles de la peur et de la rancœur pour ramasser quatre voix de plus mais, de leur côté, les cinquante ethnies différentes qui habitaient le quartier ne se donnaient pas beaucoup de mal pour faire bouger l'opinion publique et ébranler ses préjugés. En bref, s'il y avait une occasion de se bourrer la gueule, de se friter ou de faire du bordel toute la nuit, il y avait toujours des volontaires. Ceux qui pouvaient, bien sûr, parce que ceux qui se levaient à cinq heures du matin pour aller nettoyer les chiottes des banques du centre n'avaient pas du tout envie d'emmerder le monde.

Ferraro avait trouvé à louer une ancienne loge de gardien reconvertie en appartement. Depuis qu'on avait supprimé le concierge qui coûtait trop à la copropriété, les locaux étaient devenus au cours des années un dépôt de vieilleries. Puis quelqu'un avait eu la brillante idée d'en tirer quelques sous pour payer les frais des parties communes. Louer l'appartement à une vingtaine de Pakistanais, comme beaucoup de propriétaires l'avaient déjà fait avec leurs logements, ça n'était pas possible, pour d'évidentes raisons de bon voisinage, donc on opta pour un unique locataire, de préférence italien. Ferraro se présenta donc à la première réunion de copropriété de sa vie, et ce fut une expérience traumatisante. Le syndic avait eu beau le préparer à l'événement, en lui disant d'attendre bien sagement, bien silencieusement son tour dans l'ordre du jour, ce à quoi il assista était inimaginable pour un ingénu tel quel lui : des vieilles aux yeux injectés de sang qui s'en prenaient au voisin du dessus pour les odeurs déplaisantes qu'il produisait durant les repas (mais qu'est-ce qu'il cuisinait ? Des grizzlis vivants ?), des employés à cravate rose et mèche d'un empan couvrant la calvitie qui régurgitaient des insultes pour la présence encombrante de bicyclettes dans la cour (pire que s'ils avaient parlé de chars d'assaut garés sous leur fenêtre), des couples de vieux qui lançaient des malédictions dignes d'un sorcier aborigène à d'autres couples de vieux à propos de certains comptes en attente sur la réparation des gouttières, rancœurs rancies d'innombrables années vomies en place publique, en un furibond psychodrame collectif.

Puis ce fut au tour de Ferraro de se présenter. Il eut à peine le temps de dire deux mots qu'une dispute furieuse éclata entre l'employé à la mèche sauvage et Hamid, un boulanger égyptien qui avait acheté un appartement depuis peu, en se collant sur le dos un emprunt de quarante ans que ses enfants finiraient probablement de payer après son décès. Aucun rapport avec Ferraro, les deux hommes discutaient de leurs affaires, du fait que l'Égyptien ne devait pas héberger tous ces gens chez lui, qu'il ne le savait donc pas que la bigamie était interdite et qu'ils devaient cesser de se croire les maîtres chez les autres. Hamid, un type qui avait de la répartie, lui riait au nez : s'il avait beaucoup d'enfants, c'est parce que le bon Dieu, loué soit son nom, l'avait fait vigoureux, pas comme cet efféminé avec sa cravate couleur chair. Ferraro ressentit, après des années sans y penser, l'envie de se fumer un gros pétard comme de juste, rien que pour s'étourdir un peu et supporter la suite.

Le syndic, moite de sueur, se pressait les mains sur l'estomac et souriait, abattu, en essayant inutilement de calmer les esprits. Quel travail de merde, pensa Ferraro, si j'étais lui, je me sucrerais sur tous les frais de copropriété de ces cons.

Cahin-caha, un certain ordre fut rétabli, bien qu'instable, et l'assemblée se remit à discuter de la candidature de Ferraro, pire que s'il s'était agi d'une commission chargée de discuter la candidature d'un spécialiste en physique quantique au Centre national de la recherche. Hamid aimait l'idée de louer à un flic, ça lui donnait un sentiment de sécurité, parce que avec tous ces Péruviens soûls qu'on voit à la télévision, laisser les enfants dans la cour, ça lui faisait peur. L'enthousiasme était moindre chez cravate rose, pour une raison qu'il s'abstint de mentionner à la réunion, par simple bon sens et absence totale de scrupules, à savoir qu'il avait confié quelques-uns de ses biens à deux ou trois putes et qu'il craignait qu'un policier dans l'immeuble soit gênant pour les activités lucratives de ses locataires. À un certain moment, il y eut aussi une *sciura*, une dame, au menton très prononcé (ça, ce n'était pas un menton, mais une mâchoire pointue et effilée, une *basletta*, en somme, comme on ne dit plus à Milan), qui mit en doute la profession de Ferraro.

— Qu'est-ce qu'on en sait, nous, *se l'è debún un pulòtt*?, si c'est vraiment un poulet ? et en lui infligeant l'épithète de *pulotto*, elle obtint aussitôt d'être rebaptisée *Sciura Basletta*, Mme Ganache, par Ferraro. Peut-être que c'est *vün che cascia ball*! un type qui raconte des bobards ! ajouta-t-elle.

Ferraro, levant les yeux au ciel, mit la main droite sous sa veste, il semblait chercher quelque chose sous son aisselle. La panique éclata, Mme Ganache cria à son mari : — *Stà giò, el terùn l'ha g'ha 'na pistola.* Baisse-toi, le bouseux du Sud a sorti un pistolet.

Mais le mari, sourd comme un pot, ne bougea pas d'un millimètre. À le voir, on aurait dit qu'il avait un pied et demi dans la tombe : une balle dans la tête, au fond, ça aurait été une forme de bienveillante euthanasie. Il dit seulement à sa femme dans un filet de voix : "*Ste' fétt ?*, Qu'est-ce que vous faites ?" comme s'il ne comprenait pas à quel jeu ils jouaient tous, recroquevillés à quatre pattes les uns derrière les autres.

Ferraro resta immobile, la main sous l'aisselle, effaré.

— Du calme, dit-il, restez calmes.

Puis il sortit sa carte de la poche intérieure de sa veste.

— Je voulais seulement vous montrer ça…

— Oh seigneur, dit Mme Ganache en riant. Quelle *fighina mescüra**, dit-elle en insistant sur la vulgarité du jeu de mots.

Bref, à la fin, ils lui donnèrent l'appartement, et le loyer était même à un prix abordable avec un contrat de quatre ans avec renouvellement tacite et le reste, puisque, après tout, ça diminuait les dépenses de copropriété.

Ce que Ferraro ne savait pas, ce qu'il ne pouvait savoir, c'était qu'il ne verrait pratiquement plus beaucoup des participants à la réunion. À part Hamid, la famille Ganache et deux ou trois autres copropriétaires, ceux qui habitaient l'immeuble étaient surtout des locataires : ouvriers maghrébins, maçons roumains, étudiants méridionaux. "Putain de destin", pensa-t-il quelques jours après avoir déménagé. "Je m'en vais du quartier de Quarto et je le retrouve dans ma cour." Tout entier et encore plus dense. Mais surtout plus bruyant. À commencer par son voisin, Simone, un garçon très

---

* Littéralement : "Quelle minable figure", c'est-à-dire "qu'est-ce qu'on a l'air nul". Le jeu de mots porte sur *fighina* qui peut signifier "petite chatte".

élégant dont le métier était de faire des passes du matin au soir. Bon : que quelqu'un se fasse défoncer le cul ne posait aucun problème particulier à Ferraro, mais que pour le faire, il ait besoin de toute cette comédie de petits cris et de vulgarités qu'on entendait à la perfection dans l'escalier, ça le gênait particulièrement. Il essaya même de le dire à Simone en le croisant un jour dans l'escalier :

— Baise qui t'as envie, bordel, mais si ma fille vient me voir, je ne veux pas que tu lui déranges la cervelle !

Alors, Simone l'invita chez lui et ouvrit en son honneur une bouteille de sambuca. Il essaya, très professionnel, de lui expliquer que c'étaient ses clients qui le voulaient. Lui, c'est vrai, il aimait baiser, il y mettait de la passion et offrait des bons prix pour le service complet.

— Bref, cent euros, allez… et puis je suis propre, je vais tout le temps me faire contrôler par le docteur…

Sauf que certains aimaient jouer au maître.

— Les gens sont bizarres, Michele, tu les vois dans la rue, ça te semble des gens normaux et puis ils viennent ici et ils me sortent les trucs les plus dégueus.

Lui, il était un esclave parfait, professionnel, il savait bien jouer son rôle, hurlements compris. Et les gifles. Souvent fortes.

— Je prends cent cinquante, avec les gifles.

Un supplément pour les séances les plus fatigantes.

Pour finir, après le sixième verre de sambuca, Simone lui dit que s'il voulait, il lui ferait une pipe gratis, parce qu'il le trouvait gentil et lui, il aimait bien les gens d'un certain âge.

— Va te faire enculer, lui rétorqua, à moitié bourré, Ferraro.

— Ben, justement, c'est ce que je suis en train de te dire.

Ferraro le regarda dans les yeux et descendit la septième sambuca.

— Non, je te remercie, tu n'es pas mon genre.

— Tu ne sais pas ce que tu perds, répliqua Simone, aguicheur.

Ferraro sourit. Selon l'antique loi de Quarto Oggiaro, une pipe n'existe pas si on ne peut pas le raconter aux amis. Et bien sûr, aller en référer à Mimmo 'O Animalo aurait été trop compliqué, il se serait foutu de sa gueule à vie, pour ne pas parler de Comaschi. Seul, peut-être, cet extraterrestre de Lanza n'aurait pas jugé la question d'un point de vue moral. Mais ça n'aurait sûrement pas eu de sens de téléphoner à un bureau de l'Agence européenne de Bruxelles et de se faire passer Augusto Lanza pour le seul plaisir de découvrir comment il réagirait à la nouvelle. Il n'aurait rien dit, probablement. "Simone m'a fait une pipe", pour Lanza, ça signifiait : "Nom propre masculin singulier, pronom personnel première personne du singulier, forme du verbe 'faire' à l'indicatif, passé composé, troisième personne du singulier, article indéfini féminin singulier, nom commun féminin désignant un tuyau terminé par un petit fourneau qu'on bourre de tabac (ou d'une autre substance fumable)."

Il lui manquait, ce taré, putain de merde. Ferraro était un sentimental, voilà la vérité. Pas de pipe de Simone, au fond, il lui était sympathique, ne jamais mélanger l'amitié et le sexe. Francesca le lui répétait jusqu'à l'écœurement : "Tu attires les paumés comme les mouches", ce qui revenait à le traiter implicitement de merde. Ou peut-être, mais il ne l'avait jamais compris, à le comparer à du miel.

Il trouva la voiture, il l'avait laissée dans la boue près du viaduc ferroviaire. Via Pietro Maffi, avait dit Comaschi. Il démarra.

4

La difficulté de trouver un bon chirurgien esthétique… biscuits au chocolat et aux céréales… Pour te sentir à ton aise même durant ces jours-là, utilise le tampon dernière génération… le front nuageux qui a produit des pluies abondantes dans le Nord de la région est en train de se déplacer vers la métropole… *So, so you think you can tell*… aujourd'hui, nous parlons de fistules anales, nous avons en studio… Non, attends, pensa Ferraro et il revint en arrière sur le tableau des fréquences… *Heaven from Hell, blue skies from pain*…

En singeant dans son anglais improbable la voix de David Gilmour, Ferraro s'enfonçait dans la circulation milanaise, plein à ras bord de nostalgie pathétique. Vu de l'extérieur, avec ses grimaces et ses mimiques du type qui croit jouer sur une guitare invisible, il était même comique, du moins aux yeux de ce gamin qui l'observait le visage collé à la vitrine du 4 × 4 en attendant le feu vert ; tellement marrant qu'il le montra du doigt à sa mère au volant, une nana tout entailleurée avec portable collé à l'oreille, qui lui accorda un regard infinitésimal mais plein de mépris. Ferraro se sentit imbécile, même si après tout, oh eh, va te faire foutre, peut-être que celle-là écoute Gigi D'Alessio et elle se permet de me faire cette tête de conne ! Il tira la langue à l'enfant, qui fit de même, et mit les gaz.

Le ciel gris et lourd enflait toujours plus, les immeubles semblaient avoir du mal à l'empêcher de s'écrouler sur les gens, surtout quand on approchait des faubourgs où la densité de l'habitat diminuait et où apparaissaient des édifices épars, banals, totems de ciment aux larges épaules et aux crépis abîmés, peut-être à force de soutenir seuls le poids du ciel de Lombardie, qui était si beau quand il était beau, si splendide, si paisible mais qui, beau, splendide et paisible, admettons-le, ne l'était presque jamais.

Il quitta la via Fermi et se dirigea vers la Bovisasca. Entouré d'HLM, d'immeubles, de centres commerciaux, un quartier de pavillons individuels serrés en cohortes résistait, épouvanté par la modernité vulgaire qui l'assiégeait. Un bout de Brianza, une tentative de mitage avortée à la naissance, quand ce n'était que de la campagne, ici, et que les bouseux du Sud ne nous avaient pas encore volé le travail et les femmes, parce que ensuite ils sont arrivés avec leurs valises chargées d'ail et de piment et madame, ma chère Milan n'est plus ce qu'elle était !

Il faisait presque nuit, tant le ciel était turgescent de pluie. Ferraro vit un grand ramdam au milieu de la rue et comprit qu'il était arrivé à destination. Il se gara et d'instinct jeta un coup d'œil au-delà de la voie ferrée, celle qui a toujours servi de frontière entre la Bovisasca et son monde. De là on voyait parfaitement les grands immeubles de l'ex-IACP* de Quarto Oggiaro et s'il s'était donné un peu plus de mal, il aurait pu aussi repérer son propre appartement. C'est-à-dire : celui de ses parents parce que lui, qu'il s'en rende compte une fois pour toutes, il n'habitait plus là.

5

— Alors, explique-moi.
Les bandes de plastique délimitaient la zone, évitant que les curieux entrent et sortent comme chez eux. Quelques-uns restaient là, en silence, se tordant le cou, convaincus de voir Dieu sait quoi, d'autres bavardaient de tout et de rien, ils auraient aussi bien pu se trouver sur le parvis de l'église après la messe dominicale.
Comaschi le fit entrer dans la maison.
— Braquage de villa, dans la meilleure tradition de notre laborieux Nord-Est. Deux morts, dit-il, puis il ajouta en montrant la rampe d'escalier conduisant à l'étage : Celui-là c'est le maître des lieux, Giovanni Murano, soixante-deux ans, propriétaire d'une très grosse entreprise de nettoyage. Cinquante employés. Ils ont en adjudication l'hôpital Maggiore et une série de bureaux dans le centre.
— Murano ? D'où est-il ?
— Un petit plouc du Sud, comme toi et tous ceux qui viennent ici nous ôter le pain de la bouche.
— Ça, c'est les immigrés, tiens-toi au courant. Le casier judiciaire ?
— Immaculé. Curieux, pas vrai ?
— Tu vois le mal partout.
— Ah oui… rigola Comaschi. Alors que demander si la victime n'a pas de passif, c'est un truc de communiante !

---

* *Istituto autonomo per le case popolari* : institut autonome pour les logements populaires, équivalent des HLM, remplacé par un autre sigle.

Touché*.
– Et l'autre mort ?

Comaschi pointa le doigt à trois heures ; recroquevillé autour du montant de la porte qui donnait sur la cuisine, il y avait le corps d'un garçon.

– Anton Niemen. Vingt-trois ans.
– Et celui-là, il vient d'où ?
– Du Triboniano**. Du moins, je crois, ce sont les dernières nouvelles que j'ai.

Un gitan. Bien. Les journaux vont se régaler.

– Bulgare ?
– Comme toi tu es suédois.
– T'as fini de faire le malin ? Raconte-moi les choses comme elles sont, ça suffira.
– Anton était un *piemontákeri.*
– C'est quoi ce truc, putain ?
– Un Sinti italien. Il est né à Vercelli. Il a fait l'école, l'armée et tout le reste.
– Il n'avait pas à faire le service.
– Il a dû le faire pour l'argent, qu'est-ce que j'en sais.

Ferraro regarda autour de lui :

– Et la Scientifique ?
– Tu parles qu'ils allaient t'attendre ! Ils sont partis il y a une demi-heure. On est là depuis trois heures, mon cher. Encore un peu et j'avais les racines qui poussaient.
– Qu'est-ce qu'ils disent ?
– Il paraît que ça s'est passé comme ça : Anton entre au cœur de la nuit, convaincu qu'il n'y a personne.
– Comment tu le sais ?
– Murano ne vivait pas seul, il avait une fille.
– Et où elle est ?
– Bordel, tu me laisses parler ? D'abord, tu veux un rapport et puis tu m'interromps sans arrêt.
– Fais pas ton hystérique.

_____

* En français dans le texte, comme tous les mots en italique suivis d'un astérique.
** Grand bidonville de nomades de la banlieue nord-est de Milan.

– J'en sais rien, où est la fille. Les employés de Murano disent qu'ils devaient partir en vacances, elle et son père. Apparemment, la chose est du domaine public.

– Mauvais. Plus on sait une chose, plus il y a de suspects à interroger.

– J'ai téléphoné au comptable de Murano, hier soir il était passé chez lui. Il dit que la fille était partie avant, pour ne pas perdre la réservation de l'hôtel, mais que Murano est resté à la maison pour finir un travail. Il l'aurait retrouvée après.

– Où ?

– Putain, qu'est-ce que j'en sais ! J'arrive pas à la joindre. Elle ne répond pas sur son portable.

– C'est-à-dire que tout le monde sait qu'ils partaient mais personne ne sait où ?

Comaschi écarta les bras en signe de défaite, avec un haussement d'épaules. Ferraro s'approcha du jeune type et s'assit sur ses talons, pour mieux l'observer.

– Et puis ?

– Et puis rien. Le gitan entre, probablement qu'il fait plus de bordel qu'il ne faudrait. En haut de l'escalier, Murano entend du bruit et prend son pistolet.

Ferraro allait l'interrompre mais Comaschi le fit taire d'un geste.

– Déclaré, port d'arme, tout en règle.

– Ok.

Comaschi s'approcha de l'escalier pour mimer la scène.

– Eh, toi, là, dit-il en changeant de voix. T'es qui, toi, bordel ?

Il pointa l'index, le pouce à la perpendiculaire. Puis descendit deux marches et tourna le dos à Ferraro.

– Et l'autre : oh merde ! Boum, boum.

Il remonta les deux marches et se tourna vers la cuisine, pointant toujours l'index.

– Ah oui ! Et alors, prends-toi ça !

Il baissa le pouce, imitant le canon de l'arme.

– Boum, boum, dit-il puis il écarta les bras. Fin de l'histoire. Ça t'a plu ?

– Tu fais pitié.

31

– Okeille, pas de Cinecittà dans mon avenir.

Ferraro s'était maintenant approché du cadavre sur l'escalier.

– Ça n'a pas de sens…

– À propos : il n'était pas seul.

– Qui ? Le mort ?

– Ça te plairait, hein ? Une belle histoire de sexe et de sang !

– Tu vas arrêter de balancer des conneries ?

– Lui, dit Comaschi en montrant le jeune homme. La Scientifique dit qu'ils étaient au moins deux. Ils ont trouvé des traces de chaussures différentes. Anton est probablement entré pendant que l'autre faisait le guet. Quand ça a tourné au vinaigre, il a décanillé. Un vrai héros de notre temps.

Ferraro avait une pensée qui lui tournait dans la tête comme une bille métallique, c'était peut-être pour ça qu'il dodelinait de la tête lentement comme s'il voulait lui faire trouver la bonne position. À moins que ce soient les cervicales.

– Excuse-moi, je ne comprends pas… imaginons que je sais que la maison est vide : j'appelle un complice et je vais la dévaliser. Pourquoi je m'emmènerais un pistolet ?

– Ben, avec tous les vilains voyous qui traînent dans la nuit, y'a de quoi avoir peur…

– T'es sans espoir !

À ce moment, on entendit quelque chose couiner au loin.

– Putain, c'est quoi, ça ?

– On dirait un portable.

Ça venait d'en haut. Les deux policiers enjambèrent le cadavre du propriétaire et se dirigèrent vers le signal acoustique. Ils entrèrent dans la chambre à coucher : froid. Dans l'autre pièce : tiède. Dans la salle de bains : chaud.

Un portable vibrait à terre, caché derrière un angle de la machine à laver. Ferraro sortit un mouchoir et prit le portable en main mais juste cet instant, il cessa de haleter.

– Merde, pas de pot !

– Un tactile de la dernière génération. Il se refusait rien, le mort.

Ferraro soupira, énervé.

– Putain, mais qu'est-ce qu'ils foutent, les types de la Scientifique ? Ils l'ont pas remarqué ?

– Patience, il était six heures du matin quand ils sont arrivés.

– Comment on s'en sert, de c'te truc ?

Comaschi le lui prit des mains, en veillant à utiliser le mouchoir.

– Donne-moi ça, homme de la brousse.

Il tira un stylo de sa poche et l'utilisa pour sélectionner directement sur l'écran, en évitant de se servir de ses doigts.

– Qui est-ce qui a appelé ? demanda Ferraro.

– Il est pas dans le répertoire. On dirait un fixe, annonça Comaschi puis il leva les yeux sur son collègue : Bordel, qu'est-ce que c'est que cet indicatif, 0041 ?

6

Il lui fallut un peu de temps pour le convaincre mais finalement Comaschi le laissa partir, il raconterait à De Matteis une histoire de piste brûlante à suivre tout de suite, et toutes ces conneries de film policier. Le fait est que Ferraro n'avait pas envie de passer au commissariat, il était d'une humeur plus noire que le ciel qui pesait sur sa tête, et Comaschi l'avait compris.

Le numéro apparu sur le portable du mort était celui d'un hôtel de Lugano. Les deux policiers l'avaient rappelé sur-le-champ, en demandant des renseignements sur la personne qui venait de téléphoner. Le type de la réception tergiversa d'abord un peu en sortant des excuses professionnelles sur la vie privée, le respect de la clientèle, la traditionnelle réserve helvétique, etc., etc., puis quand Comaschi prononça le nom de Murano – mais surtout lui murmura une élégante mais point trop voilée menace de flic au cœur de pierre –, il décida que tout allait bien et qu'une exception à la règle ne faisait de mal à personne. C'était la fille de Murano, Mlle Graziella, qui avait téléphoné. Apparemment, son portable était inutilisable et comme elle attendait déjà depuis le soir précédent l'arrivée de son père, elle commençait à s'inquiéter. Ce fut là, à chaud, que Ferraro décida d'aller directement à Lugano donner la nouvelle à la fille ; apprendre par téléphone que votre père est mort n'est pas ce qu'il y a de mieux. Ça avait l'air de l'excuse d'un gamin pour faire l'école buissonnière mais Comaschi feignit de ne pas s'en apercevoir. Ferraro démarra et pointa vers le nord, tout compte fait, il lui suffisait d'une petite heure de route pour arriver à l'hôtel.

La Suisse est l'étranger en bas de chez soi pour chaque Milanais, c'est l'internationalisme à l'eau de rose, c'est le cosmopolitisme dans sa cour. Le premier endroit que tout Milanais a visité hors d'Italie est le canton du Tessin, si proche et si lointain. Rassurant pour les parents qui ne parlent presque jamais de langues étrangères, exotique pour les enfants qui s'amusent à raisonner sur le change suisse et sur les monnaies si grosses qu'on dirait les doublons d'un trésor de pirates. Si vraiment il suffisait d'une excursion à Chiasso – comme il l'avait entendu dire par un écrivain (qui était-ce ? Bof !) – pour rajeunir le provincialisme italique, alors les habitants de Quarto étaient des hommes du monde, sans même avoir fait trois ans de service militaire à Cuneo. Dès que Mimmo 'O Animalo avait passé son permis (et opéré l'"emprunt voyou" d'une voiture), la première chose qu'il fit fut d'aller avec toute la bande se prendre le mythique café à Chiasso. Une ville qui se révéla, au fond, décevante. Un gros bourg qui, depuis la douane italienne, montrait, en premier lieu, une banque. Mais ils étaient à l'étranger, ils étaient là-bas, de l'autre côté de la ligne en pointillés de la carte géographique, et ça leur suffisait. Ils achetèrent du chocolat, des cigarettes et des souvenirs tellement trash qu'ils en étaient carrément sublimes. Quant aux Suisses, ils comprirent tout de suite comment ils étaient quand, à la frontière, le douanier les fit garer, peu convaincu par la *crew* qui sautait, déchaînée, à l'intérieur de l'habitacle. Ils descendirent de la voiture histoire de se dégourdir les jambes, inconscients du fait qu'ils risquaient leurs fesses à emmener à l'étranger une voiture "empruntée". ("Je lui ramène, continuait à dire Mimmo à Ferraro. Je ne l'ai pas volée, Clou ! Ne fais pas cette putain de

gueule, je te dis que je la lui ramène ce soir, quand on rentre.")
Ferraro, le seul du groupe qui allait encore à l'école, se sentait
en devoir de faire l'ambassadeur. Il s'approchait des douaniers
au milieu de la chaussée en leur demandant des renseignements, s'il y avait un problème, s'ils pouvaient repartir, mais le
flic des frontières le renvoyait en arrière, furibond. ("Sur le
trottoir ! hurlait-il, péremptoire. Sur le trottoir !") À la troisième tentative de négociations diplomatiques, le douanier
lâcha un "sur le trottoir, enfin ! Vous autres Italiens, vous êtes
pires que les Allemands !", ce qui fit exploser dans la poitrine
de tout le groupe d'excités un sentiment immotivé et enthousiaste de fraternité entre deux peuples, de bonheur de leurs
destins communs et de conscience mûre d'appartenir à la
naissante Union européenne qui excluait *cum grano salis* la
Confédération de son sein. L'un fit un bruit de bouche méprisant, un autre énuméra les résultats des matchs de coupe pour
démontrer au douanier l'inégalable supériorité ethnique et
civilisationnelle du peuple italien. En gros, ils jouèrent le rôle
classique, lourdingue et merdeux que savent jouer les Italiens
à l'étranger. Les douaniers les envoyèrent se faire voir, à
Chiasso s'entend, et les garçons triomphants traversèrent en
envahisseurs, à pied, la frontière. Et là, Michele Ferraro, dit
Clou, sans le dire à personne, se sentit ému.
  Parce que cette histoire de frontière, de ligne imaginaire
peinte par terre, nous ici, vous là, ça lui faisait perdre la tête. Il
avait passé son enfance à voyager atlas en main. Quand son
père l'embarquait dans le camion pour faire en vitesse une
commission, le petit rejeton imaginait des traversées conti-
nentales, des voyages aventureux, des découvertes extraordi-
naires. Il avait dans les dix ans quand il se retrouva à Gorizia
pour une livraison. Michelino demanda à son père s'ils
pouvaient aller en Yougoslavie, même s'ils n'y mettaient
qu'un pied. Le père lui expliqua que c'était difficile, il fallait
un visa, là-bas il y avait le rideau de fer, le socialisme réel, les
mangeurs d'enfants. Mais plus il refusait et plus ce monde
mystérieux devenait à ses yeux fascinant. À la fin, le père, après
avoir déchargé la marchandise, tout fatigué qu'il fût, vu que
Michelino avait été sage et raisonnable, le prit par la main et à

pied, ils suivirent une rue bordée d'arbres, presque à la périphérie de l'agglomération. Au bout de la route, on voyait une place et, fermant la perspective, une gare début XXe. (Mais ça, c'est un souvenir *a posteriori*. Pour l'enfant, c'était plus simplement un bâtiment grand et antique, on aurait dit un hôtel de la Riviera ligure.) Au bout d'un moment, Michelino remarqua la grille qui s'interposait entre lui et la gare. "De l'autre côté, c'est la Yougoslavie", dit son père d'une voix lasse. Ils approchèrent encore un peu, Michelino distinguait très bien les frises de la gare, l'étoile rouge et les gardes-frontières armés jusqu'aux dents. C'était la guerre froide – concept vague et incompréhensible à dix ans –, sa transsubstantiation. Mais ce qui l'avait laissé interdit, c'était par-dessus tout la grille de la frontière. À la voir, elle n'avait pas l'air infranchissable, elle ressemblait à une grille d'immeuble privé, combien de fois il en avait enjambé de pareilles, à Quarto, avec ses amis, quand le ballon frappé de biais filait dans la cour d'à côté ! Comment ils faisaient, les enfants de Gorizia quand le ballon franchissait la grille, ils s'expatriaient ?

Il retourna à Gorizia avec Giulia – la petite avait, voyez les hasards de la vie, exactement dix ans – un week-end de vacances, pour essayer de suivre les chemins de sa mémoire. L'allée lugubre et provinciale était toujours là, et aussi la grille et la masse du bâtiment ferroviaire, mais il n'y avait plus l'étoile rouge, et la place aussi était libérée de tout obstacle, on pouvait l'arpenter en long et en large, comme on ne l'avait fait, pendant des décennies, que dans la mémoire des personnes âgées de la zone ; Ferraro resta, jambes écartées juste au-dessus de la bande de pierre qui délimitait la frontière entre les deux États. Où était-il maintenant ? Où ? Giulia ne comprenait guère son enthousiasme, elle marcha droit vers la gare. Pour elle, il n'y avait aucune frontière, aucune délimitation, elle était fille de l'Europe opulente du XXIe siècle, le fait qu'à Nova Gorica on parle une langue différente ne l'étonnait pas plus que ça, beaucoup de ses camarades de classe, après tout, en faisaient autant. Ils entrèrent dans la gare et s'assirent sur le banc du premier quai. La marquise formait comme un cadre autour du paysage. Voilà, la Slovénie, non, la

Yougoslavie, l'autre monde, là où ils mangeaient les enfants. D'un distributeur automatique aux inscriptions incompréhensibles, il tira un biscuit et un café. Il paya en euros et, déçu, il eut l'impression de n'être allé nulle part.

Ils se promenèrent en bicyclette entre la Slovénie et l'Italie, zigzaguant sur les traces d'une Histoire qui n'avait aucun sens pour l'enfant et au contraire pesait comme un fardeau pour le père. Il était irrémédiablement un homme du siècle passé, lequel avait construit son panorama intérieur, son paysage affectif et symbolique, dans un monde fait de téléphones à cadran, de rideaux de fer et de petits journaux pornographiques. Il n'y avait pas de nostalgie en lui, seulement une claire prise de conscience : il appartenait à la dernière génération qui avait vécu les derniers râles du XXe siècle et pour cela aussi, peut-être, un destin moqueur l'avait-il condamné à la jeunesse éternelle, à l'attente infinie. Mais ensuite, la biologie avait fait son devoir, sans rabais, et maintenant Ferraro se sentait salement vieux sans avoir été vraiment adulte. Parce que la jeunesse, il la voyait pédaler devant ses yeux, au milieu de la piste cyclable surgie sur les fondations du vieux tracé ferroviaire. Giulia pédalait et riait, qu'elle fût d'un côté ou de l'autre de la grotesque identité nationale ne lui importait guère. Elle savait seulement que le biscuit, à Nova Gorica, se payait en euros, alors qu'à Lugano, il fallait les grosses pièces argentées, celles qui fascinaient le jeune Michelino et que sa fille, tout comme lui un millénaire auparavant, collectionnait scrupuleusement dans une petit boîte en fer-blanc.

Quant à ce qu'était réellement la Suisse, hors des grossiers lieux communs des italiotes en vacances, il essaya de l'expliquer à Francesca, lors de leur première excursion lacustre (à Lugano, c'était toujours une première fois à l'étranger. Avec les parents, avec les amis, avec la fiancée, avec sa fille). C'était, pour elle, Le Corbusier, Dürrenmatt, Giacometti. C'était un pays qui un siècle plus tôt seulement crevait de faim, le pays de la cohabitation entre des langues et des religions, différentes et pourtant toutes également suisses. Il parlait du canton du Tessin comme d'une Italie qui a réussi, celle qui récompense le talent et promeut la cohabitation civile. Peut-être était-ce aussi une idéalisation. Chacun regarde avec ses yeux, voit ce qu'il veut ou ce qu'il peut. Les Tessinois ressemblaient, d'après Francesca, à des Lombards exemptés de l'impolitesse congénitale de ces derniers, quoique vaguement glacials. Pour quelqu'un de Berne, peut-être, ils étaient les sempiternels ploucs du Sud, parasites bouffeurs de fromage. La cruauté des latitudes ne laisse pas d'issue.

7

Au grand dam de l'office du tourisme cantonal qui faisait une propagande inlassable autour du nombre d'heures de soleil annuelles du petit paradis pour vieux teutons paresseux, il pleuvait sans arrêt à Lugano. Pas des trombes d'eau, mais cette pluie fastidieuse qui se glisse dans le cou et détrempe le dos. Ferraro en avait marre avant même de commencer. Déjà que les lacs, en eux-mêmes, sont déprimants, si en plus il pleut dessus, à la fin, les instincts suicidaires prolifèrent de manière démesurée.

Il entra dans le hall de l'hôtel, moite, décoiffé et nullement professionnel. L'homme de la réception – Ferraro reconnut sa voix – lui indiqua où trouver Mlle Murano.

– Vous l'avez mise au courant ? demanda Ferraro, complice, avant d'y aller.

– Non… elle ne sait rien, j'ai fait comme vous m'avez demandé.

– Bien.

Le policier se dirigea vers la terrasse panoramique. D'abord, il ne vit personne puis, au fond, à l'abri de la pluie, il repéra la jeune femme d'environ vingt, vingt-cinq ans, qui regardait l'étendue lacustre, au-delà du dense rideau de pluie, en sirotant le contenu d'une tasse fumante.

Il s'approcha subrepticement, comme un voleur.

– Mme Graziella Murano ? demanda-t-il.

S'il avait eu un chapeau, il l'aurait fait tourner entre ses mains, embarrassé.

La jeune femme leva les yeux et le regarda avec curiosité.

– Oui… oui… mais, pardon…

Ferraro montra la table.

– Je peux m'asseoir ?

– Je ne comprends pas…

La jeune fille se mit à regarder derrière lui comme pour vérifier qu'elle n'était pas restée seule avec un psychopathe à l'œuvre de bon matin.

– Ne vous inquiétez pas, dit-il et sans attendre la réponse, il déplaça la chaise. Je suis policier.

– Pol… mais qu'est-ce qui se passe ?

Ferraro s'assit lourdement. Puis il se passa la main dans les cheveux, cherchant à les remettre en ordre.

– Alors… Mme Murano… je voulais vous demander…

Comment tu lui dis ? Comment tu dis à une fille que son père est mort assassiné ?

– Quand… quand avez-vous parlé pour la dernière fois à votre père ?

– Quoi ? fit-elle tandis qu'un pli vertical apparaissait sur son front. Mais qu'est-ce qui… ? demanda-t-elle, toujours plus alarmée. Il s'est passé quelque chose ?

Bon, ben, inutile de tourner autour du pot, ce n'est pas une idiote.

– Mme Murano, je dois vous donner une mauvaise nouvelle. Cette nuit il y a eu une tentative de cambriolage chez vous, à Milan. Votre père était présent et il y a eu un échange de coups de feu.

La jeune femme fixait Ferraro, catatonique, les lèvres légèrement entrouvertes.

– Où est-ce qu'on l'a hospitalisé ? demanda-t-elle tandis que le pli apparaissait maintenant sur le front du policier. Mon père, je veux dire… ils l'ont…

Ferraro fronça le sourcil et laissa échapper un petit soupir embarrassé.

– Madame…

Comment je lui dis ?

– Graziella, attaqua-t-il et en l'appelant par son prénom, il lui prit la main entre les siennes. Votre père a été blessé à mort de deux coups de pistolet.

La main de la fille était un glaçon. Ils restèrent ainsi pendant quelques secondes, on aurait dit que les mots prononcés par Ferraro n'étaient pas arrivés à destination. Puis, soudain, elle retira sa main.

— Non... non, ce n'est pas possible... je l'ai vu hier soir... c'est-à-dire... il allait bien, je...

Comme si le regard pouvait avoir des vertus thaumaturgiques. Je l'ai vu, il était vivant, mon regard le maintient en vie, donc peut-être qu'il n'est pas mort jusqu'à ce que je le voie, moi, de mes propres yeux.

— Je suis désolé, ajouta Ferraro comme il est de règle.

La jeune femme se remit à regarder au-delà de la pluie, vers le lac. Le meilleur paysage, presque compatissant, étant donné la situation.

— Qui... qui est-ce... c'est-à-dire... vous les cherchez ? dit-elle, absente.

— Madame...

— Graziella... appelez-moi par mon prénom... j'ai besoin de...

De ne pas me sentir dans une procédure bureaucratique, peut-être.

— Graziella... votre père était armé, dans l'échange de coups de feu, il a tué son braqueur.

— Ah.

Comme ça, rien de plus.

— Il était seul ? ajouta-t-elle sans jamais détacher son regard du lac.

— Nous n'avons trouvé qu'un cadavre, mais nous suspectons la présence d'un complice.

— Je comprends...

Elle faisait de gros efforts pour rester calme.

— Comment... qui était ce mort, l'assassin de mon...

— Il s'appelait Anton Niemen.

— Comment ?

— Anton Niemen. Vous le connaissiez ?

Elle secoua la tête en fronçant les sourcils.

— Non. Je ne crois pas l'avoir jamais... c'est-à-dire, peut-être... je n'ai pas l'impression... d'où était-il ?

– Italien.

– Avec ce nom ?

– C'était un rom italien.

La jeune femme tourna le regard vers Ferraro.

– Un rom ?

– Oui.

– Un gitan !

– Oui. Un gitan.

8

Ferraro attendait patiemment, assis sur un petit canapé dans le hall de l'hôtel, en feuilletant d'un air distrait quelques quotidiens. Puis il vit la jeune femme s'approcher de la réception, avec son bagage refait à toute vitesse ou alors non, peut-être n'avait-elle pas eu le temps de répartir les chemisiers dans les tiroirs, de suspendre les vestes dans le placard. Peut-être n'avait-elle fourré dans sa valise que le pyjama et les quelques affaires portées la veille.

À la réception, ils lui présentèrent leurs condoléances avec mesure et décence, mais ils n'oublièrent pas de lui faire payer la chambre réservée par son père. La jeune femme ne broncha pas, signa où elle devait signer et, prenant sa valise, se dirigea vers le policier.

– Donnez, je la prends, moi, dit Ferraro, serviable, en lui montrant le bagage.

– Oh, fit-elle, distraite. Inutile, elle est à roulettes.

– Mme Murano…

– Graziella.

– Oui… Graziella. Vous êtes sûre de vouloir conduire jusque chez vous ? Je peux vous emmener, moi, à la morgue.

– Et qu'est-ce que je fais ? Je la laisse ici, la voiture ? Non, écoutez, je n'ai vraiment pas envie de revenir dans cet endroit.

– D'accord, je comprends.

Ils franchirent la porte tournante. Ferraro remonta son col.

– Vous n'avez pas de parapluie ? demanda la jeune femme.

Elle n'attendit pas la réponse et ouvrit le sien, un grand et gracieux parapluie de plastique rouge transparent.

— Non, je ne...

— Abritez-vous.

— Donnez-le-moi.

Ferraro lui prit le parapluie et tendit le bras. À les voir de loin, on les aurait pris pour les amoureux de Peynet, non pour deux inconnus réunis par le hasard d'une mort violente.

— Maudite pluie, depuis hier elle n'arrête pas...

Quand on parle du temps, c'est vraiment qu'on n'a rien à dire, pensa Ferraro.

— Graziella, dès que vous vous en sentirez capable, je devrai vous poser des questions, vous comprenez... l'enquête.

La jeune femme allongea le pas pour traverser le passage pour piétons avant le rouge.

— Si on ne se dépêche pas, ici, ils nous aplatissent, dit-elle avec une légèreté adolescente.

Puis, immobile sur l'autre trottoir, elle regarda autour d'elle.

— Où est-ce que je l'ai laissée ? se demanda-t-elle à haute voix. Ah oui.

Elle se remit en mouvement. Il y eut quelques secondes de silence.

— Si vous voulez, on le fait tout de suite.

— Ben, vous ne me semblez pas en état de...

— Si ça peut servir à l'enquête, allons-y, comme ça on n'y pensera plus.

9

Au bar, elle commanda une tisane qu'elle but à contrecœur, tandis que Ferraro se contentait du canonique expresso.

Donc, Graziella vivait avec son père, lequel, parfait self-made-man, avait bâti de ses propres mains la maison de la via Pietro Maffi et construit à partir de rien son entreprise, manifestement *leader du secteur*. La mère — *da chiuso morbo* *combattuta e vinta** – était morte deux ans auparavant, laissant un vide que le père avait comblé par le travail et les quelques distractions que sa fille aimante lui offrait. Ils se mirent à voyager en fin de semaine, le lac plaisait beaucoup à son père, homme simple qui ne se prenait pas trop la tête. Pas grand-chose de plus. Il ne fréquentait que quelques personnes, toujours les mêmes, il n'avait pas d'ennemis, pas d'antécédents, aucune ombre. Elle, la jeune fille, venait d'obtenir un master en économie et commerce. Non, elle ne travaillait pas encore, elle aidait de temps en temps son père dans l'entreprise, mais il aurait préféré qu'elle réussisse à se débrouiller seule, vu que dans son milieu une femme aux commandes, ça n'est pas très bien vu et puis, il y traîne des types louches, et elle, elle devait s'en chercher un convenable.

Ferraro paya en euros et reçut la monnaie en francs suisses. Je les donnerai à Giulia, pensa-t-il, et un frisson parcourut son épine dorsale. Ils sortirent, Ferraro ouvrit le parapluie, même s'il n'y en avait plus besoin, la pluie était en train de s'arrêter.

– Ferraro, vous auriez une cigarette ?

– Je ne fume pas, désolé.

– Je les ai laissées dans ma voiture, depuis hier, je n'en ai pas allumé une.

Ils se mirent en marche.

– Si j'avais besoin de vous poser d'autres questions…

– Mais oui, bien sûr… en fait, tenez-moi au courant. Vous comprenez, en somme… que…

Elle s'arrêta d'un coup, se couvrit les lèvres de sa paume ouverte, écarquillant légèrement les yeux.

Là, elle fond en larmes, pensa Ferraro.

– Nous sommes arrivés, dit-elle en se reprenant.

Elle ouvrit vivement la portière et se jeta à l'intérieur, la fouillant frénétiquement. Ferraro, par déformation professionnelle, nota le modèle de la voiture, une petite auto sportive et juvénile, rien de vraiment dispendieux. La jeune femme réapparut cigarette aux lèvres.

---

* "Combattue et vaincue par une maladie intime" : vers de Leopardi utilisés ici par l'auteur pour indiquer la maladie en général.

– Excusez-moi, je ne sais pas ce qui m'a pris.

– Vous n'avez pas à vous excuser. Fumez tranquillement votre cigarette et si ça peut vous aider, fumez tout le paquet.

Il sortit de son portefeuille un post-it.

– C'est mon numéro, s'il vous revient quelque chose à l'esprit, que vous auriez oublié de me signaler, un soupçon, un indice…

Elle prit le bout de papier et l'observa avec attention, tandis qu'elle aspirait une bouffée généreuse de sa cigarette.

– D'accord.

Elle rejeta toute la fumée.

– Vous êtes sûre que vous ne voulez pas être accompagnée ?

Elle sourit.

– Je connais la route, ne vous inquiétez pas.

Une fois le bagage chargé, après les politesses d'usage, il l'observa tandis qu'elle partait. Du coin de l'œil, il s'aperçut que la jeune fille donnait des coups de poing au volant et il eut la certitude que ses épaules tressautaient, comme quelqu'un qui pleure.

Puis le portable. C'était Comaschi.

– Bouge-toi le cul, parce que ici au commissariat, c'est un vrai bordel.

Scène du crime

1

Le massacre de Lodi avait monopolisé tous les journaux télé du matin ; qu'un malheureux, à Milan, ait été victime de l'habituel braquage dans sa villa, ça n'intéressait personne, c'était une mort de série B, mais un beau massacre, un beau règlement de comptes de style mafieux au cœur de la verte Lombardie, vous vous rendez compte, le pied que c'était ? Quelques directeurs de journaux, à l'arrivée de la nouvelle, eurent une érection insensée, immédiate. Certaines nouvelles font bander. Sang, sang, sang. Si les brutes de la rédaction envoyées aussitôt vérifier sur le terrain devaient y trouver aussi un peu de sexe et d'immigrés, c'était bon, il y aurait de quoi remuer la boue pendant des semaines.

Les free-lances, les bleus, les pigistes arrivèrent presque en premier (les journalistes professionnels, non ; eux, le matin, ils dorment. Après un après-midi à se tourner les pouces à la rédaction, ils ferment le quotidien en fin de soirée, vont se manger un sandwich et boire une bière avec les collègues, rentrent chez eux tard, et enfin, satisfaits de leur travail défatigant, éteignent la lumière et ronflent jusqu'en fin de matinée), bref, les mouches assoiffées de sang arrivèrent presque en premier, avant même les forces de l'ordre.

Les policiers municipaux eurent du mal à isoler la zone à temps et durent demander des renforts, parce que ici, c'est un bordel délirant, on se serait cru à Beyrouth ! Le conflit territorial éclata. À qui était l'affaire ? Flics ou chaussettes à clous ? Ils avaient beau ne savoir ni lire ni écrire, ils arrivèrent en bandes, endimanchés et colorés comme à une kermesse ultra-rurale : brigade criminelle, police pénitentiaire, gardes-forestiers et même deux carabiniers à cheval, il ne manquait

45

plus que la milice de Saint-Marin et les gardes suisses du Vatican et tout le monde était là.

Puis, enfin, arrivèrent les RIS, la police scientifique des carabiniers, qui se trouvaient plus loin, à Parme, avec leurs combinaisons blanches bien repassées et photogéniques, et enfin la Scientifique de Milan, en retard parce que retenue par le meurtre de Giovanni Murano. Les carabiniers les regardèrent avec suffisance et mépris. Quelques-uns bombèrent le torse comme des dindons en chaleur, d'autres lancèrent en biais des coups d'œil dénigreurs, il y en eut pour siffloter un petit air méprisant, pour dire un mot de trop. On eût dit des chiens qui pissaient aux coins de la rue pour délimiter leur territoire. Il s'en fallut de peu que n'éclate une rixe sans pareille entre forces alliées, en se foutant des victimes à terre. Le classique tir ami.

Puis, pour mettre tout le monde d'accord, arrivèrent des dispositions d'en haut : l'affaire revenait au Service central opérationnel, de Rome était déjà parti un groupe d'enquêteurs du SCO, patientez et vous poursuivrez les analyses. Les combinaisons blanches parmesanes jetèrent à terre, vexées, leurs gants de caoutchouc, rangèrent leur attirail et leurs gadgets dans les valises et s'en allèrent, très offensées et dédaigneuses comme des *étoiles** du Bolchoï auxquelles on n'a pas réservé la suite impériale du Grand Hôtel. Ceux de la Scientifique se mirent aussitôt à l'œuvre.

Rien que bloquer la place et rediriger le flux des voitures à l'entrée et à la sortie semblait une entreprise titanesque. Au pont sur l'Adda, plus personne ne pouvait passer, il fallait prendre la voie rapide extérieure et entrer en ville par le sud. La cata. Les habitants de Lodi eurent ainsi le spectacle de leur avenir immédiat : ils savourèrent ce goût amer d'embouteillage et de stress du trafic métropolitain qu'ils croyaient réservé aux habitants de la plus encombrante sœur aînée, Milan. Ils cueillirent le fruit, comprirent qu'il était gâté, mais ils ne pouvaient rien y faire. Et ils se sentirent pour la première fois non pas un chef-lieu de province mais un quartier périphérique.

Au milieu de tout ce bordel, les types du SCO arrivèrent, non sans difficultés, sur la scène du crime *in extremis* pour entendre *extra moenia* les rapports de ceux de la Scientifique et pour visionner *in medias res* la situation *in situ*. Tout était encore *in fieri*, mais les techniciens racontèrent *ab ovo* ce qu'ils avaient découvert, sachant que *in itinere*, beaucoup de choses seraient, *mutatis mutandis*, à revoir. Mais les enquêteurs ne désiraient pas l'*opera omnia* de leurs analyses, ils savaient qu'il serait toujours temps pour un *errata*, ils voulaient, *apertis verbis*, des éléments sur lesquels commencer à raisonner. *Dictum, factum* : les techniciens, peut-être de par leur particulière *forma mentis*, balancèrent *ex abrupto* les difficultés rencontrées et puis demandèrent de patienter encore vu que *gutta cavat lapidem**.

2

Pendant ce temps, les corbeaux de l'information voltigeaient aux abords du massacre. Les policiers municipaux avaient du mal à tenir à l'écart les appareils photo, les caméras, les micros. Les ordres étaient catégoriques, il ne fallait altérer en rien la scène du crime, et les flics se damnaient pire que les chasseurs alpins sur le front du Carso pour ne pas reculer d'un millimètre face à l'ennemi.

Certains, on ne sait comment, réussissaient à échapper au contrôle et à franchir les barrières improvisées, mais ils étaient aussitôt attrapés et renvoyés au-dehors. Mais l'un d'entre eux, un vieux renard du service public de la télévision, trouva une faille et fonça d'un pas décidé sur le petit groupe de personnes près de l'ambulance. Il y avait quelques policiers en uniforme

---

* "La goutte d'eau creuse la pierre" : dicton antique incitant à la persévérance. Auparavant, parmi les expressions les moins connues : *extra moenia* signifie "hors des murs de la cité" ; *in medias res* : "en plein cœur de l'action" ; *in fieri* : "encore en phase d'élaboration" ; *ab ovo* : "du tout début" ; *apertis verbis* : "de manière claire et explicite" ; *dictum factum* : "aussitôt dit aussitôt fait" ; *forma mentis* : "forme d'esprit".

et d'autres en civil. Le journaliste de la télé s'adressa à la seule femme présente, avec des manières affables et séductrices.

— Pardonnez-moi, ma chère… qui commande ici ?

La femme se retourna. Le visage était de marbre, inexpressif.

— Moi, dit-elle seulement.

Que la réponse de l'interpellée n'apparaisse pas trop lapidaire. Sous-entendu à ce pronom personnel monosyllabique, il y avait un long discours bien articulé, que nous pourrions brièvement résumer ainsi : Mon cher ami qui fait la pêche aux cadavres, je sais parfaitement qui tu es. Tu sais combien j'en ai rencontré, des comme toi, sur ma route ? Garde-toi tes "ma chère" pour qui tu voudras, mais n'essaie jamais plus de les utiliser en ma présence. Tu es le sempiternel imbécile qui dès qu'il voit une femme dans une situation de travail, pense que c'est la secrétaire du chef. Eh bien non, avale la couleuvre, macho de mes bottes, c'est moi qui commande ici et pas parce que, comme ta malveillance pourrait te le faire croire, je suis la fille de quelque puissant ou parce que je me suis fait sauter par le premier politicien venu, mais parce que j'ai trempé la proverbiale chemise pour démontrer ma valeur dans un secteur comme la police d'État où les femmes sont encore vues comme quelque chose d'ornemental. Et n'essaie même pas de me traiter de lesbienne, pathétique excuse pour ceux qui n'acceptent pas qu'une femme puisse commander à des hommes, ou de femelle hystérique. Mes nerfs vont bien, merci, même si des têtes comme la tienne les agressent à répétition, mais je sais me contrôler, et mes pulsions sexuelles sont orientées vers le genre masculin, le vrai, je veux dire, pas les pauvres mecs comme toi qui connaissent tout juste la position du missionnaire et la joie de douze secondes de coït, quand ça marche. Et sache que je plais, oh oui que je plais, aux hommes et aux femmes, mais je ne passe pas mon temps à montrer mon décolleté généreux comme un chantage sexuel. Je connais les moments, les endroits et les manières de jouir de la vie, ici je fais mon métier, pas un défilé de mode. Et regarde-moi avec attention, tu les vois, ces rides sur mon visage, ces pattes d'oie, ces cernes ? J'en suis fière. Ils me vieillissent bien, pas comme ton horrible visage botoxé. Je t'ai reconnu, mon cher, dès que je suis arrivée : je t'ai vu te frotter les mains, j'ai vu l'étincelle dans tes yeux pendant que tu imaginais déjà le modèle tridimensionnel de la place à montrer à tes téléspectateurs, mais tu peux toujours en rêver, que ton chant de sirène marche. J'ai des boules Quies pour les gens de ton espèce. J'ai deux masters, un fils majeur, une vie pleine d'intérêts, quant à figurer dans ton petit spectacle pseudo-journalistique, en allant pour ton pénible plaisir m'asseoir sur les sofas de cuir blanc de ton studio en croisant mes jambes nues, j'en ai rien à cirer.

Un agent en uniforme s'approcha.

– Commissaire, on vous demande.

La femme tourna le dos au journaliste.

– D'accord, j'arrive tout de suite.

Elle s'en alla, indifférente. Le journaliste regarda le policier.

– Mais qui c'est, celle-là ?

La femme avait déjà fait une dizaine de mètres. Sans même se retourner, elle ordonna, inflexible :

– Vire-moi ce casse-couilles !

L'agent prit le journaliste par le bras.

– Allez, on y va.

Et il le conduisit hors de l'enclos.

– Mais c'est qui, bon Dieu, on peut savoir ?

Le garçon sourit, en regardant d'un air rêveur vers la femme à présent lointaine.

– C'est la commissaire Elena Rinaldi.

Traduction : "Et maintenant, démerde-toi."

3

Au pied de la commissaire, un cadavre, couvert d'un drap immaculé.

– Alors, vous avez fini ? Je voudrais qu'on emporte les cadavres, autrement les vautours ne s'en iront pas, dit la femme en pointant le doigt au-delà des barrières.

49

– On a fini, répondit un des techniciens de la Scientifique.

La femme regarda derrière lui.

– Pietrantoni, amenez les sacs.

Le jeune agent hocha la tête. La commissaire revint au technicien.

– Alors, maintenant, on arrive à faire une hypothèse sur ce qui s'est passé ?

– *Dottoressa*, on est toujours sur le terrain des suppositions, que ce soit bien entendu…

– Oui, bien entendu, bien entendu…

Elle soupira, très agacée. Puis elle prit la situation en main.

– Voyons si j'ai bien compris.

Elle se dirigea vers l'habitacle de l'ambulance. À sa suite, un groupe de trois personnes.

– C'est presque l'aube, l'ambulance transporte un détenu pour une hospitalisation…

– On soupçonne un ulcère sanglant, ajouta en contrechant le technicien.

– Favalli, on a quelqu'un à la prison ?

– J'y ai envoyé Fusco.

La femme sourit :

– Quel courage barbare ! Dans une prison d'hommes, tu envoies une belle fille !

Favalli lui rendit son sourire :

– Pour le plaisir des yeux.

– Fusco est un bon flic… dit-elle puis elle changea de ton. Mais après, je vais y faire un saut moi aussi.

Comme ça, les voyous auraient enfin un abondant matériau mnémonico-iconographique pour les branlettes à deux mains des trois prochains mois.

Elle recommença à parler au technicien :

– Il y a de la brume. L'entrée de la place est bloquée.

– Deux voitures. Une n'est plus là, ils se sont enfuis.

– Ça, je le savais moi aussi. Ils n'allaient pas nous attendre les bras croisés.

Le technicien rougit.

– D'après le relevé des empreintes des pneus, et d'après les débris d'un feu arrière cassé, nous remonterons au modèle, dit-il pour se redonner une contenance.

– Très bien, dit-elle. Mais dépêchez-vous… Donc, nous disions…

Elle jeta un coup d'œil dans l'habitacle.

– Deux morts, le chauffeur et le bénévole, tués par une arme à feu.

– Uzi, mitraillette chambrée 9 mm parabellum.

– Du sérieux, dit-elle sans aucune ironie.

Elle fit quelques pas le long du flanc du véhicule, les autres derrière, comme un cortège.

– Ils ont fait sauter le hayon, dit-elle, jouant avec un coup d'avance sur Favalli.

La femme maintenant regardait dans l'espace à l'arrière. Le brancard était renversé sur le corps de l'agent de la police pénitentiaire, solitaire, avec les menottes encore au poignet et son embarrassante tache de sperme sur la braguette.

– Valerio Maestri, né à Stradella, trente-deux ans, depuis quatre ans en service à la prison de Lodi.

– Pauvre type, quelle sale fin.

Elle tourna son regard vers la place. Pietrantoni était en train de glisser le cadavre le plus éloigné dans un *body bag*. Les deux autres morts attendaient patiemment, sous les draps immaculés.

– Nous avons compté trois objectifs visés par le groupe d'assaut.

Vraiment, elle ne supportait pas cette manière de parler de la Scientifique.

– Je vois. Je sais compter, moi aussi.

Le technicien vira au pourpre.

– Nous ne savons pas combien ils étaient, poursuivit-il d'une voix altérée.

– Pas plus de six ou sept, intervint Favalli. Sinon, c'est qu'ils prévoyaient des pertes, parce que avec deux voitures… les comptes sont vite faits.

– Comment s'appelait le détenu ?

– Towongo Haile Moundou.

51

– Il était d'où ?

– C'est Fusco qui s'occupe de ça.

La femme regarda autour d'elle, comme si elle avait oublié où elle s'était garée. Il y eut quelques secondes de silence. En réalité, elle remettait de l'ordre dans ses idées.

– Ok, reprit-elle. Ça s'est vraisemblablement passé comme ça : le commando sait que... machin... comment il s'appelle ?

– Towongo Haile Moundou.

– Je disais... ils savent que Moundou sort de la prison.

– Mais comment ils font pour le savoir ? Qui le leur a dit ?

– Belle question, voyons ce que Fusco va nous rapporter. Pour l'instant, ne nous laissons pas distraire par ces détails... je disais... ils préparent le guet-apens, mais peut-être qu'ils ne s'attendaient pas à la réaction du gardien. C'est une boucherie. Moundou est libéré.

Elle se tourne vers Favalli.

– Pourquoi était-il au trou ?

– Fusco m'a dit que c'était du menu fretin.

– Tu rigoles ? Personne n'organiserait une telle puissance de feu pour libérer un voleur de poules.

– Il faut approfondir les enquêtes sur lui, proféra Favalli qui avait un don pour les évidences.

– Mais pour l'instant, ce que nous savons, c'est qu'un commando paramilitaire a libéré un détenu considéré jusqu'à hier comme un minable. Il faut des hommes, de l'argent et des véhicules, pour le faire. Ce qui signifie que nous avons quelque part en Italie des gens vraiment dangereux.

– Il a peut-être été blessé, dit le technicien. Nous avons découvert un tricot ensanglanté, mais nous n'y avons pas trouvé de brûlures d'arme à feu.

– Il n'est pas mort, sinon, il serait encore menotté au gardien.

– Qu'est-ce que je dis aux journalistes ? demanda Favalli, préoccupé.

La femme jeta un coup d'œil aux corbeaux.

– Le moins possible. Surtout ne rien dire de l'évadé, s'ils découvrent qu'il y a un détenu noir en fuite dans la plaine padane, plus personne ne les arrêtera.

– Ils vont le découvrir, tôt ou tard.

– Mieux vaut tard que tôt.

Elle sortit son portable de sa poche et sélectionna un numéro.

– Fusco ? T'en es où ? Mmh… ok..

Elle s'éloigna du groupe.

– Écoute, j'ai faim. On m'a parlé d'un petit resto qui…

Entre-temps, Pietrantoni avait enlevé les trois cadavres de la place. Maintenant, il était temps de s'occuper de ceux de l'ambulance.

4

Fusco et la commissaire Rinaldi s'assirent à la table.

– On n'est que deux ?

– Favalli et Pietrantoni vont arriver.

– J'ai vu comment il vous regarde, dit Fusco, sournoise.

– Laisse tomber, tu ne sais pas à quel point ça me gêne…

– Ben, lui, il est mignon.

– Arrête ça, Fusco. Il pourrait être mon fils.

– Vous exagérez… disons votre neveu, allez…

Le serveur arriva.

– Écoutez, dit Elena à l'homme, contente de changer de sujet, parce que le rôle de la tante qui a vécu, elle n'avait vraiment pas envie de le jouer. On saute les pâtes, on est pressées, qu'est-ce que vous avez de prêt ?

– Sur la broche, on a la *pollina* qui tourne.

– Qu'est-ce que c'est ?

Les deux autres collègues entraient dans l'établissement.

– Une dinde avec du lard et du jambon cru, dorée à la broche.

– Mmh… ça me paraît bien, dit-elle avec gourmandise. Qu'est-ce que vous en pensez ?

– N'importe quoi m'ira, annonça Favalli en s'asseyant.

53

Quelle banalité. Le genre de type qui ne mange que pour se nourrir.

— Ok. Pour quatre.

— Je vous amène un petit hors-d'œuvre ? De la charcuterie, de la *raspadüra*...

Les yeux de la femme parurent étinceler.

— Oui. Quoi que ça puisse être.

Le serveur entra dans l'antre magique de la cuisine. C'tes Romains, pensa-t-il en souriant.

— Alors, qu'est-ce que tu racontes ? demanda la commissaire, tournée vers sa collègue.

— J'ai parlé avec l'infirmier qui était de service.

Elle tira son carnet.

— Luigi Vasile. Un type correct. Il me semblait très secoué.

— Et ?

— Et rien. Le détenu perdait des flots de sang. Depuis des jours il se plaignait de douleurs au dos et au creux de l'estomac. L'infirmier ne pouvait faire autrement que de l'envoyer à l'hôpital.

— Ça ne peut pas être une coïncidence, dit Favalli.

— De fait, ça n'en est pas une.

— Qu'est-ce que tu nous caches, Fusco ?

— J'avais emmené avec moi un type de la Scientifique et nous avons inspecté la cellule. Nous avons trouvé un drôle de truc, je ne l'ai pas ici, c'est le collègue qui l'a emporté.

— C'était quoi ? demanda Pietrantoni, démontrant ainsi à l'assistance qu'il était lui aussi doué de parole.

— Une espèce de clou souillé de sang, quelque chose de métallique et de rouillé, attaché serré à une longue corde de coton.

— Seigneur... s'exclama, dégoûtée, la commissaire. Il a avalé ce truc pour provoquer des lésions internes et puis il l'a retiré. Il faut du courage...

Les hors-d'œuvre arrivèrent. Des feuilles de parmesan d'une épaisseur de papier à cigarette ornaient la planche de charcuterie.

– Oh mon Dieu, c'est quoi ? s'enquit Rinaldi, enthousiaste : il lui suffisait de peu pour se remettre en paix avec le monde.

– La *raspadüra*, dit le serveur, débonnaire.

– Hum, voyons ça.

La femme prit une fourchette.

– Non, non... avec les mains... c'est meilleur...

Elle s'exécuta comme une petite fille sage.

– Mmh... mais c'est très bon...

Elle en reprit et tendit une bouchée à Fusco.

– Goûte.

La jeune femme mangea ce qu'elle lui tendait. Pietrantoni commença à suer spectaculairement. Si ça lui était arrivé à lui, il se serait évanoui d'émotion ; pour éviter tout embarras, il se servit.

– Donc, le coup était bien organisé, dit la commissaire, reprenant le fil. Des complices internes ?

– Je n'ai pas assez d'éléments pour le dire.

– Il y a eu sûrement quelqu'un, dit Favalli, l'homme aux considérations jetables.

– La directrice de la prison affirme que Moundou n'avait jamais créé aucun ennui.

– La directrice ?

– Oui, c'est une femme.

Elena Rinaldi sourit.

– Alors, il n'y a plus personne à la cuisine ?

Puis elle avala une nouvelle bouchée de *raspadüra*.

– Mmh... ce truc est fou... à devenir dépendant !

Elle donnait faim rien qu'à la voir manger.

– Pourquoi est-ce qu'il était au trou ? demanda Pietrantoni, en chipotant une tranche de charcuterie de chez nous.

– En réalité, il a été transféré de la prison de Monza voilà quelques mois.

– Pourquoi ?

– Il s'était passé un bordel pas possible dans la section des détenus de droit commun. Alors, ils les ont répartis un peu partout en Lombardie. Mais il semble que Moundou s'y soit retrouvé par erreur.

– Oui, mais pourquoi a-t-il été arrêté ?

– Un truc sans importance particulière. Il était dans un bar de Milan plein de monde. Il y avait un match à la télévision. Il semble qu'il était complètement bourré. Un mot de trop et la bagarre a éclaté. Il en a étendu quelques-uns avant l'intervention des forces de l'ordre. Rixe aggravée et résistance à un officier public.

– Histoire minable, laissa échapper Pietrantoni, qui aussitôt plongea les dents dans la charcuterie, les yeux baissés.

– À Monza, je ne sais pas, en tout cas, à Lodi, il se comportait comme un petit ange. Jamais un problème, jamais d'ennuis. Toujours disponible mais toujours sur son quant-à-soi, il ne s'est lié pratiquement avec personne, il ne recevait pas de courrier. Il suivait seulement un programme de lecture avec quelques éducateurs et il donnait un coup de main pour ranger la petite bibliothèque de la prison.

– Un intellectuel, conclut Favalli, sarcastique.

Rinaldi regarda son collègue et le trouva transparent.

– Autre chose ? demanda-t-elle à Fusco.

– J'ai demandé une copie de tout le dossier du détenu : photographies, empreintes, papiers, effets personnels…

– Parfait.

Le garçon arrivait avec les plats fumants. Il servit d'abord les deux femmes. Elena redevint une fillette, il s'en fallait de peu qu'elle frappe dans ses mains d'enthousiasme.

– Oh mon Dieu, sens-moi ce parfum, tu te rends compte…

5

Le front nuageux sombre et agité provenant du nord coupait en deux le ciel de la piazza Vittoria. Fusco levait tantôt les yeux, inquiète de l'imminence de la pluie et tantôt contrôlait où elle mettait les pieds, car elle se tordait sans arrêt les chevilles sur le pavage de galets. Sa supérieure, en revanche, se déplaçait avec l'agilité de quelqu'un qui a toujours vécu au milieu des décombres de l'Histoire. Devant le porche de la façade de la cathédrale, la commissaire s'arrêta et jeta un coup d'œil compatissant au lion blanc qui soutenait la colonne sur son dos, montrant les côtes et la poitrine amaigrie de celui qui ne mange pas depuis des siècles. Elle approcha la main de la crinière du félin, on eût dit qu'elle voulait le caresser. Puis elle entra par la porte de gauche, suivie par Fusco, qui connaissait déjà ce rite curieux de sa chef et ne disait rien de plus que le nécessaire pour ne pas la déranger.

Elles venaient à peine de revenir de leur énième visite à la prison. Rinaldi avait voulu parler de nouveau à la directrice et tant qu'elle y était, elle avait visité la cellule de l'évadé et la bibliothèque. Là, elles trouvèrent un petit homme d'âge moyen qui plongeait les mains dans un gros carton.

– Un don, dit la directrice, les gens nous submergent de tous les livres qu'ils n'arrivent même pas à vendre d'occasion. Œuvres inoubliables d'écrivains du dimanche ou best-sellers déjà dégonflés.

– Et vous ? demanda-t-elle à la directrice. Vous les gardez tous ?

En entendant la question, le détenu sourit. La commissaire le regarda comme pour lui demander une réponse.

– On en garde quelques-uns, mais la plus grande partie, non… c'est nul…

– C'est vous qui faites la sélection…

– Michela et moi…

– Qui est Michela ?

– C'est une bénévole. Une libraire d'ici, elle nous donne un coup de main… et puis… et puis c'est tout. Haile aussi nous aidait, il lisait beaucoup. Il n'y en a pas beaucoup qui lisent, en prison…

La commissaire tourna son regard vers la directrice, qui hocha la tête.

– Oui, Moundou se donnait du mal, à la bibliothèque.

– C'était quel genre ? demanda la commissaire au détenu.

– Un type tranquille. Si on pouvait en avoir beaucoup comme ça…

Elena avait comme la certitude qu'il y avait un mur de silence autour du fuyard. En cellule aussi, les prisonniers en disaient beaucoup de bien, on aurait dit qu'ils parlaient d'une larve amorphe, pas d'un type capable de se provoquer des lésions internes et d'organiser une fuite aussi spectaculaire.

– J'imagine que *Le Comte de Monte-Cristo* est parmi les plus demandés, dit Elena, par jeu.

– Non, trop difficile, dit l'homme en continuant à ranger. Mais Haile l'aimait beaucoup.

C'était quoi ? Une blague l'air de rien ? Un message ?

De la nef de gauche, Elena se dirigea vers la nef centrale. Elle leva les yeux vers les voûtes en croisée d'ogives et d'un pas lent, mains dans le dos, effectua nez en l'air tout le parcours vers l'autel. Fusco savait-elle que Rinaldi était diplômée en histoire de l'art ? Peut-être, en tout cas, elle avait certainement compris que ces curieuses incursions qu'elle effectuait dans les monuments nationaux, chaque fois qu'elle pouvait, même – ou plutôt, surtout – durant une enquête, comme en ce moment, étaient pour la commissaire un moyen de se détendre et de remettre de l'ordre dans ses idées. Ce que Fusco ne savait pas, c'était que la jeune Elena, diplômée après les quatre années de rigueur – pas un seul jour elle n'avait manqué les cours –, avait présenté une thèse, elle si romaine, justement sur l'art roman lombard. Ensuite, tout était allé si vite qu'elle aurait eu du mal à suivre. Jouer la petite esclave en adoration pour son prof, elle n'en avait pas envie, à vingt-quatre ans, elle avait déjà un mari et un fils, elle n'avait pas le temps d'essuyer les coins de la bouche d'un vieux baveux. Mais elle n'avait nullement envie de rester chez elle à ne rien faire, donc elle se prépara pour le concours de la police. On cherchait des techniciens experts pour la récupération d'œuvres d'art dérobées, le travail lui plaisait. Puis tout le reste, en cascade : les tableaux ou les pièces archéologiques volées signifiaient aussi des enquêtes sur des trafics hors d'Italie, de là le second diplôme de droit international et de protection des œuvres d'art, et qui dit trafics internationaux dit aussi mafias russes, organisations criminelles africaines, commerce d'esclaves, prostitution des mineurs, et à force il y eut le passage à la direction des enquêtes antimafia, juste au moment où son mari mourait prématurément, son mari bien-aimé – et elle l'aimait vraiment – en tout cas moins que ce qu'il aurait vraiment mérité, cet homme si merveilleusement ordinaire, employé de banque qui préparait le dîner et restait assis à table avec l'assiette plate couvrant les spaghettis, dans l'attente du retour de sa femme à la maison. Elena ne se repentait de rien, entendons-nous bien, la vie s'était précipitée sur elle comme un piano dégringolant dans les films comiques muets, aucun regret, mais elle avait besoin de temps en temps d'une espèce de dédommagement sensoriel. C'était le désir de ne pas perdre le vice, de garder ses yeux constamment entraînés. C'était sa manière de ne pas sacrifier la beauté au nom de la réalité quotidienne toute crue. C'était son refuge de combattante, dans une existence belligérante où ce qu'elle avait conquis à coups de dents n'arriverait jamais à compenser ce qu'elle avait perdu pour toujours.

Après un examen attentif de la liste des détenus présents dans la prison de Lodi, Elena demanda soudain à la directrice d'organiser une rencontre.

– Vous avez idée de qui vous parlez ? C'est un homme dangereux.

– Je sais parfaitement ce que je fais.

– Il ne viendra pas, dit la femme, il ne parle à personne sans son avocat.

– Dites-lui mon nom, répondit Elena avec assurance. Je l'attends ici, dans votre bureau.

Dix minutes après, deux gardiens introduisaient un homme dans la pièce, sous le regard étonné de la directrice.

– Laissez-nous seuls, dit Elena à la femme.

– Vous plaisantez, n'est-ce pas ?

– Je prends la responsabilité de tout ce qui peut arriver, répondit la commissaire puis, s'adressant à l'homme : De toute façon, il ne se passera rien, pas vrai ?

Il ne dit pas un mot. Il sourit. Ricana, plutôt. Directrice et gardiens sortirent. Seule Fusco resta à la porte, mais cela ne sembla pas déranger le détenu.

– Bonjour, *dottoressa*, dit-il. C'est un plaisir de vous revoir.

– Salut, Tête de Chien. Ça te dit, de bavarder un peu ?

59

À l'approche de l'autel, la femme chercha l'escalier pour descendre à la crypte mais avant, elle s'arrêta pour observer à l'entrée le bas-relief de la Cène. Fusco, curieuse, aurait voulu poser des questions, mais elle se taisait. Dieu sait ce qui passe par la tête de cette femme, se disait-elle, mieux vaut ne pas interrompre le flux ; sauf qu'en levant les yeux sur le plafond de la crypte, elle vit un dessin qui l'étonna.

— Mais c'est quoi, ça ? dit-elle à haute voix. Le soleil des Alpes* ? Puis elle se mit la main devant la bouche comme si elle voulait rattraper les mots qui lui avaient échappé des lèvres.

La commissaire sembla revenir à elle.

— Le soleil des Alpes ? T'y crois encore à ces idioties ? rétorqua-t-elle avec un vague accent populaire romain, ce qui lui arrivait rarement dans son parler quotidien. Il y en a d'identiques à Foligno, à Terni, à Rome même. Il faut que je t'emmène à San Giovanni ou à Santa Maria in Trastevere...

La jeune femme ne savait pas bien quoi dire, et comme il est normal en ces cas-là, elle dit une chose erronée.

— Je croyais que c'était un truc de par ici, du Nord...

Elena sourit et secoua la tête.

— Jamais de la vie ! C'est la Fleur de la Vie. Il y en a même en Égypte et en Chine. Va le raconter à tes amis nordistes.

Que Fusco fût fille du peuple d'Athéna Parthénos et qu'elle eût vécu là-bas, dans les parages du môle où le dernier empereur romain d'Occident fut emprisonné, elle n'essaya même pas de l'expliquer à Rinaldi, qui, de toute façon, s'était replongée dans l'obscurité de ses pensées.

— *Dottoressa*, inutile d'insister. Haile était un brave gars. Un type qui sait rester à sa place, et faire ce qui doit être fait, quand il le faut, dit Tête de Chien.

— Qu'est-ce qu'il a fait pour mériter ton respect ?

Va savoir pourquoi la commissaire et ce gibier de potence se connaissent, se demandait Fusco. Dieu sait quelle affaire les liait, quel crime, quelle malédiction, Dieu sait combien de

---

* Figure géométrique très ancienne composée de cercles multiples, revendiquée comme symbole par la Ligue du Nord.

condamnations réunissent et en même temps distinguent l'homme et la femme, la nuit et le jour, le bien et le mal, le yin et le yang.

– Je vous l'ai déjà dit, il connaît les règles, il sait faire ce qu'il faut faire si quelqu'un se comporte mal et il fait pas chier.

– Et je peux savoir ce qu'il a fait ?

– Rien. Ici, chez moi, il n'a rien fait.

Il se pencha vers la femme.

– Il a réussi son coup, pas vrai ? Il vous a eus !

– On le chopera, t'inquiète. Mais si tu me donnes un coup de main…

– Allez, quel coup de main, non… moi, je ne sais rien de rien. Et si je ne sais rien, personne ne sait rien ici dedans.

– Et dehors ?

– Dehors, ce n'est plus ma juridiction. Peut-être que quelqu'un saura quelque chose, je ne sais pas. On dit beaucoup de choses sur Haile.

Quand elles furent assises sur un banc devant une petite abside qui contenait un "Pleurs sur le Christ mort" (c'est ce que dit la commissaire à Fusco, et Fusco fit oui de la tête, feignant l'intérêt), enfin Elena tira de son sac le dossier que la directrice lui avait confié à la sortie du pénitencier. Elle resta ainsi, plongée dans la lecture, pendant au moins 20 minutes. L'analyse des documents que la prison possédait sur Towongo Haile Moundou compliquait encore plus les choses. Ce n'était pas le sempiternel, l'énième clandestin mais quelqu'un qui avait déposé une demande d'asile politique comme réfugié fuyant la guerre du Darfour. Le passeport disait qu'il était soudanais, tout était en règle en somme mais aux yeux d'Elena, la photo, le nom et aussi les propos de Tête de Chien, le tout mis bout à bout semblait détonner. Mais ce qui lui fit dresser les antennes, ce fut le rapport de l'examen dactyloscopique. Pas d'empreinte, en somme. La pulpe des doigts était complètement abrasée, probablement immergée dans l'acide. Plus on s'approchait de Moundou (s'il s'appelait vraiment ainsi, désormais, elle doutait de tout) et plus il devenait fuyant, insaisissable.

Elle leva les yeux vers Fusco.

– Combien de temps il nous faut pour arriver à Monza ?

La jeune femme bondit sur ses pieds, prête à agir. Fin de la pause.

– Pas beaucoup !

1

Il entra hors d'haleine pour être aussitôt submergé par l'inondation bilieuse de son supérieur.

– Mais qu'est-ce que tu me fabriques, putain, Ferraro ? Qui t'a dit de faire une excursion à Lugano, bordel ?

– J'avais un peu d'argent à mettre à la banque.

– Arrête, un clodo comme toi…

– Je voulais avertir la fille de la victime que…

– Va te faire foutre, Ferraro, je m'en tape, de la fille, t'as compris ?

Je m'en tape était une des locutions préférées de Ruggero De Matteis – actuel dirigeant du commissariat de la via Satta, Quarto Oggiaro – probablement en même temps que *Eia, eia, alalà**, mais pour son très grand déplaisir, il n'avait pas beaucoup d'occasions de sortir l'exhortation dannunzienne, si hautement littéraire et donc inévitablement ridicule, comme sait l'être seulement la littérarité quand elle se met au service du pouvoir.

– Je voulais en tout cas l'interroger, avant qu'elle se cherche un avocat et alors…

– Putain, Ferraro.

Il semblait impossible à contenir.

– Je m'en fous de la fille, comment je dois te le dire, en araméen ?

– Voilà pourquoi je ne monterai jamais en grade, murmura, ironique, Comaschi. Je ne suis pas doué pour les langues.

---

* Cri de ralliement des fascistes historiques.

– Qu'est-ce que tu veux, toi, bordel ? lança, enragé, De Matteis.

– Rien, rétorqua l'autre en haussant les épaules. C'est juste que l'araméen, j'arrive pas à me le rentrer dans la tête.

– Écoute, bouffon. Prends-toi tes quilles de jongleur et fourre-les-toi dans le cul !

De Matteis, il fallait bien l'admettre, avait un langage plein de variations et de nuances qui faisaient expérimenter à l'auditoire des profondeurs esthétiques inimaginables.

– Tu veux que je te rédige un rapport ? demanda Ferraro, en feignant de ne pas entendre les insultes.

– Tu sais ce que j'en fais, de ton rapport ?

– Putain, De Matteis, t'es monothématique !

Ils se tutoyaient par une habitude ancienne, sans prendre garde à la différence tellement insistante des fonctions et des grades, ultérieurement accentuée par la promotion sur le terrain du commissaire (ex-adjoint).

– Non, c'est toi qui ne comprends pas. Moi, l'assassin, je l'ai déjà. Ce que je ne veux pas c'est qu'il nous arrive de nouveaux morts.

– Mais de quoi…

Il ne comprenait pas.

– Tu parles du complice ?

De Matteis, effondré, s'écroula comme un sac vide sur le fauteuil derrière le bureau qui fut celui de Zeni et qui maintenant, *o tempora, o mores !*, était son trône royal.

– Mais qu'est-ce que j'en ai à foutre du complice, dit-il, presque complètement abattu. Là, on est en train de danser le cul sur la bouche du volcan.

Ferraro regarda Comaschi comme pour lui demander des explications qui n'arrivaient pas de De Matteis.

– Nous avons cent hommes en tenue antiémeute au Triboniano.

– Bon sang de bonsoir ! Qu'est-ce qui se passe, c'est la guerre ?

– Pire, dit De Matteis. L'enfer pourrait se déchaîner.

– Sur les sites des quotidiens et aux journaux télés du matin, la nouvelle est passée que le meurtrier de Murano est un rom du Triboniano.

– Gitans de merde, dit à part lui le commissaire, sans interrompre les explications de Comaschi.

– L'habituel comité citoyen a organisé une manifestation de protestation devant le camp.

– Maintenant, il n'y a plus qu'eux qui manifestent, dit Ferraro avec un sourire sournois. Les ouvriers devraient prendre exemple sur c'tes gens.

– Arrête de dire des conneries, Ferraro, dit De Matteis. Il y a aussi un conseiller municipal qui est en train de faire un meeting en ce moment.

– C'est son droit.

– Je m'en tape, de son droit. Si ça ne tenait qu'à moi, les roms, je les brûlerais tous, un par un. Mais je ne veux pas de bordel dans ma zone, c'est compris ?

Il parlait comme un shérif dans le saloon d'un western des années 50, il ne manquait plus qu'il commande un verre de tord-boyaux, puisque de toute façon, il avait déjà le pistolet dans son étui.

– Bon, d'accord, mais qu'est-ce que tu veux de moi, bordel, on peut savoir ? Je vais pas me mettre à faire le service d'ordre. Et à mon âge, en plus…

– Je t'y enverrais volontiers, pauvre connard.

– Eh là, intervint Comaschi, agacé. Qu'est-ce que tu veux dire ? lança-t-il à Ferraro. On a le même âge.

– Exact, nous on est deux vieux avec des couches, là-bas, il y faut de hardis jeunes gens, pour les caillassages.

De Matteis reprit des forces et se redressa, appuyant ses effets.

– Si je t'avais attendu, il y en aurait déjà eu un, de caillassage. Alors : étant donné que ce politicien de mes bottes va jeter de l'huile sur le feu, nous devons le désamorcer.

– Il l'a où, le détonateur à désamorcer ? Dans le trou du cul ?

– Ça te plairait, sale pédé.

— Arrêtez votre numéro, bordel ! Ici, c'est moi qui commande, vous voulez le comprendre une bonne fois ?

Ils se turent. Même si mentalement, à l'unisson, sans avoir besoin de contact télépathique, les deux policiers chantonnaient "*e qui comando io, e questa è casa mia, ogni dì voglio sapere chi viene e chi va**". C'était une belle fille, dans sa jeunesse, Gigliola, telle que Ferraro se la rappelait dans sa mémoire en noir et blanc, fraîche, pudique et malicieuse tout ensemble ou peut-être était-ce un souvenir faussé par les premiers signaux de ces pulsions sexuelles que jamais au grand jamais un enfant aussi innocent et mignonnet que Michelino ne pouvait avoir, aux dires de sa mère si aimée et si timide. Gigliola avait cette petite tenue avec la minijupe et les jambes découvertes, avec qui elle était à la télé, avec Corrado ? Ou c'était le type du Quartetto Cetra ? Oh Seigneur, ils sont tous morts ou il y en a encore de vivants ? Après, je n'ai plus rien su d'elle, je l'ai revue en couleur, adulte, diplômée d'architecture. Tout le monde passe le diplôme d'archi, il y a plus d'architectes que de partis politiques au parlement, et pourtant la terre attend d'être travaillée, les bras ne manqueraient pas.

— … et c'est tout, maintenant, lâchez-moi la grappe, dégagez, dit De Matteis en conclusion d'un discours que Ferraro n'avait pas du tout entendu, perdu comme il l'était dans les méandres d'une mémoire qui ne lui rappelait que des choses parfaitement inutiles, jamais celles qui étaient vraiment nécessaires.

2

Heureusement qu'il y avait Comaschi. En voiture, il lui fit un résumé rapide de la petite leçon de stratégie militaire administrée par De Matteis.

— En bref, on va là-bas pour se montrer.

---

* "Ici, c'est moi qui commande, c'est chez moi, chaque jour je veux savoir qui va et qui vient" : chanson de Gigliola Cinquetti (1971).

– Mais quel besoin y a-t-il, je ne comprends pas ! Il y a déjà une armée sur le pied de guerre !

– Mais eux, ils n'entrent pas dans le camp, ils sont là pour faire le cordon. Nous, en revanche, on entre.

– Pour faire quoi ?

– Rien. On entre et on sort un peu des baraques, on se fait voir en action, comme ça, les esprits se calment.

– Quelle idée à la con.

À mesure que la silhouette du cimetière Maggiore s'approchait, on distinguait sur la droite les zones pleines de conteneurs et plus loin le bidonville des gitans. La via Barzaghi était envahie de centaines de manifestants qui bloquaient la circulation, personne ne pouvait plus passer dans un sens ou dans l'autre. Les deux policiers se garèrent un peu n'importe comment et continuèrent à pied. Depuis le toit d'une voiture, le conseiller municipal, mégaphone en main, haranguait la plèbe, exalté comme un petit duce *in pectore*. Comment faisaient-ils, cette masse de retraités, de dames, de jeunes hommes imberbes, de jeunes filles en fleur, pour avoir leurs pancartes de protestation déjà prêtes ? Le mystère laissait Ferraro interdit. Peut-être qu'ils les gardent au placard pour des occasions de ce genre : qu'est-ce que je me mets avant de sortir ? Le t-shirt Hello Kitty et la pancarte avec les svastikas ?

Ils passèrent au milieu du magma informe en se frayant un chemin à coups de coude, matraque à la main, et l'amas de ressentiment s'ouvrit comme la mer Rouge. Ce n'était qu'un hurlement contre les gitans de merde, il faudrait des camps de concentration, je t'en foutrai des camps d'accueil, qu'ils rentrent dans leur pays, ils sont juste sales et ils volent les enfants.

Ferraro n'entendait pas une seule phrase du politicien sur le toit mais il connaissait très bien la signification authentique de ses paroles.

Dieu le père omnipotent, maître de nos âmes et protecteur de l'Occident, merci d'avoir inventé les gitans. Peuple inutile, inepte, nation d'esclaves, parias de l'humanité. Ils ne nous ont jamais trahis, les nomades, ils ne nous ont jamais déçus. Les culs-terreux du Sud, puants et feignants étaient bien utiles, au début, mais ensuite eux aussi ont voulu sortir de la faim et faire étudier leurs enfants. Culs-terreux de merde, horde consommatrice, bassin de voix. Après vinrent les Albanais, communistes de merde, en nuées, à la pelle, et pendant un moment, nous avons eu un ennemi commun à haïr…

— Comment est la situation ? demanda Ferraro à un collègue en civil.

— J'en ai plein le cul, soupira-t-il. Ils ne doivent pas aller travailler, ces gens-là ?

— Libre manifestation dans un État libre, dit Comaschi. Ignorant et grossier esclave des patrons ! ajouta-t-il mais l'expression confuse du collègue semblait bloquée sur le mot "grossier", peut-être son vocabulaire mental ne trouvait-il pas de correspondance immédiate.

— C'est bon, nous on entre, d'accord ?

— Je vous donne trois hommes armés.

— Bravo, comme ça le petit peuple est content, dit Comaschi.

Mais inutile de le nier : lui aussi était content, parce que là on ne sait jamais quelle connerie ils peuvent combiner, c'tes gitans.

Je te remercie, Très Haut, que ton nom soit béni, toi qui as exaucé nos prières de politiciens ineptes. Les Juifs étaient désormais intouchables – quelle belle époque quand on pouvait brûler leurs synagogues, quelle nostalgie, quelle honte de ne pouvoir respecter nos antiques traditions au nom du mondialisme moderne – mais tu nous as écoutés, tu nous as vu souffrir, et c'est pourquoi je t'allume un cierge tous les 11 septembre, pour le don généreux du conflit des civilisations, des arabes terroristes, des maghrébins fanatiques. Nos ennemis islamistes semblaient parfaits mais eux non plus n'ont pas tenu le coup, sur les revendications, la culture millénaire, les affaires internationales, le pétrole. Enfin, les Roumains, les Bulgares, les Ukrainiens, chrétiens comme nous, certes, même si nous savons que ce ne sont que des ivrognes et des violeurs. Pourquoi ont-ils insisté pour veiller sur nos vieux, pour tomber des échafaudages de nos chantiers ? Et les Chinois, petits gribouillis en amande, comment se sont-ils permis de racheter en douce nos bars, de travailler comme des malades, pire que les habitants de la Brianza, ici, dans la terre de l'éthique de la sujétion capitaliste ?

À l'intérieur, c'était l'enfer. Baraques, masures, cabanes, ordures partout. Un groupe d'hommes hurlait et lançait des imprécations contre la police, les femmes passaient et crachaient par terre en signe de mépris.

Les policiers s'approchèrent d'un type qui paraissait le patron du quartier.

– Nous n'avons rien fait. Rien !

– D'accord, vous n'avez rien fait. Mais soyez sages.

La tension était à son comble, quelques jeunes avaient des pierres et des bâtons dans la main. Ferraro leva les yeux, le ciel était de plomb, enflé, oppressant.

– Que voulez-vous de nous ? Nous n'avons rien fait… viens, viens voir où je vis, viens…

– Pas besoin…

– Non, viens… Vous dites que nous sommes riches, que nous avons des Mercedes neuves, viens…

Il le prit par un bras, un policier leva d'instinct sa matraque. Tous s'avancèrent, prêts à cogner.

– Ne bougez pas, ok ? hurla Ferraro, puis s'adressant au gars en tenue de combat : Et ne faites pas de conneries, d'accord ?

– D'a… d'accord, balbutia le guerrier, qui chiait dans son froc.

Ferraro, Comaschi et deux autres personnes suivirent le gitan dans sa cahute. Ils auraient pu avoir un rendez-vous programmé depuis des mois que ça n'aurait pas été plus ponctuel : une femme avait déjà préparé un café qu'elle versa dans des verres en plastique. Elle passa ensuite avec le plateau sans dire un mot ; tout le monde en prit. C'était le quatrième de la journée pour Ferraro, il l'aurait volontiers refusé mais il se rendit compte que ce n'était pas la situation idéale pour expliquer aux présents ses problèmes de colite.

– Nous habitons ici, dit l'homme, qui fumait comme une cheminée. Qu'est-ce que nous avons fait de mal ?

Assise à une table bancale, une fillette plus petite que Giulia faisait ses devoirs, comme si tout ce qui se passait autour d'elle ne la regardait pas. Le taudis avait aussi sa dignité, son propre désir ambitieux de chaleur domestique.

– Je sais, vous n'avez rien fait. Nous cherchons la famille d'Anton Niemen…

L'homme regarda ses compères, il avait une expression dégoûtée.

– C'est pas nous qui l'avons tué, ce gadjo, ce n'est pas notre faute.

– Nous le savons, ne vous inquiétez pas. Conduisez-nous chez lui. Nous ne voulons arrêter personne. Juste poser des questions.

Oui, bien sûr ! Tu vas voir comment ils vont te répondre, ceux-là !

– Faites partir ces gens, dit le maître des lieux, en montrant la rue. Nous avons peur !

Mais toi, omniscient, toi qui prévois tout, tu le savais, et tu avais fait émigrer ici, sur nos terres, pour nous, il y a plus de quatre cents ans, eux, les gitans de merde, les rats d'égout, incapables de chercher une émancipation, de rêver un avenir d'affranchissement. Un peuple eunuque, faible, inadapté au combat, réduit en esclavage, brûlé dans les fours, marginalisé, et jamais une réaction, jamais une bataille, jamais une guerre. Parfaits pour nous. Merci, Père Éternel pour me les avoir concédés sales, mendiants, bossus, pour les avoir faits voleurs de poules, cambrioleurs d'appartements. Si j'ai un épurateur Seveso à construire parce que ça déborde chaque année et que je ne le fais pas, si j'ai un collègue de parti qui a empoché des pots-de-vin, si ça fait des décennies que je n'ai pas construit de HLM, si les banlieues tombent en morceaux, si j'ai l'air le plus pollué d'Europe et si je ne crée pas de pistes cyclables et que je bétonne le peu de verdure résiduelle, si je ne réalise pas de nouvelles crèches, si je détruis l'école publique, mortifie les talents, me démontre totalement incapable de gouverner, rhétorique et inefficace, si je suis un homme plein de défauts – qui n'en a pas, Seigneur du ciel et de la terre ? –, je ne peux que te remercier pour m'avoir indiqué la voie royale : dès que j'ai un problème, dès que le pouls de l'indignation télévisée bat un peu, je montre ma poigne, le visage sombre, j'évacue au hasard des camps de gitans, excréments de l'humanité, je démolis leurs cabanes pouilleuses, je les disperse comme des cafards, de toute façon je sais qu'on les retrouvera ailleurs, haïs de tous, autour d'un feu, à construire leurs baraques précaires, montrer leur pauvreté nue et scandaleuse. Prêts pour la prochaine campagne électorale où nous dirons que tout est de leur faute, qu'ils sont le mal, qu'ils volent nos enfants, qu'ils sont sales, crasseux, corrompus, immoraux, dépravés.

Les flics sortirent de la baraque et suivirent l'homme. La foule sur la route poussait les grillages qui emprisonnaient le camp, en ovationnant la solution finale. Ferraro regarda de nouveau vers le ciel. S'il pouvait pleuvoir une bonne fois, pour laver justes et injustes et qu'ils aillent tous se faire foutre ! Cette attente éternelle, cette expectative devant un temps qui ne changeait jamais l'énervait.

Ils arrivèrent à la hauteur d'un taudis. Quelques gitans étaient en train de charger leur mobilier sur le toit de vieilles autos familiales déglinguées ; dès qu'ils virent les policiers, ils se mirent sur la défensive. Les femmes hurlaient des choses incompréhensibles, les hommes serraient les poings en signe de défi.

— Qu'est-ce que vous nous voulez ? Anton ne vivait plus ici, c'est compris ?

— Qu'est-ce que vous faites ?

Les femmes entraient et sortaient de la baraque, chargées de sacs et d'enfants.

— On s'en va, vous êtes contents ?

— Nous voulions seulement vous poser des questions, essaya d'insister Comaschi, sans trop de conviction.

— On sait rien, laissez-nous tranquilles. Nous voulons seulement nous en aller.

Quelle situation de merde. Qu'est-ce qu'ils devaient faire ? Les conduire de force au commissariat ? Et pourquoi ?

71

Complicité, association de malfaiteurs ? Les femmes et les enfants aussi ?

J'adore les gitans et plus ils sont asociaux, plus ils sont voleurs, plus ils sont pouilleux, plus ils sont exclus et plus ils nous servent. Mettons-les au pilori, dans les chambres à gaz, dans les fours, les vieux, les femmes, les enfants, mais pas tous. Gardons-en peu pour qu'ils baisent comme des bêtes, qu'ils se reproduisent comme des lapins. Nous avons plus besoin d'eux que de l'eau, plus que de la nourriture. Nous sommes tous d'accord là-dessus. Ils sont le mal nécessaire, le ciment de notre Europe. Du nord au sud, de droite à gauche, la gêne de leur présence – blattes de l'Occident, morpions de la civilisation – nous rend unis, solidaires, participatifs, fait de nous un peuple, une lignée, une nation. Ils sont l'engrais et nous sommes la boue.

De l'intérieur du taudis leur parvint une voix tonnante.

– Qu'est-ce que vous cherchez encore, bon sang, chez ces gens ? Vous allez les laisser tranquilles, oui ou non ?

Ferraro ne voulait pas y croire, il y avait deux décennies qu'il n'avait pas entendu cette voix. Sur le seuil apparut un prêtre d'une soixantaine d'années. Mon Dieu, comme il a maigri, pensa Ferraro. Espérons qu'il ne me reconnaisse pas.

– C'est à toi que je parle, Michele, qu'est-ce que tu crois, que je suis bigleux ?

Et voilà, dans le mille ! Il a peut-être maigri, mais la mémoire est toujours la même.

– Salut, Don… qu'est-ce que tu fais là, tu n'étais pas en Afrique ?

3

Ce qui était étonnant, ce n'était pas que tous les habitants de Quarto Oggiaro de plus de trente ans connaissent Don Stefano, mais que Don Stefano connaisse tous, mais vraiment tous les habitants du quartier, un par un. Qu'il connaisse les prénoms, les noms, les professions, les habitudes, les vices, les

72

amours, les rêves, les déceptions. C'était une archive vivante, le grand vieux, le marionnettiste, s'il avait voulu, il aurait pu faire des dossiers sur chacun sans aucun besoin de recourir aux photocopies ou aux articles découpés dans les journaux. Il savait tout de tout le monde et tout le monde le savait. Depuis son enfance, ça laissait Ferraro incrédule. Depuis le premier jour où il l'avait rencontré, emmené presque de force au patronage par sa mère, qui ne voulait pas qu'il perde son temps avec les demi-délinquants de la cour. (Inutile de dire que Don Stefano connaissait très bien les demi – ou les entièrement – délinquants, leurs parents, d'où ils venaient et quand ils avaient emménagé dans le quartier.) Le prêtre lui avait serré la main comme s'il avait eu affaire à un adulte puis, le tenant toujours par la main, avait continué à parler avec la mère qui insistait sur la santé fragile de son enfant lequel, comme on pouvait le voir à l'œil nu, était maigre comme un clou. Quand la femme était partie, Don Stefano avait changé son expression responsable de prêtre raisonnable et juste pour adresser à Michelino un large sourire plein de malice, puis il l'avait soulevé à bout de bras et jeté au milieu de la mêlée des petits sauvages qui grouillaient sur le terrain de foot du patronage, fait de terre battue, de trous et de boue. (Jamais vu un filet d'herbe, même en payant !) Il était rentré à la maison, suant, échauffé, épuisé et heureux. Bon d'accord – tel avait été le bilan vespéral de l'enfant, tant qu'ils ne me font pas faire des trucs de gonzesse, je peux y aller, au patronage.

C'était un prêtre ouvrier, Don Stefano. Mais ça, Michelino ne savait même pas ce que ça signifiait. Qu'est-ce qu'il en savait lui, des usines, des communistes, des tourments de l'Église postconciliaire (le Concile Vatican II était le nom d'une rue près de chez lui, voilà tout), de son désir de recommencer à comprendre le peuple, de gérer la transformation de toute la société du stade rural au stade industriel ? Don Stefano était un grand et gros bonhomme, un demi-montagnard qui disait facilement des gros mots et avait des manières peu orthodoxes. C'était ça qui comptait pour les marmots qui jouaient les durs du quartier. Pas le prêtre habituel en soutane, efféminé et chiant, mais un type que s'il avait besoin de t'envoyer promener, il t'y envoyait et sans ménagement. Ça paraît absurde, mais la séduction qu'exerçait Don Stefano tenait justement à ce qu'il était si peu prêtre. Beaucoup de vieilles nostalgiques de la messe en latin ne le supportaient pas, elles évitaient ses messes comme celles d'un hérétique et se regroupaient autour du curé ou des autres prêtres plus dignes du mandat sacré qu'ils exerçaient. Mais Don Stefano, dit le Don ou directement Stefano, pour les plus courageux, il s'en foutait, et de la nostalgie, et du mandat. Il devait recueillir par bouquets entiers dans les rues les enfants d'une masse dispersée de gens qui venaient de la moitié de l'Italie et qu'on ne comprenait quasiment pas quand ils parlaient. Les recueillir, en faire un peuple, des frères, des citoyens. Des Milanais.

Toutes les méthodes étaient bonnes. Par exemple, si le ballon était troué et qu'il n'y avait pas une lire pour en acheter un neuf, Don jetait au milieu du terrain une bassine de plastique chipée à quelque bonne sœur et inventait un nouveau et délirant jeu de foot. On rentrait chez soi plein de douleurs, d'ecchymoses et d'écorchures. Mais le lendemain, on recommençait du début, prêt à de nouveaux et absurdes matchs à taper du pied dans une bassine de plastique. Quand ensuite un parent amenait un ballon neuf, c'était presque une déception. Quelle banalité que de jouer au ballon avec un vrai ballon !

Bien sûr, il y avait la messe, les prières, le catéchisme et toutes ces conneries de braves chrétiens, mais Michelino les supportait patiemment, peut-être parce que lire la Bible avec Don était différent, plus intrigant. Il y avait toujours des histoires curieuses, sanglantes, des légendes cruelles ou des récits miraculeux que Don savait raconter mieux qu'au théâtre.

Et quand on tirait le diable par la queue et que les vacances étaient un concept vague – un truc dont on avait entendu parler à la télévision, rien de plus – pour une bonne partie des enfants de ce peuple de crève-la-faim, il y avait toujours Don pour prendre son vieux fourgon déglingué et pour tourner, avec tous les enfants qu'il pouvait contenir, à travers les monts lombards. Il se trouvait toujours des policiers zélés pour l'arrêter en voyant le fourgon surchargé, mais jamais personne ne lui donnait d'amende. Parce que Don était Don, pour Michelino une entité surhumaine, une puissance de la nature. À moins qu'il ne se prenne vraiment l'amende et que pour ne pas compromettre son personnage omnipotent, ou peut-être par discrétion, il s'abstînt de le rapporter à sa chiourme d'excités.

Avec Don, à l'approche de Noël, on allait en bande bénir les maisons. Dans chaque maison, une histoire. La vieille veuve qui donnait des bonbons aux chiots, l'ivrogne qui voulait qu'on bénisse son appartement avec du vin (ce que Don exécutait promptement), le communiste qui discutait du matérialisme avec le prêtre. Entre un café, une orangeade, un biscuit ou un chocolat, à la fin, tôt ou tard, quelques gamins se buvaient en cachette un petit verre et le retour à la maison s'effectuait ainsi vaguement éthylique et euphorique.

C'était un quartier en noir et blanc, gris de smog et de brume, froid et humide, pauvre et heureux, le Quarto Oggiaro des souvenirs de Ferraro. (Sale truc, la nostalgie !) Puis la brume disparut de Milan, arrivèrent la couleur, le désengagement, les yuppies, le tertiaire avancé, le craxisme, la cinquième puissance industrielle, *Colpo grosso*, Tangentopoli*. La transformation était arrivée, l'Italie avait changé, mais pas comme Don Stefano se l'était imaginé. Il décida donc que son temps était fini. Il prit un avion pour l'Afrique et personne, absolument personne ne le lui pardonna jamais vraiment.

---

* Craxisme : de Benito Craxi, socialiste, symbole du règne de la corruption ; *Colpo grosso*, programme télévisé qui, dans les années 80, a ouvert la voie à la télé-poubelle italienne ; Tangentopoli : la série d'affaires de corruption et de pots-de-vin (*tangente*) mise à jour par les enquêtes "Mains propres".

Escorter la famille Niemen hors du camp s'avéra plus difficile que ce qu'ils pouvaient imaginer. De l'enceinte du Triboniano sortirent d'abord quelques flics, puis Comaschi qui
coordonnait l'opération. Derrière, les hommes de la famille
Niemen et puis les femmes et les enfants ; Ferraro et Don
Stefano fermaient la marche. Les gitans restés à l'intérieur
fermèrent promptement le portail, presque contents
d'envoyer au-dehors des boucs émissaires. Qu'ils s'en prennent à eux, qui sont des parents proches de l'assassin, comme
ça, nous, ils nous laissent en paix !

La foule se pressait contre les cordons de policiers. Elle
avait un seul visage, une unique expression, déformée,
rageuse, insolente. C'était un chien enragé aux yeux injectés
de sang qui écumait de haine contenue et de rancœur.

— Allons-nous-en d'ici, dépêchons, disait Comaschi au
chef d'équipe, comme s'il y en avait besoin.

— Où est-ce que vous les emmenez ? hurlait une voix, une
parmi tant d'autres, mais c'était une voix unique, en réalité,
une seule voix, tantôt stridente, tantôt grave, de baryton. En
taule, vous devez les envoyer, pas dans un hôtel cinq étoiles !

Le chien écumant aboyait de temps en temps, avec la voix
d'une femme, puis d'un vieux, puis d'une jeune fille, et ainsi
de suite, par rotation.

— Des assassins, rien que des assassins, aboyait-elle.

Le chien, ensuite, avait plusieurs têtes, plusieurs bras.
C'était un monstre multiforme qui lançait des pierres et
crachait du fiel. Le groupe en formation de tortue essayait de
se glisser hors de ce marécage, en se dirigeant vers une camionnette de la police prête à foncer vers le commissariat le plus
proche.

À la fin, le chien trouva un vide et cracha sur le visage d'un
gitan. L'homme, exaspéré, rompit le rang et se jeta à corps
perdu vers celui qui l'avait insulté, balançant des coups de
poing, les yeux fermés. Toute la rue parut onduler sous un ciel
bleu déluge.

— Arrêtez, ça suffit, hurlait Comaschi mais ses cris étaient couverts par la clameur générale, par les cris, les vociférations, les hululements du chien de la haine, qui tantôt griffait et tantôt mordait.

Même le politicien sur le toit de l'automobile observait, à la fois atterré et fier de ce qu'il avait été capable de provoquer. Il se demandait : est-ce que je serais capable de les calmer ? Serais-je capable de ramener à la niche le fauve famélique ? Il ne savait pas la réponse et donc ne faisait rien, redoutant de découvrir son impuissance. Il restait là, hébété, à observer l'horreur sublime au bord du précipice.

Comaschi donna un coup de pied au cul du gitan, le souleva par le col et le rejeta dans la formation en tortue.

— Pauvre couillon, il y a des enfants, tu veux le comprendre ? lui hurla-t-il au visage.

L'homme avait le même regard que le chien baveux, les mêmes yeux injectés de sang pointés sur le flic.

Le ciel pesait comme une enclume sur la tête de tout le monde, pliait les esprits, vidait les cerveaux. Le conseiller municipal essaya de descendre du toit, la tête lui tournait, mais on insista pour qu'il reste là, comme un Napoléon prêt à donner l'ordre de l'assaut définitif aux casemates.

Encore quelques mètres, et ils sortiraient des griffes du fauve.

Le politicien prit en main le mégaphone, l'approcha de ses lèvres. Il va lancer la boucherie, pensa sombrement Ferraro.

— Eh là, imbécile, descends de cette voiture, t'as déjà fait trop de dégâts, hurla Don Stefano.

L'homme resta coi, mégaphone en l'air.

— Quoi ?

— C'est à toi que je parle ! Qu'est-ce que tu crois, que je ne sais pas qui tu es ?

L'homme regarda mieux la cohue. Il pâlit. Putain, pensa Ferraro. Il l'a reconnu. Vous voulez pas me dire que lui aussi est quelqu'un de Quarto ? Mais qui est-ce ? Je ne m'en souviens pas du tout…

À moins que, et l'idée donnait le vertige au policier, Don Stefano en réalité ne connaisse pas seulement tous les habitants de Quarto, mais la totalité de la population mila-naise. De l'Italie tout entière peut-être. C'est Big Brother, le Numéro Un, l'Architecte Occulte…

— Mais… je ne vous perm…

— Ne me mets pas en colère, insistait Don, ou je raconte à ces gens cette fois où on t'a chopé à voler au supermarché de la via Amoretti !

Le politicien devint violet de honte, il avait l'air d'avoir douze ans, d'être en culotte courte avec des chaussettes jusqu'aux genoux. Il y eut deux secondes de pur étourdisse-ment collectif. La tortue avança vers la camionnette, ils étaient presque en dehors de la cohue quand une femme ramassa par terre une poignée de boue et la jeta au visage d'une gitane.

— Assassins, hurlait-elle, hors d'elle. Il faut qu'ils vous brûlent tous dans des fours !

À ce moment-là, Don Stefano perdit son sang-froid. Il retourna en arrière de deux pas et balança à la femme une violente mornifle en pleine poire. Un silence cosmique s'abattit sur la foule.

— Mais qu'est-ce que vous avez dans la cervelle, on peut savoir ? disait-il, furieux mais sans hurler. Vous vous rendez compte de ce que vous dites ?

— C'est juste parce que vous êtes un prêtre, dit-elle, main sur le visage endolori. Autrement…

— Tais-toi, dit-il en levant la main. Essaie pas ou je te donne une autre gifle, ok ?

Les nobles préceptes évangéliques étaient déclinés sous une forme très personnelle par Don. De son point de vue, l'autre joue à tendre, c'était pas la sienne. Les baffes, c'était lui qui les donnait.

— Maintenant, ça suffit, arrêtez !

Il s'adressait à tous, au chien écumant, au garçon de douze ans voleur de poules, aux flics.

— Personne ne touche ces gens, d'accord ? Si vous avez encore un peu de crainte de Dieu !

Dans le fond, une voix s'éleva :

— Et qui dit ça ?

Don Stefano tendit le cou vers la voix. Puis il écarta la foule et s'y plongea.

– C'est moi qui le dis, rétorqua-t-il en cherchant la voix. Et ça doit te suffire. Je n'ai pas besoin d'eux.

Il montra les policiers.

– J'ai dit que maintenant, nous on s'en va et vous nous laissez passer, d'accord ?

Il s'était approché de l'homme qui avait osé le contredire.

– D'accord ?

L'homme baissa le regard vers le trottoir, il avait l'air de s'être aperçu soudain qu'il avait perdu une lentille de contact.

Le prêtre continua :

– Maintenant, nous, on s'en va et vous, vous rentrez chez vous. Compris ?

Le chien gémit, acquiesçant.

– Compris ? Je ne veux plus le répéter.

Il leva l'index comme une statue vers la voûte céleste.

– Dieu m'est témoin !

À cet instant précis, il y eut une explosion qui fit trembler les vitres des immeubles. Quelques instants plus tard, le ciel se précipita sur les justes et sur les injustes. Tout le monde s'enfuit, en quête d'abri, seul Ferraro resta, ahuri, au milieu de la route, à regarder Don exactement comme il le regardait enfant. Une entité surhumaine, en contact direct avec la divinité.

– Bouge-toi, crétin, lui dit le prêtre. On se trempe ! Allons-nous-en.

5

Au commissariat, les travailleurs sociaux trouvèrent un logement pour les Niemen. Mais pas ensemble. Les hommes au dortoir communal, les femmes et les enfants dans une maison protégée. Don Stefano eut un peu de mal à convaincre les hommes qui ne voulaient en aucune manière accepter cette solution.

– Ma famille ne se sépare pas, insistait le plus ancien : il préférait dormir sous un pont, plutôt que de diviser la bande. À la fin, le bon sens l'emporta. Ferraro et Don Stefano accompagnèrent les hommes viale Ortles ; le temps de donner quelques indications, des conseils et des avertissements, et ils les laissèrent là, chiens battus, perdants et perdus.

– Buvons quelque chose.

Il ne le demandait pas, le prêtre. Il l'ordonnait.

Au bar, Ferraro eut envie d'une bière glacée mais il s'en tint aux dispositions de Don : thé chaud, avec beaucoup de citron et de miel. Après toutes ces heures d'excitation, enfin, ils se détendirent. Une légère brise d'embarras fit frissonner le dos du flic. Qu'est-ce que je lui dis ? Comment tu vas ? Non, question idiote. Comment ça s'est passé en Afrique ? Il n'était pas en vacances. Quand est-ce que tu es rentré ? Voilà, oui, ça peut aller.

C'est le prêtre qui s'occupa de rompre la glace.

– Comment va Francesca ?

Il valait mieux qu'il se taise !

– Stefano…

Il utilisa le prénom, mais avec parcimonie, pour dire que maintenant, c'était une conversation entre adultes qu'ils devaient mener.

– Tu étais parti et peut-être que tu ne sais pas que…

L'homme leva le regard sur Michelino, Ferraro continuait à se sentir comme un petit garçon à ses yeux.

– Qu'est-ce qu'il y a, vous êtes séparés ?

Et voilà, qu'est-ce que tu crois. Ce type, il sait tout !

– Oui, c'est-à-dire… Francesca et moi, ça fait un moment que…

– Eh beh ? Qu'est-ce que ça veut dire, que tu ne l'aimes plus ? Vous étiez toujours collés l'un à l'autre…

– Les choses changent, nous ne vivons plus ensemble depuis des années.

Le prêtre émit un soupir spectaculaire.

– Quels discours… moi aussi je ne vis plus avec mes parents…

Mais pourquoi, ils vivent encore ? Et quel âge ils ont, cent vingt ans ?

– … et pourtant, je sais comment ils vont.

– Ben, c'est pas la même chose.

– Ne fais pas le malin avec moi. Vous avez une fille, dit-il en levant un index menaçant. Et tu ne me l'as pas présentée, tu devrais avoir honte !

Le truc absurde, c'est qu'il avait vraiment honte !

– Stefano, qu'est-ce que je devais faire, je ne savais même pas où t'étais.

– Eh, oh, moi, j'ai un e-mail, où tu crois que je vivais, sur le mont Athos ?

Et maintenant, il devait aussi se fader la leçon de technologie.

– Merde, laissa-t-il échapper.

– Prends un peu de miel.

Le prêtre lui offrit une cuillère de miel ambré :

– Comme ça, tu te radoucis le langage.

Ferraro sourit.

– En tout cas, elle va bien, assura-t-il, avant d'ajouter : Tu la connais. C'est une machine de guerre.

– Ça me fait plaisir. C'était la plus intelligente des deux.

– Eh oh, là, tu me vexes !

– Bien sûr, c'est justement ce que je veux.

Le prêtre but une gorgée, comme si de rien n'était. Ferraro l'observait. Rien, il est ignifugé.

Encore quelques secondes de silence. Dis quelque chose ou lui il te fait encore passer pour un con. Le problème, c'était : que dire sans que la proverbiale logorrhée de Don Stefano se déchaîne ?

– Sûr que cette gifle…

– Qu'est-ce qu'il y a ?

– Ben, en somme, ça me paraît peu orthodoxe.

– Moi, je suis catholique, pas orthodoxe, rétorqua-t-il puis il but encore. Et puis cette femme était en pleine crise hystérique, de ma part, c'était juste un traitement de choc. Elle avait besoin d'un choc émotif pour se calmer…

– Ben, peut-être…

– Qu'est-ce qu'il y a, tu ne me crois pas ?

– Bien sûr que je te crois…

Ferraro leva le doigt au ciel.

– Dieu m'en est témoin.

Le prêtre rit de bon cœur puis toussa longuement. Ferraro en fut presque ému. La montagne d'homme qu'il hébergeait dans ses souvenirs n'était plus qu'un vieux desséché, plié par la toux.

– Qu'est-ce qu'il y a ?

– Rien, rien… dit Don puis il fronça les sourcils. Ne fais pas cette tête de chien battu, ça m'agace. J'ai juste pris un peu froid.

Qu'est-ce que c'était comme péché, l'arrogance ? Ferraro ne se le rappelait pas. Non, un moment, c'était l'orgueil le péché capital, pas l'arrogance. Quelle était la différence ? Ah bah, au fond, on s'en fout.

– J'avais vu l'éclair, dit le prêtre.

– Quoi ?

Il sourit, sournois.

– J'avais vu l'éclair au fond de la rue, avant de dire cette phrase. Quelques secondes plus tard, le tonnerre allait gronder.

– Oh Jésus, dis-moi que c'est pas vrai.

– N'invoque pas le nom de Dieu en vain.

– C'est toi qui dis ça, dit Ferraro en riant, incrédule. Toi qui as fait cette sortie de comédien ! J'arrive pas à y croire, conclut-il en secouant la tête.

– Ça a marché, non ? Je n'ai fait que seconder les signaux qui venaient du ciel.

Ils se regardèrent deux secondes et puis explosèrent de rire à l'unisson. Le vieux toussa de nouveau. Peut-être aurait-il dû le dire, à Michelino, qu'il était revenu d'Afrique parce qu'il devait suivre une chimio, mais à quoi servirait de l'inquiéter ? Revoir un de ses gars était un cadeau qu'il ne voulait pas gâter avec ses tristesses.

– Et l'Afrique ? demanda soudain Michele.

– C'est plein de noirs, dit le vieux, ironique.

– Allez, arrête, ça je le sais déjà.

82

– Qu'est-ce que tu veux savoir ?

– Je ne sais pas… comment c'était…

Il essayait de dire quelque chose parce qu'il avait remarqué une expression mélancolique dans les yeux du prêtre, il voulait dissiper l'embarras.

– Tu as toi aussi le mal d'Afrique ? Tu sais, ces trucs comme dans les films, qu'on veut y retourner au plus vite, parce que…

– Tu vois que j'ai raison ? Francesca, elle ne m'aurait jamais dit un truc aussi bête.

– Ben, si tu dois m'insulter, je te donne son numéro, comme ça, vous ferez un beau duo.

– Joue pas les offensés, ça te va pas..

Il finit la tasse.

– L'Afrique, tu me demandes…

Il poussa un long soupir. Aïe, pensa Ferraro, maintenant, il commence à parler. Et qui arrivera à l'arrêter ?

6

Le vol des libellules, tu vois ce que je veux dire ? Ça, c'est mon premier souvenir, le plus précis, gravé dans la cornée, indélébile. Des libellules partout, comme si elles faisaient partie du ciel lui-même. Leurs corps fuselés suspendus en l'air, accrochés à des fils invisibles, des dizaines, des centaines de libellules, agitées, affairées, nerveuses, sans repos. J'étais arrivé après la saison des pluies et la nature semblait avoir explosé. Des mares, des têtards, des insectes, des grenouilles. Et des libellules.

Et puis les enfants. Ça, tu t'y attendais, pas vrai ? Trop facile : les joyeux bambins de l'Afrique, les yeux tristes des gamins de l'Afrique, les sourires resplendissants des enfants de l'Afrique. Toi qui vas là-bas, pour les sauver, les soigner, les nourrir, même si tu sais être l'idiot utile de la fausse conscience de l'Occident, tu fais un voyage impossible dans le cœur de l'Afrique, non, pas celle des films, pas de lions ni de girafes, pas de panoramas à couper le souffle, de couchers de soleil inoubliables, rien de tout cela. Tu te déplaces en 4 × 4, un voyage infini du nord au sud du Tchad, puis tu quittes Moundou et de là, la route cesse d'être goudronnée, elle se change en terre battue, et encore plus loin se fait trous, bosses, boue ; au-delà, ce n'est même plus une route mais une idée de parcours dans la *brousse**, une vague espérance de destination, où de temps en temps il t'arrive de côtoyer un camion embourbé ou un bus en panne, avec tous les passagers dehors, assis sur les talons, patients, dans l'attente d'une aide quelconque. *Inch'Allah*, les amis, tu penses, solidaire. Le temps est dilaté dans cette partie du monde. Tout peut se passer, la nature, le paysage, le monde écrasent l'humain, l'humilient. Il arrive aussi de voir, des kilomètres et des kilomètres plus loin, au milieu de rien, un homme qui marche calmement, avec des tongs aux pieds. Au bout d'un moment, tu t'y habitues, tu le sais que c'est le chauffeur du camion à la recherche d'un mécanicien, va savoir où, va savoir quand, tandis que ses compagnons attendent dans la boue, et alors tu l'embarques, et vous vous serrez la main, solidaires d'être là, vivants, Dieu sait pour combien de temps encore. Seul notre Seigneur le sait, voilà la vérité. *Inch'Allah*. Tu fais ce voyage, en somme, tu vas vers ta mission, aux confins du monde, dans le cœur noir de l'Afrique et tu te demandes : qu'est-ce que je fais là ? Je suis sûr d'avoir compris ce que je veux en réalité ? Et à un certain âge tu crois avoir tout vu et ce n'est pas vrai, ça ne l'est jamais, il y a encore tout à voir et tu ne le sais pas que ce que tu vois tu le comprends ensuite vraiment. Qu'est-ce que j'avais compris la première fois que j'ai eu la vision (parce que ce fut cela, une vision miraculeuse, une épiphanie) de cette fille à demi nue au visage caché par un voile de perles vert émeraude ? Puis tu t'y habitues, tes yeux se forment, tu ne t'étonnes plus, mais là ce jour-là, je ne savais pas qui c'était – combien j'en ai vu au cours des années –, je ne savais pas qu'elle s'enfonçait dans la *brousse** avec l'ancienne du village pour son passage de l'enfance à l'âge adulte. C'est beau – pas vrai ? –, dit comme ça. Elle marchait depuis des jours dans la broussaille où on allait lui révéler ses devoirs de femme, les secrets du village. Et où on lui exciserait le clitoris. Et moi je ne comprenais pas, je ne savais pas, je photographiais comme un anthropologue avec son casque colonial sur la tête, cherchant le pittoresque, le caractéristique, le primitif. Le voilà le primitif. L'infibulation, les mutilations, l'humiliation du corps féminin, sa soumission. Tous, tous. Musulmans, chrétiens, animistes, tous.

Qui sait quel âge a cette gamine aujourd'hui, qui sait si je l'ai jamais rencontrée. Elle n'avait pas de visage, c'était un simulacre de l'Afrique, un symbole, une allégorie. Mais peut-être est-elle morte, parce que j'en ai tant vu mourir au cours des années. Hémorragie, fistule, accouchement. Les enfants de l'Afrique, les voilà, tes enfants bien-aimés. Qui sont partout et que tu ne peux t'empêcher de photographier, c'est vrai. Ils te cherchent, ils prennent la pose, fanfarons. Ils essaiment en nuages, comme les libellules.

L'Afrique est jeune, Michele. Ancienne et très jeune avec l'espérance de vie que nous avions nous dans notre beau pays il y a à peine deux générations, et une mortalité infantile épouvantable. Avoir huit, dix enfants, pour une femme, peut-être pour cette fille voilée que je n'ai jamais plus rencontrée, c'est normal, la probabilité que quelques-uns de ces morveux meurent dans l'enfance est prise en compte, donc il faut en faire quelques-uns de plus pour égaliser avec la mort. Voilà peut-être pourquoi ceux qui s'en sortent, qui dépassent les années critiques – quand la malaria, le choléra, la malnutrition et la pauvreté endémique exterminent sans pitié –, après, ceux-là, ils sourient à tout et à tout le monde, comme reconnaissants d'être encore vivants. Le monde est plus fort, la nature plus méchante, seul, tu ne t'en sors pas, tu comprends ? Tu t'en remets au groupe, à la bande, au clan. Tu fais tout pour être accepté.

Dans le Moyen-Chari, durant la saison des rites initiatiques, j'ai vu des jeunes, à peine plus que des enfants, prêts à se faire scarifier le visage ou à subir, dans un silence digne et lâche, la circoncision avec des ustensiles de fortune. Tout est bon pour sembler plus viril et guerrier. C'est un mélange de préhistoire et d'époque contemporaine, le Tchad, où les routes semblent des sentiers néolithiques mais où tout le monde a un portable en poche. Et pendant que je les regardais bien, moi là, l'unique blanc dans un rayon de Dieu sait combien de kilomètres, pendant que j'observais ces garçons au visage couvert de masques tribaux, je m'apercevais qu'ils portaient des bibelots et des gris-gris faits non pas d'os ou de cailloux mais de capsules de bière et de hochets d'enfants en plastique chinois. Je les voyais dans leurs danses et leurs hurlements festifs, revivant comme d'autres avant eux la même tromperie, invoquant le mythe fondateur, s'annulant eux-mêmes au nom du clan.

J'ai vu pendant des années des enfants qui trottinaient à peine dans les villages, laissés nus : trop tôt pour leur donner un habit ou un nom. Trop tôt pour que les mères épuisées ou les pères guerriers éprouvent de l'affection pour eux. Tu es toi à deux ans ? Tu le sais qui tu es ? Un blocage intestinal, la disette, une violente attaque de dysenterie, tu te déshydrates, tu perds ton tonus musculaire. Et alors, le sorcier du village te brûle l'anus avec un charbon ardent pour bloquer la dysenterie, ou bien t'incise le ventre, fait couler le sang, suivant un rite apotropaïque antique et inutile, convaincu que comme ça tu guériras. Tu sais combien j'en ai vu ? Qu'est-ce que tu leur dis, alors ? *Comment* tu leur dis ?

C'est ça, la magie de l'Afrique ? Et pourtant quand tu es là-bas, tu comprends. Je ne dis pas que tu l'acceptes, que tu le partages, mais tu le comprends. Je me les rappelle, les enfants des montagnards de par chez moi qui se retrouvaient vendus pour ôter à la famille le poids d'une bouche à nourrir durant l'hiver, je me les rappelle les petits enfants offerts aux moustiques de la Polésine pour sauver de la malaria les autres plus grands et plus forts. Vous aussi, au fond, Michele, vous étiez les enfants d'un clan, d'immigrés faméliques, d'éternels migrants. Mais la lumière de l'histoire – je ne te dis pas celle de Dieu, j'essaie même pas – nous avait éclairés, ça c'est la différence. Nous avions le scorbut et la pellagre, le choléra et l'anémie. Mais nous avions aussi Brunelleschi, Léonard de Vinci, Michel-Ange, Palladio. Seigneur, mais qu'est-ce que je raconte ? Tu vois ? Je ne réussirai jamais à quitter l'uniforme du colonialiste ! Je parle du Titien et de Raphaël et j'oublie l'Inquisition et la Shoah. Mais si tu avais été là, Michele, si tu avais vu ces petites jambes osseuses, tu te demanderais : mais est-ce juste, est-ce vraiment juste qu'on continue à l'accepter ? Ou c'est moi qui me trompe, qui n'ai encore, après toutes ces années, rien compris ?

L'homme est né là, tu le savais ? J'avais connu un groupe de paléontologues français à N'Djaména, en 2001, ils étaient de Poitiers. Tu es déjà allé à Poitiers ? Mon Dieu, quelle splendeur, Notre-Dame la Grande, j'y étais allé dans ma jeunesse, sur la via Francigena… Qu'est-ce que je disais ? En somme, au bout de quelques mois, j'apprends qu'ils ont découvert un petit crâne plus au nord, dans le désert de Djourab. Toumai, ils l'avaient appelé, les Tchadiens. "Espérance de vie", le nom qu'ils donnent aux enfants nés avant la saison des pluies. Parce que tu ne sais pas s'ils survivront, tu l'espères. *Inch'Allah*. Là, dans le cœur noir de l'Afrique, nous avons fait nos premiers pas, tu le savais ? Nous avons dépassé la bande équatoriale, ou les déserts, nous avons passé à gué, traversé, navigué, chassé, semé, construit. Parce que *"vous ne fûtes pas créés"* – tu te souviens, Dante ? – *"pour vivre comme des brutes"*. Nous devions pratiquer la vertu – tu te rappelles ? –, apprendre la science. Nous sommes les enfants d'une espérance de vie, parvenus à travers cent mille périls en Occident. Et aujourd'hui, ils font de même, les meilleurs frères, ils migrent comme des libellules suspendues dans le ciel, ils quittent les affres des certitudes et regardent au-delà des nuages, derrière le soleil, dolents. Mais ceux qui restent, je me dis, ceux qui restent là, qui n'ont jamais vu les caravanes des marchands d'Orient, les étoiles d'Axoum, les ors luisants de Constantinople, la cité interdite de Pékin, les murs de Carcassonne, les tours de New York, eux qui connaissent seulement les attaques des pillards, les guerres tribales, la faim ancestrale, ceux-là, nous, avons-nous vraiment le droit, je ne dis pas le devoir, je ne dis pas la charge, avons-nous, dis-je, le droit de les sauver d'eux-mêmes ?

1

Tandis qu'elle déposait son portable et son revolver dans le tourniquet à l'entrée de la prison de Monza, Elena regrettait déjà à moitié d'avoir fait le voyage. Au fond, elle s'accrochait à un rien. Ce qu'il y avait à savoir sur Moundou, officiellement, elle le savait déjà, et on pouvait toujours courir pour que d'autres détenus balancent quelque chose d'important pour l'enquête. Ces gens-là forment un clan, avec leurs logiques, leurs commandements, leurs silences, personne ne peut vraiment, *de l'extérieur*, y pénétrer. Une visite de courtoisie ne suffit pas, il faut adhérer au club. Il est plus probable qu'un anthropologue comprenne la nature d'une tribu sauvage africaine, pensait Elena, que les rites fondateurs et les dynamiques sociales qui régissent une communauté fermée, et fermée pour de bon, comme celle de la prison.

En tout cas, elle avait déjà fait ce qu'elle pouvait faire. Une demi-heure plus tôt, tandis que Fusco fonçait sur la provinciale de Lodi à Monza ("Pas la voie rapide, *dottoressa*. On n'en sortirait plus, c'est pire que les sable mouvants"), Elena avait fait installer sur un rayon d'environ cinquante kilomètres quelques postes de contrôle ("Discrets, attention, nous n'avons encore aucun biscuit") et en même temps fait expédier à ces derniers la fiche signalétique du fuyard ("Mieux que rien"). Que restait-il d'autre à faire ?

Elle entra dans la première cour, qu'est-ce qu'il pleuvait, sacredieu ("Dieu m'est témoin !" auraient dit certains) et le petit groupe, formé par Elena, Fusco, le directeur de la prison et un maton, s'abritait sous deux parapluies noirs, de ceux que vous vendent les immigrés à l'entrée du métro.

Les prisons la rendaient anxieuse. Celle de Lodi, pour être sincère, un peu moins – mais c'était toujours de l'anxiété –, on aurait dit une caserne un peu pourrie, un gros vieux lycée qu'on avait laissé se dégrader (intéressante cette analogie, pensait-elle. Prisons, écoles, casernes... les lieux des institutions, il y a cent ans, se ressemblaient tous, ils parlaient tous le même langage, diffusaient le même message. Les institutions coercitives, à dire la vérité. Les hôpitaux aussi, au fond, ou les asiles de fous. Pas les bibliothèques ou les théâtres qui, eux, ressemblaient plus à des cathédrales), mais celle de Monza, avec sa froide rationalité de préfabriqué en ciment armé, d'industrie carcérale, où tout ce qui est produit est coercition, sans même l'emphase de la réhabilitation sociale, augmentait de manière démesurée son état d'anxiété. Au fond, elle se rendait compte qu'elle justifiait la première, par rapport à la seconde, au nom de la patine de l'histoire qui s'était déposée dessus. Ça ne changeait pas grand-chose, entre les deux maisons d'arrêt. C'étaient toujours des taules.

— Eh là, on a de la visite, dit une voix derrière une fenêtre à barreaux.

Elena revint à elle. Quelques cellules donnaient directement sur la cour de l'entrée depuis le rez-de-chaussée de quelques ailes de l'édifice. Appuyés sur le rebord décrépit étaient disposés de pauvres objets, quelques fruits, des chaussettes qui au lieu de sécher, se trempaient davantage. À l'intérieur, on devinait les visages des détenus.

— Tais-toi, Bozzo, dit d'un air las le gardien qui tenait le parapluie, à l'adresse de la voix cachée derrière les barreaux.

— Qu'est-ce que vous êtes, des assistantes sociales ? Vous venez nous sauver ?

— Bozzo !

De l'obscurité de la cellule surgirent deux mains qui étreignirent les barreaux, puis soudain apparut un visage, pressé dans l'interstice métallique, plus il poussait et plus la peau s'étirait, on aurait dit qu'il voulait se faire un lifting pour apparaître plus présentable aux visiteuses.

— Mais on peut pas faire la conversation ?

La pluie lui striait la face.

— Bozzo, on va régler les comptes, après !

— Laissez tomber, dit Elena au maton.

— Essayez de comprendre, il faut aussi de la rigueur avec les détenus.

Le petit groupe poursuivait sa course vers l'entrée principale.

— Eh oh, gardien ? Gardien ! Tu me dis pas qui sont ces belles petites salopes ?

Fusco leva les yeux au ciel. Elena, ou plutôt, non, la commissaire Rinaldi, s'arrêta aussitôt et revint sur ses pas, laissant les trois autres immobiles sous les parapluies.

Je le savais, pensa Fusco.

— Mais où elle va ? demanda le directeur au maton.

La commissaire était sous la fenêtre, trempée jusqu'à l'os.

— Écoute, t'as fini de nous casser les pieds ? On vous en donne, du savon pour vous laver la bouche ? Ou je dois vous en commander une caisse ?

2

Exactement comme à Lodi. Comportement irréprochable, excellent détenu, bon compagnon de cellule, jamais un problème, jamais une histoire, pas de visites, pas de courrier, ni reçu ni envoyé, deux fois par semaine à la bibliothèque : rangement, catalogage, lecture. Il écrivait, aussi, en italien ("un excellent italien, *dottoressa*, ça réjouissait le cœur de dialoguer avec lui").

À parler avec le directeur, tandis qu'ils se promenaient d'un couloir à l'autre, on aurait dit qu'ils étaient tous en villégiature : cours d'informatique, groupes de lecture, petit artisanat.

— *Dottore*, vous voulez plaisanter ?

Derrière, Fusco, silencieuse et sournoise, écoutait.

— Permettez-moi de vous le dire, je n'apprécie pas votre sarcasme voilé, dit l'homme, piqué au vif. Depuis que je suis ici, avec ce peu que je puis faire, avec les pouvoirs limités que j'ai et des fonds très limités, j'essaie d'œuvrer pour réinsérer dans la société civile ces malheureux qui, pour moi, sont des personnes, pas des numéros.

La commissaire sourit :

– Comme Bozzo ?

– Le langage coloré de certains ne doit pas servir de discriminant dans nos jugements pressés.

Elena tourna le regard vers Fusco, qui secoua imperceptiblement la tête. Ses jugements étaient peut-être *pressés*, mais le lexique du directeur, lui, était par trop *compassé*. Aucun langage n'est innocent et, Elena le savait bien, certaines rhétoriques, pour qui a l'oreille entraînée, peuvent vraiment cacher quelque chose.

– J'ai su qu'il y a eu des problèmes quand Moundou était votre pensionnaire.

Le directeur parut embarrassé.

– Quel genre de problème ?

– Dites-le-moi, vous.

– La vie en prison est une vie difficile, dit-il d'une voix sombre et étudiée. Nous avons des cellules qui, en été, deviennent des fours, et on a beau essayer de faire au mieux, de temps en temps, quelques attitudes excessives débouchent sur des rébellions dictées par un pur hasard, souvent puéril. Je ne puis en attribuer la faute à personne, ni aux détenus, ni, à plus forte raison, aux gardiens qui, soit dit entre nous, sont eux aussi reclus, mais sans avoir commis le moindre crime contre la société.

Inécoutable. Et il n'avait pas la conscience tranquille. La commissaire n'avait pas fait référence aux matons, alors pourquoi en parler ? Rien, elle n'allait rien tirer de ce type.

– Puis-je voir la cellule où était détenu Moundou ?

– Écoutez, je vous y conduirai, si vous voulez, elle est là à ce niveau, mais vous n'y trouverez rien, nous l'avons rénovée depuis peu.

– Ah. Et parler avec les compagnons de cellule de Moundou ?

– Ils ont été transférés.

– Après les désordres ?

Ils passèrent devant un échafaudage mobile sur lequel un ouvrier était en train de peindre le plafond en blanc. Le directeur s'immobilisa.

— *Dottoressa*, je ne comprends pas votre insistance. Un épisode déplaisant est survenu, je suis le premier à l'admettre. Tout ce que je pouvais et devais faire, c'était de suivre le règlement et le bon sens : j'ai fait transférer les détenus impliqués, une prise de disposition normale pour lancer un signal de fermeté dans la maison d'arrêt.

— Et pourquoi avez-vous fait transférer Moundou ?

Il la regarda comme on regarde une personne aimée qu'on ne veut pas blesser.

— Il faut que vous le trouviez, cet homme.

— Si vous ne me donnez pas un coup de main, comment je vais faire ?

— Je vous assure que je ne vous cache rien qui puisse servir à l'enquête. Haile était un brave garçon.

À trois mètres de hauteur, on entendit une voix :

— *Do-dot-tore…*

Le directeur leva les yeux vers l'ouvrier.

— Qu'est-ce qu'il y a, Sciarra ?

— Mm… Moi j'étais av… avec…

Le fonctionnaire adressa un regard complice à Rinaldi :

— C'est un détenu, dit-il à mi-voix, un brave homme… un peu empêché au point de vue langage…

Mais pourquoi utiliser une expression si hypocrite ? Il ne pouvait pas dire "bègue" ? Ou alors ne rien dire, elle était capable de comprendre toute seule.

Entre-temps, l'ouvrier continuait son discours :

— Avec Hai-le…

— Je sais, dit le directeur, les yeux au ciel. Je sais, Sciarra.

— Qu'est-ce que vous savez ? demanda Elena.

Toujours sur le même mode complice :

— Ils ont été compagnons de cellule un moment.

Le visage de la commissaire se figea :

— Excusez-moi, mais vous ne les avez pas tous transférés ?

— Je vous en prie, n'ayez pas la cruauté de vouloir l'interroger. Vous avez idée du mal qu'il a à parler ?

La commissaire ne l'écouta pas :

— Eh, vous, Sciarra, descendez un moment, s'il vous plaît, lança-t-elle, puis elle se tourna vers le directeur : Et vous, arrêtez de jouer les bons pères de famille, ça me dérange. Le détenu est bègue, pas débile mental.

Sciarra était presque descendu de l'échafaudage quand un maton surgit parmi eux.

— *Dottore*, un appel urgent du ministère.

Le directeur soupira. Ça, ce n'était pas au programme, pensait-il, manifestement.

— *Dottoressa*, je…

— Allez-y, ne vous inquiétez pas. Je bavarde cinq minutes avec Sciarra et puis je ne vous dérange plus.

Il souffla de nouveau.

— D'accord… dit-il puis, au gardien : prêtez assistance à madame, quels que soient ses besoins, puis se tournant de nouveau vers Rinaldi : Si je finis à temps, je vous raccompagnerai volontiers à la sortie, sinon…

— Oui, oui, ne vous inquiétez pas, je vous remercie, je vous remercie d'ores et déjà, allez donc répondre.

Lâche-nous la grappe, en somme.

3

— Il tr… tra… travaillait… av… avec moi.

— Qui, Moundou ?

— Ha… hai… le.

Certes, plus facile à dire, plus court. Et puis, Towongo, c'est quoi ce nom, qui s'en souvient ?

— Ok, Sciarra, Haile travaillait avec vous. Où ?

— I… ici… en pri… prison.

Ah. Elle espérait autre chose. Genre qu'il le connaissait d'avant. Est-ce que quelqu'un avait fréquenté Moundou avant son arrestation ?

— Il faisait le peintre avec vous ?

— Ou… oui.

Mais elle ne l'écoutait pas, elle s'adressa en fait à Fusco, perdue dans ses pensées :

— Il faudrait enquêter pour savoir qui Moundou fréquentait avant l'arrestation. Sur ses complices aussi. C'est qui, bon sang ?

Et Fusco :

— J'ai déjà demandé l'examen dactyloscopique des cadavres, j'attends une réponse de la Scientifique.

— C'est bien ça !

Sciarra écoutait tout, patient et silencieux. Le maton regardait continuellement sa montre, peut-être en avait-il marre de tenir la chandelle. La commissaire se remit à parler.

— Sciarra, vous étiez dans la même cellule ?

— Ou... oui, mais elle a été ré... réno... no... no...

— Rénovée, ok, je sais. Vous y êtes encore ?

— N... n... non.

Seigneur, quelle fatigue. Avoir une pensée en tête qui veut sortir, bien ronde, comme un haut-relief de la Renaissance, et puis la voir réduite en fragments, humiliée par les vandales et l'usure du temps.

Qu'est-ce que je lui demande ? pensait la femme. Je dois m'arranger pour qu'il me réponde par monosyllabes sinon on va y passer la nuit.

— Vous vouliez me dire quelque chose, Sciarra ?

— Ou... ou... oui... c'est-à-d... dire n... non.

Bien, même ses convictions balbutiaient.

— Non ?

— Ou... ou... oui ! Ouf !

Les neurones-miroirs de tous les présents soupirèrent à l'unisson avec Sciarra. Le maton louchait sur sa montre avec l'énervement de quelqu'un conscient de rater un rendez-vous avec la femme de sa vie.

— Oui ou non ?

— Ve... ve... venez av... avec moi.

Il bougea, rapide.

— Eh oh, Sciarra, où tu vas, bordel ?

Donc, le maton n'était pas muet.

— D... dans la cell... cell...

Il ne conclut même pas.

– Suis-le, dit Rinaldi à Fusco.

Tout le monde le suivait du regard à la recherche de ses lèvres, comme si en les lui regardant, les mots pouvaient sortir plus vite, même si peut-être les petits rebelles étaient intimidés par tant d'attention et restaient exprès au chaud entre la pointe de la langue et le palais.

– Voi… voi… voilà, dit-il puis, au maton : Ouv… ouvrez… s'il vous… vous…

Elena, plus lente, était restée en arrière.

– Vous l'ouvrez, cette porte, oui non ? hurla-t-elle.

– Eh oh, calmez-vous. Si on demande quelque chose, il faut être gentil.

Fusco approcha les lèvres de l'oreille de l'homme.

– Ne fais pas le couillon ou je t'attends dehors, après ton service. Je te rappelle que je suis armée.

L'homme écarquilla les yeux : ces trucs, les femmes ne les disent pas, il n'y a plus de religion. Elle doit être lesbienne !

Il ouvrit.

À l'intérieur, il y avait trois hommes, étendus sur les couchettes. On aurait dit une installation de la biennale de Venise, ils ne bougèrent pas d'un millimètre, ils ne respiraient quasiment pas. Sciarra cherchait quelque chose dans une boîte en carton. Elena entra aussi, le maton resta dehors.

– Voi… voilà.

L'homme brandit un paquet de photocopies et les tendit à la commissaire.

– Qu'est-ce que c'est ?

– Des pho… photo… photoco…

– Oui, je vois, mais qu'est-ce qui est écrit ?

– Mes mé… mém… mémoires.

Bien, depuis Francesco Hayez, le marché du livre n'attendait rien d'autre.

– En photocopies ?

– L'o… l'origi… l'original… je l'ai pas ffff… fi… fini.

Waouh ! Une avant-première mondiale ! Elena ne savait pas si elle devait rire ou pleurer.

– Excusez-moi, Sciarra, mais qu'est-ce que j'en fais ?

– Il y… il y… il y a ttt… tttt… tout. Pour moi, c'est plus fa… fa… facile comme ça.

La commissaire feuilleta distraitement la petite liasse de pages autographes.

– Très bien, Sciarra, je le lirai.

– M… mer… merci.

La commissaire sortit de la cellule, déçue.

– Allons-y, Fusco, nous avons fini.

– M… merci, insistait Sciarra. Ai… ai… aidez-moi… ssss… s'il vous plaît.

Pouvait-elle savoir, notre toujours plus déçue Elena Rinaldi, que le pauvre Sciarra écrivait très serré depuis des mois ses mémoires et qu'il se réapprovisionnait continuellement en photocopies pour pouvoir les consigner, les refiler même à tous ceux qui passaient fût-ce en vitesse dans la maison d'arrêt de Monza, avocats, assistants sociaux, employés ; pour pouvoir en fait lancer sa bouteille à la mer, qui n'était peut-être même pas la demande d'un procès équitable ou d'une peine alternative, mais plus simplement une écoute, une quelconque écoute de ses pensées, de son monde intérieur, de ce qu'il voyait et sentait, en le présentant, en le communiquant, au moins pour une fois, de manière fluide, limpide, compréhensible ?

4

À la fin, sans même s'en apercevoir, elles s'étaient embourbées sur la voie rapide est. Et à la fin, on n'y fait plus attention, ça devient le parcours habituel de tout Milanais, et Fusco, en bonne Napolitaine, l'était au plus profond d'elle (car aucun Milanais n'est aussi fanatiquement Milanais que ceux qui, sans y être nés, ont choisi d'y vivre, à Milan). La voie rapide, qui était née pour détourner la circulation de la ville, était devenue avec les années une sorte de périphérique interne de la métropole, laquelle débordait désormais les strictes limites municipales et s'étendait comme un patchwork incohérent sur une bonne partie de l'ex-riante, ex-salubre, ex-fertile plaine padane.

Le trafic était exaspérant, parfois même la proverbiale patience de Job n'y aurait pas suffi. Elena se demandait comment ils pouvaient tous vivre chaque jour une telle punition divine, comment il était possible qu'ils ne se rentrent pas dedans les uns les autres, qu'ils n'en viennent pas aux mains, qu'ils n'ouvrent pas le feu les uns sur les autres. C'était un peuple civilisé, peut-être, celui de Milan. Bien sûr, avec le taux national le plus élevé de consommation d'antidépresseurs, mais c'est un détail. Et après tout, à bien réfléchir, il suffirait d'une matinée sur la Cassia* à admirer la pénible transhumance vers la Ville éternelle pour réévaluer aussi l'esprit civique de ses bien-aimés concitoyens.

Elena ralluma le portable, qui sonna aussitôt, on aurait dit qu'il n'attendait que ça.

– Favalli, qu'est-ce qui se passe ?

– *Dottoressa*, on est en train de rouler vers vous.

– Où diable êtes-vous ? Moi je suis en train de retourner à Lodi, qui vous a dit de bouger ?

– Nous avons essayé de vous appeler, mais votre téléphone était coupé.

Au même instant arrivèrent une poignée de messages d'appel en absence sur le BlackBerry de la commissaire.

– Vous aviez peur qu'on se soit perdues ?

– Nous sommes sur la voie rapide, si vous nous donnez un quart d'heure, on vous retrouve.

– Qu'est-ce que vous racontez ? Nous sommes bloquées !

– La route est libre…

C'est toujours comme ça, sur la route des autres, jamais de bouchons. C'est une loi indiscutable, infalsifiable. Ce n'est pas de la science, mais de la foi.

La commissaire mit le haut-parleur.

– Où êtes-vous ? demanda-t-elle en regardant Fusco.

---

* La via Cassia, une des grandes routes dites "consulaires" qui partent de Rome et traversent l'Italie.

— Mmh… je ne sais pas, répondit-il puis sa voix perdit de la consistance : Pietrantoni, on est où ?

On entendit un faible :

— Il y a une sortie… c'est écrit CAMM.

Et Favalli :

— *Dottoressa…*

— Oui, oui, on a entendu.

— Favalli…

Maintenant, c'était au tour de Fusco de parler :

— … Continuez, dépassez Monluè sur votre droite et sortez sur l'avenue Forlanini. On y sera d'ici peu.

Favalli retransmit minutieusement les indications à Pietrantoni. Entre-temps, Fusco avait mis la sirène sur le toit, faisant d'un coup augmenter de manière exponentielle les instincts meurtriers des Milanais immergés dans le trafic.

— Bon, fit Elena. Mais on peut savoir pourquoi vous me cherchiez ? Il y a du neuf ?

— Oui, *dottoressa.*

À la bonne heure ! Avec Favalli, il fallait chaque fois une césarienne pour lui soutirer les informations importantes, comme si à force d'utiliser sa bouche et son cerveau, il avait usé jusqu'aux dernières connexions neuronales.

— Nous avons du neuf de la Scientifique.

Silence.

— Favalli, tu veux me le dire ou je dois faire une requête sur papier timbré ?

— Excusez-moi, c'est que Pietrantoni a pris un virage et…

— J'en ai rien à cirer, Favalli !

— C'est une Fiat Panda, grise. La voiture, je veux dire, celle avec laquelle Moundou a fui.

D'instinct, Elena regarda par la fenêtre. À peine le temps d'y réfléchir et elle en aperçut deux. La voiture la plus commune de l'univers, bon sang de bois.

— Vous avez alerté les barrages ?

— Oui, Pietrantoni y a pensé.

Tant mieux. Place aux jeunes, ils sont plus rapides, plus réceptifs, si on avait attendu Son Excellence Bureaucratique Favalli, on n'en finissait plus.

– Qu'est-ce que nous savons des complices ? Que dit la Scientifique ?

– Rien encore.

Mon Dieu, comme je les déteste ! Mais qu'est-ce qu'ils font, toute la journée ?

(Elle ne pouvait pas le savoir, mais ils étaient en train de subir l'engueulade du commissaire De Matteis qui, content de pouvoir passer sa colère sur quelqu'un, était allé directement au laboratoire avec ses manières de connard pour leur faire remarquer qu'oublier, sur une scène de crime, un portable derrière la machine à laver, était un truc digne d'une blague sur les carabiniers, ce qui mit en fureur les policiers parce que, bon sang de bois, tout le monde veut, veut, veut, mais personne n'a la patience d'attendre. La science n'admet pas de raccourcis. Le boulot, ou bien on le fait comme il faut ou bien si tout le monde nous presse, à la fin, une connerie ou une autre, on finit par la commettre.)

Fusco braqua brusquement, le contrecoup à la ceinture de sécurité coupa presque le souffle à Elena.

– Fusco !

– Excusez-moi, *dottoressa*… dit-elle puis, au téléphone : Favalli, garez-vous sous la passerelle.

En disant cela, elle achevait de tourner sur la bretelle et émergeait sur l'avenue.

– Laquelle, la bleue ?

Mais elle n'était pas violette ? pensa Elena. Depuis combien d'années je ne suis pas passée dans le coin ?

Ils se rangèrent presque au même moment sur le bord de la route, l'un derrière l'autre. Au-delà, sur la pelouse du parc, un groupe de Cinghalais jouaient au cricket. Les premiers à descendre furent Favalli et Rinaldi.

– *Dottoressa*…

– Favalli, écoutez-moi bien.

Son regard se haussa au-dessus de l'épaule du collègue. Une Fiat Panda grise avec à l'intérieur une joyeuse petite famille était en train de les dépasser. Favalli s'en aperçut et, pris du feu sacré de sa mission, se plaça au milieu de la chaussée et, montrant sa carte, ordonna à la voiture de s'arrêter.

Mon Dieu, pensa la commissaire. Et maintenant, qu'est-ce qu'il fait, il les arrête ?

Fusco assista à la scène avec un sourire stupéfait sur le visage. Puis elle adressa un signe d'entente à sa supérieure (quelque chose comme : "laissez, je m'en occupe, soyez tranquille") et s'avança pour parler avec le *pater familias* au volant qui, terrorisé, balbutiait des choses incompréhensibles à Favalli. Quelques minutes plus tard, la voiture reprit sa route, d'abord très doucement, puis en accélérant toujours plus, jusqu'à disparaître.

On aurait dit que la fumée sortait par les oreilles d'Elena, comme dans les dessins animés. Nervosité et sentiment d'impuissance. Ils n'avaient rien en main, à peine quelques éléments d'information, aucun indice. Rien. Il semblait qu'on naviguât à vue dans un dense banc de brume. Il me faudrait une bonne *grattachecca**, pensa la femme. Il y a une baraque au bord du Tibre, près de l'Ara Pacis, qui la fait bonne et abondante. Un peu chère, mais bonne.

Pietrantoni la regardait du coin de l'œil, comme un poète provençal sa muse. Les deux collègues, entre-temps, se rapprochèrent.

— Alors, Favalli, reprit la commissaire. Essayons de nous comprendre. Moundou n'est pas un paumé. Tout le monde me raconte la jolie fable de l'homme bon et tranquille, mais moi, je ne marche pas. Cet homme est capable de feindre, de se cacher, de disparaître, y compris en territoire hostile. Jusqu'à maintenant, il n'a pas fait un faux pas. N'en faisons pas nous non plus.

— Pour ce que nous en savons, il pourrait être armé, dit Pietrantoni, fanfaron.

— Exact. Nous devons avertir toutes les patrouilles, leur dire de faire attention. Si un bleu l'arrête pour vérification d'identité, est-ce que nous savons comment l'évadé pourrait réagir ?

---

* Typique rafraîchissement romain : glace pilée au sirop.

Le mot "bleu" attrista Pietrantoni. Voilà comment elle me considère, pauvre de moi, minable que je suis !

– Nous devons suivre aussi la piste des complices. Comprendre qui est derrière, dit Son Évidence.

Elena n'acquiesça même pas.

– Fusco, dit-elle plutôt à sa jeune collègue, au point où on en est, trouve-moi qui l'a arrêté. Tu avais dit que...

– Résistance à officier de la force publique.

– Voilà, trouve-le-moi. Peut-être qu'il peut nous donner un indice.

Ils étaient dans le noir complet et le savaient, tant que la Scientifique ne leur donnait aucune information, ils pouvaient seulement placer leurs espoirs dans les barrages ou dans quelque illumination divine.

Et tandis qu'ils parlaient, plongés dans le chaos urbain de la via Forlanini, une Fiat Panda grise fonçait, solitaire, sur une route isolée, dans le néant indistinct de la plaine, dans un de ces endroits où on ne sait jamais très bien d'où on vient et où on ne comprend pas du tout où on va.

5

Avec un tel état d'esprit, ça ne valait pas la peine de manger. Un sandwich suffisait. Ou on le fait avec enthousiasme ou ça rend très triste. Elena était fatiguée, elle avait l'impression d'avoir passé une journée interminable et pleine de nouveautés et en même temps brève et infructueuse. Elle était fatiguée mais n'avait pas sommeil, un peu comme dans cette chanson "*fatigué au point de ne pas dormir*" – de qui était-ce ? –, "*il est une heure du matin et il n'y a rien à faire*".

Bon, il était une heure du matin et elle, au fond, elle avait bien quelque chose à faire, puisque de toute façon elle savait comment ça allait finir, tu vires, tu tournes, mais le lit chez toi, c'est autre chose. Elle ne supportait pas les hôtels. Où avait-elle mis les photocopies de Sciarra ? Peut-être qu'elles lui donneraient sommeil...

Elle les trouva répandues à terre, probablement tombées de son sac quand elle l'avait jeté sur le lit, avant d'aller prendre une douche. Elle prit en main le cahier de brouillon écrit à la main, d'une écriture incertaine mais pas indéchiffrable. Elle sourit en lisant le titre :

La vie d'un détenu. Petit journal-résumé

Bon, ben, essayons, pensa-t-elle. De toute façon, le portable était allumé, au moins si quelqu'un devait l'appeler en pleine nuit, elle n'aurait pas à bondir hors du lit, épouvantée à mort. Elle ne s'y était jamais habituée : se réveiller en sursaut, croire qu'on est chez soi et perdre ses points de repère, dans le noir, se sentir perdue, quand le cerveau ne se rappelle pas encore qu'on est dans une chambre d'hôtel et que le corps bouge à la recherche instinctive des espaces familiers.

28 juillet J'ai été arété et Conduit en Prison et ainsi a commencé ma mésaventure dans l'attente du procès. Le lendemain après mon arrestation, on m'a fait sortir dans la cour et là, j'ai rancontré des gars que je connaissais et ils m'ont dit de rester là à côté d'eux et de pas me retourner et comme ça je commençai la journée la plus terrible de ma vie, je vis un gars qui se tenait l'estomac il avait été poignardé ils nous firent rentrer après nous avoir demandé Nom et Prénom.

C'est comme ça que la journée finit. on m'enferma en cellule et ne sachant pas quoi faire j'allumai la télévision et commençai à préparer le dîner pour trois. et on fit après dîner, je fis du café. et un des deux camarades de cellule lavé les assiettes et nous commencions a jouer aux dames qui perdait faisait le café

Un désastre. Anacoluthes, fautes de grammaire et d'orthographe. Mais cela n'effrayait pas Elena, habituée par ses études à fréquenter les archives, à la recherche de cris, lettres, correspondances écrites à la main, mémoires. Ça avait son charme, inutile de le nier. Une sorte de dépôt involontaire de vérité. L'incapacité à tromper le lecteur, et donc, contre la volonté même de l'auteur, la transmission des choses comme elles sont, de la manière la plus banale, quand en fait on désire les formaliser, leur donner une valeur littéraire. L'inconscience naïve qui ne rend pas le document esthétiquement plus élevé, mais manifestement plus vrai.

Le lendemain je me réveillai pour préparer le café en attendant le lait on prit le petit déjeuner on se lava prêts pour la promnade on est sortis dans la cour toujours prêts à sortir en cas de tabassages, je continuai comme ça pendant quelques mois un jour l'adjudant m'appelle et me demande si je voulais travailler je répondis que oui, il me demanda qu'est-ce que tu sais faire et moi je répondis je suis Peintre en Bâtiment.

Lui me dit j'avais justement besoin d'un Peintre et comme ça je commençai à travailler et la commencèrent les ennuis un jour des détenus m'appelèrent tu me nous repeins la cellule et je répondis le brigadier doit me donner la permission le brigadier me dit que oui, j'allai demander à quelle heure je pouvai commencer, eux me répondirent demain à 8 h 30, et on fit comme ça mon compagnon et moi et le lendemain on commença

(Elena ne pouvait pas savoir qu'à ce moment une Fiat Panda grise avait été arrêtée sur l'autoroute A1 par une patrouille ; mais au fond c'était mieux ainsi, étant donné qu'au volant se trouvait une jeune fille qui transportait une cage avec deux canaris endormis et on la laissa aussitôt repartir.)

Ce fut la première surprise nous trouvâmes un des derniers arivés, ils l'avaient cogné jusqu'au sang et il était couché par terre alors on sortit de la cellule et on avertit le gardien, il n'et pas dit que ça ait été les autres occupants de la cellule, ça pouvait être d'autres détenus qui l'avaient fait, donc ils le portèrent à l'infirmerie, les compagnons de cellule étaient dans la cour avec d'autres détenus à parler. Mon compagnon de travail et moi on alla dans une autre cellule, L'après-midi, nous avons fini la cellule et nous sommes allés prendre la douche et la journée se termina, comme ça on continua pendant deux mois puis il y eut un mommn moment de tranquillité et nous nous sommes relaxés, puis un soir arrivèrent beaucoup de carabiniers casqués on nous fit tous sortir des cellules et l'adjudant nous appela nous dit de prendre massettes et burins i nous fit monter au dernier étage et ils nous firent casser des murs des toilettes ils cherchaient des couteaux bricolés des cuillères et des fourchettes transformées en couteaux et ils en trouvèrent quelques-uns et par chance les trois détenus qui l'occupaient étaient à peine arrivés si non ils auraient été accusés de possession d'armes blanches et ça continua sur le même rythme, entre les tabassages et les coups de couteau. Après ils se calmèrent pendant quelques temps puis arrivèrent les nouveaux détenus parmi eux yavait un détenu qui dénoncé pour Proxénétisme de sa Fille entré l'après-midi ils le laissèrent tranquille jusqu'au Matin d'après et pendant qu'on allait dans la cour une quinzaine de détenus firent la chaîne jusqu'au deuxième étage et ils le massacrèrent de coups et on ne sut plus qui l'avait le Tapa et pendant quelques jours ce fut calme. Moi je me fis hospitaliser a cause de grandes douleurs d'estomac j'avais l'ulcère ils me gardèrent environ un mois et dans ce mois j'en vis de toutes les couleurs je Vis mourir un garçon d'hernie discale et mort attaché à la porte de l'infirmerie et avec les différentes blessures moins graves les plus graves étaient conduits à l'Hôpital ceux qui s'en tiraient revenaient en prison et les autres on ne savait plus rien.

Tu parles, comportements irréprochables, réinsertion sociale, peines humaines, cohabitation civilisée ! Le tableau qui émergeait était bestial, violent, impitoyable. Derrière ces murs (seulement ceux de Monza ? Allons, ne nous racontons pas d'histoire !) régnaient des lois différentes de celles glorifiées par le directeur de la prison, étrangères à la société civile. Ou peut-être étaient-ce les règles secrètes et indicibles de la société civile qui avait tombé son masque. Le nom de Leon Battista Alberti revint à l'esprit d'Elena (voilà à quoi sert une culture humaniste, pensait-elle en ricanant, à se consoler dans les soirées solitaires d'une chambre d'hôtel), quand il disait – où était-ce, dans *Momus* ? – que les hommes pour cacher leur capacité à prendre n'importe quelle forme, étant implicitement monstrueux, décidèrent de se cacher, dès l'origine, au point d'avoir oublié le masque et de l'avoir confondu avec leur visage même. Toutes nos institutions sont des masques, voilà la vérité, pour cacher l'abomination, mais aussi pour nous permettre de vivre "civilement", sous peine de tomber dans la folie. Peut-être était-ce dans *De re aedificatoria*. Bah, qui s'en souvient encore ?

c'était un étage plutôt turbulent et nous nous n'étions pas tranquilles, là il se passait de tout et quand ça se passait, les gardiens n'étaient jamais là. Comme ça on commença à gratter les cloisons et les plafonds il nous a fallu quelques jours toujours ~~avel~~ avec la gorge serrée, une rixe entre ~~dép~~ détenus ou pire en fait au bout d'une semaine, ils trouvèrent un détenu pendu, celui-là que nous nous sommes toujours demandé comment on peut se pendre tout seul comme ça on a commencé à y réfléchir et on arrive à une conclusion que tout seul on peut pas, même en mettant la corde ~~faite en drap~~ à la dernière barre de la fenêtre on touche la terre à moins qu'yait un contrepoids qui tient les pieds à comme ça meurent les les détenus, et ça, les gardiens le savent bien.

Un jour ils prirent un détenu qui fit du Bordel et répondit mal et les gardiens le prirent et le mirent en cellule d'isolement puis le soir commança le calvaire de ce pauvre diable chaque changement de gardiens, c'était des coups on l'entendait crier et ça dure pendant quelques jours puis ils cessèrent mais lui on le revit plus ils le transférèrent et cela arrive souvent mais les autorités péni-tentiaires font comme si de rien n'était, C'est comme ça qu'est la vie pénitentiaire il faut faire attention aux autres détenus et aux gardiens.

(Elena ne pouvait pas savoir qu'au même moment, tandis qu'elle méditait sur les maximes et le bon sens de Sciarra, une Fiat Panda grise avait été arrêtée par une patrouille du côté de Sommacampagna, mais au fond c'était mieux ainsi étant donné que c'était un artisan qui rentrait chez lui à moitié bourré après avoir fait la bringue toute la soirée à Peschiera del Garda chez des amis.)

Puis un jour comme j'étais toujours malade un de mes cama-rades vint me trouver qui est un type bien et tout et n'est pas italien il s'appelle Aile et il me dit comment ça va, et moi, bien. Et lui dit qu'il m'attend pour finir les travaux.

Elena faillit ne pas relever ce passage, elle était en train de s'endormir. Au fond, cela faisait des heures qu'elle lisait Sciarra et ses lamentations depuis qu'on l'avait coincé pour recel et qu'on lui avait même saisi l'or de sa mère. À l'en croire, ça l'avait rendu fou de rage parce que bon, d'accord pour tout, mais maman, on n'y touche pas ! Entre violence et abus, le journal semblait sans construction narrative, rien qu'une longue litanie de plaintes. La vie n'est jamais intéressante, elle n'est que vie et souffrance. À moins qu'on ne décide de lui donner une narration, de chercher des foyers sur lesquels se concentrer : Aile était évidemment Haile. (De toute manière, pour Sciarra, si le *H* n'avait pas de valeur phonétique, pourquoi donc devrait-il avoir une valeur orthographique ?) Pour Elena, la lecture se fit tout à coup plus passionnante qu'un polar (toujours fort peu passionnants, selon elle). Elle parcourait les feuillets en cherchant d'autres passages où reviendrait pointer le personnage de Haile. Puis elle tomba là-dessus :

Une fois arriva un forain accusé de violence sur mineurs on le mit à part à l'infirmerie on le mit dans une autre unité. Et pourtan là aussi il n'était pas en sécurité en fait un matin dans le couloir des détenus s'approchèrent av des barres de la grille ils l'appelèrent avec l'excuse d'allumer la cigarette comme il s'approche, ils le prirent ils le tenaient très serré aux barres avec une main près de la bouche et ils lui coupèrent la verge et la lui mirent dans la bouche et disparurent. Au bout de quelques jours, on me renvoya à mon unité et je repris mon travail

Je demandai à mon collègue Aile si quelque chose s'était passé lui me répondit quelques tabassages et je savais que c'était lui qui le fait qui haït ceux qui cognent les enfants mais il ne me le disait pas, et il me dit que nous devions peindre une Cellule le lendemain et je répondis d'accord. nous restons un peu dans le couloir à parler de mon Avocat mais il ne se bougeait pas

Une émasculation. La loi de la prison n'accepte pas le droit à la défense pour les pédophiles. La scène est glaçante. Peut-être est-ce pour cela qu'ils ont tous été transférés, pensa Elena, mais en premier lieu, ils ont protégé Haile, en le tenant à l'écart d'un éventuel procès. Le clan se défend comme il peut et comme il sait, mais le directeur aussi, probablement, n'est pas stupide : il a dû deviner que Haile y était pour quelque chose et il a préféré s'en débarrasser. À moins qu'il n'adhère aux raisons de la horde, indifférent aux droits de l'homme et aux lois de l'État, au point de défendre le castrateur et de lui offrir des vacances à Lodi. Des suppositions, pour Elena. Et pourtant comment se faisait-il qu'elles lui apparaissaient si crédibles ?

Comment peut-on dire qu'un détenu puisse fuir de la prison, c'est une chose impossible avec des Murs si hauts, il ~~faudd~~ faudrait de la corde si vous voulez fuir en sautant le mur il y a les gardiens sur le mur d'enceinte.

Chose impossible amoins qu'ils soient complices et encore moins possible s'échapper par la porte principale et s'ils y arrivent il faut contrôler les matons qui se font une belle vie comme Jamais et puis le fait qu'entrent les armes et la drogue ou autre chose toujour c'est à cause des matons parce que les parents quand ils viennent les voir sont fouillés des pieds à la tête, il y a plus de corruption dans les prisons que dehors. Et quand il y a une évasion, ce sont les gardiens qui s'anrichissent.

Dans ce cas précis, pensait Elena, abattue, tu as tout faux, Sciarra. Ton ami Haile s'est enfui par la porte principale mais tout ce qu'y ont gagné les matons c'est une décharge de plomb dans le corps, métal plus pesant et certes moins noble que l'or.

D'un coup, sa tête s'inclina sur sa poitrine, les feuillets se dispersèrent sur les draps. Il était presque l'aube, elle dormait, enfin.

(Elena ne pouvait pas savoir qu'en ce moment précis, alors qu'elle était en train de rêver qu'elle bavardait avec don Leon Battista Alberti, et découvrait qu'il était bègue, une Fiat

Panda grise avait été arrêtée par deux carabiniers à moto du côté de Carpi et que, après avoir rapidement confronté la physionomie du chauffeur avec la photo signalétique, ils l'avaient laissé repartir. Sauf que, juste au moment où la voiture s'éloignait, un des militaires s'était aperçu que la voiture avait le feu arrière droit cassé. Alors ils ordonnèrent au chauffeur de s'arrêter mais ce dernier, peut-être pris de panique, ou peut-être parce qu'il n'avait pas la conscience tranquille, mit plein gaz et s'enfonça, suivi par les deux motards, dans la brume.)

Le soleil striait le ciel de sang.

1

Tiziana lui dit que Mimmo était au travail. Ferraro mit un peu de temps à comprendre la phrase.

— À quoi on joue, à *Caméra cachée* ? Depuis quand Mimmo 'O Animalo travaille ?

Elle ne plaisantait pas. Cela faisait déjà quelques mois que Mimmo sortait deux fois par semaine pour s'occuper du service d'ordre d'une discothèque du côté du cours Como. Mieux qu'un rapport détaillé de la Commission économique de l'Union européenne, cette nouvelle était pour Ferraro l'indication claire d'une crise économique sans précédent pour toute la nation. Si Mimmo travaillait, tout perdait son sens, le monde n'était plus celui que nous avions appris à connaître, que nous réservait l'avenir ? Il décida donc de ne pas rater le spectacle, au cas où il changerait d'idée ou que son réseau d'affaires (illicites, évidemment) se remette en branle ; il se fit donner l'adresse de la discothèque et sortit de chez lui après dîner.

Il avait laissé derrière lui les dépressions existentielles de Don Stefano, rien de plus difficile à avaler qu'un prêtre qui, à la fin de son parcours de vie, met en doute tout ce qu'il a fait. Bon, allez, ça c'est vraiment cruel comme pensée, Ferraro se mordit presque la langue. C'est Don Stefano lui-même qui lui avait enseigné l'art du doute.

— Je me demande chaque matin si Dieu existe, disait-il au gamin. Et je n'ai pas encore trouvé la réponse.

Mieux valait qu'il reste dans le doute, au fond. Et si juste avant de mourir, il la trouvait, la réponse, et qu'elle n'était pas celle qu'il attendait, comment s'en sortirait-il ?

Tout un catalogue putanier de minettes semi-nues et étincelantes, de cacous aux cheveux pommadés avec des déchirures bien calculées sur leurs jeans griffés, de quadragénaires poivre et sel convaincus d'être encore espiègles et robustes, des kilos de botox et de silicone distribués à pleines mains sur des corps informes et monstrueux, tout cela faisait la queue devant la boîte, chacun avec les façons fanfaronnes du type unique, original, différent des autres, transgressif, alternatif. Moi, moi, moi, je vous prie, moi je suis différent de tous les autres, y compris de ceux qui sont à côté de moi, parce que je ne peux pas dire que je les connaisse vraiment, je suis prêt à les renier si ça sert à entrer, parce que moi, je ne connais que ceux qu'il faut, les supermecs et nanas, parce que je suis comme ceux qui sont à l'intérieur, derrière les paravents des espaces VIP, dans l'Olympe anticonformiste des nuits milanaises – tel était l'appel désespéré qu'ils lançaient en langage corporel au gardien du seuil – je suis provocateur, rebelle, subversif, pareil pareil, homologue, copie conforme des originaux télévisuels, comment ça se fait que tu ne le remarques pas, pourquoi tu me fais faire la queue, pourquoi tu ne me fais pas entrer dans l'Empyrée, là où je mérite de défiler, de faire étalage de moi-même, de m'exprimer, de m'exhiber ?

Le gardien du seuil, un gros black de deux mètres de haut et autant de largeur, impassible, mains jointes sur le ventre, s'en foutait. De temps en temps, il gesticulait quelque chose, quasiment un rituel magique et quelqu'un, comme par enchantement, connaissait le salut et la joie du paradis tandis que les autres, les damnés, restaient là dehors, troublés, dans le froid, sous un crachin qui semblait fait de crachats et de grimaces, prêts à subir toutes sortes d'humiliations, disposés à n'importe quelle mortification, aux plus déprimantes épreuves initiatiques, pourvu qu'ils s'avèrent les favoris des dieux, les élus, les différents des autres. C'est-à-dire identiquement pareils.

Ferraro évita la queue et se dirigea sans hésitation vers le gardien galonné. Le mépris qui débordait des fentes oculaires entrevues sous la visière du cuirassier noir semblait pouvoir être touché, tant il était dense et collant. Qui est ce clodo,

110

disait son regard muet, comment se permet-il de sauter les cercles de l'enfer auxquels il est destiné ? Fringué de cette manière, en plus ! Il ne doit pas porter sur lui plus de 97 euros, chaussures comprises, au minimum il a un emprunt à rembourser et trois enfants à envoyer à l'école, la dernière fois qu'il est allé au cinéma, on venait à peine d'inventer le technicolor, et à vue de nez il ne doit pas avoir plus de 32 euros dans son portefeuille, et pas non plus un pacson de neige à sniffer !

(L'estimation était excessive, en réalité. Dans le portefeuille de Ferraro sommeillaient 15 euros. Et ce n'était pas mal quand même, par rapport à la norme, souvent bien plus déprimante.)

— Excusez-moi, dit Ferraro en s'approchant. Je voulais…

— La queue, dit le gardien du seuil, avec son index plastique, à la manière d'Adam qui tente de toucher Dieu sur la voûte de la chapelle Sixtine.

— Quoi ?

— Fais la queue comme tout le monde.

— Non, excusez-moi, je voulais seulement…

Le grenadier de Sardaigne fit rouler ses globes oculaires, juste pour faire contraster le blanc de ses yeux avec son bronzage génétique.

— Je travaille, l'ami, répondit-il. Je n'ai pas le temps.

Et il remit ses mains sur son ventre.

— Vraiment ? Moi, en fait, j'ai l'impression que tu fous que dalle.

— Il vaut mieux que tu te calmes, l'ami, dit-il, magnanime comme peut l'être un champ d'orties.

— Il vaut mieux que tu me montres ton permis de séjour, répondit le flic en exhibant sa carte.

Et puis merde, s'il faut jouer au con, je vais pas me le faire apprendre par le première Mandingue à qui on a offert un uniforme de groom !

— Qu'est-ce qui se passe, Gionni, ça va ?

Ferraro sourit, il connaissait la voix mais ne voyait pas la source d'émission. Le zébu, malheureux, répondit.

— C'est rien, chef, je parlais avec monsieur.

On aurait dit qu'il pépiait, petit petit, serré entre un flic qui venait juste de lui foutre la honte et Mimmo 'O Animalo dont le surnom suffit pour comprendre qu'il vaut mieux ne pas s'en faire un ennemi.

Mimmo apparut de derrière la masse éburnéenne.

— Vas-y, Gionni, je m'en occupe moi, du monsieur.

Le zoulou se précipita vers la queue, avec la hâte de quelqu'un qui a oublié le café sur le gaz.

Ferraro sourit, perfide :

— Johnny ? Il s'appelle vraiment comme ça ?

— Qu'est-ce que j'en sais, bordel, comment il s'appelle ! Moi, je l'appelle Gionni, ça va plus vite.

(Et qu'il soit clair au lecteur qu'il ne s'agit pas en ce cas d'une coquille — vous en trouverez d'autres comme il arrive toujours, qu'on lise de prestes opuscules ou des tomes pesants. C'est un destin typographique inéluctable, celui de l'erreur d'impression, presque un écot à payer au dieu de la parole écrite — car Ferraro l'appelait correctement mais, avec une émission sonore analogue, Mimmo l'écrivait, dans sa tête, très précisément ainsi.)

— Viens là, que je t'embrasse, dit le flic.

— Eh oh, Clou, qu'est-ce que tu fous putain, je suis pas un pédé ! répondit Mimmo, inquiet à l'idée de faire mauvaise figure devant le public de pénitents en file.

— Depuis quand tu travailles ? Tu me l'as caché, pas vrai ?

— Si on appelle ça travailler, répondit son ami avec suffisance. Je viens ici, je fais une tronche de méchant, je bois quelques petites bières et je regarde les belles gonzesses..

— La belle vie, quoi.

— De temps en temps je fous dehors un excité qui a un peu trop sniffé, tu sais comment c'est, tes collègues ont mis la pression sur quelques boîtes du coin.

— C'est pour la bonne réputation de la métropole, essaie de comprendre.

— J'en ai rien à branler. Si quelqu'un veut se déchirer la tronche, qu'il le fasse, l'important c'est qu'il casse pas les couilles aux autres.

Un parfait libéral.

— Écoute un peu…

Mais Mimmo ne l'écoutait pas.

— Je ne savais pas que tu étais venu avec une amie, lui dit-il en regardant par-dessus l'épaule de son ami.

— Qu'est-ce que tu racontes ?

Ce n'est qu'à ce moment que Ferraro se rendit compte que quelqu'un l'appelait. Il se retourna brusquement. Oh Seigneur ! Au milieu de la file, Simone agitait sa menotte vers les deux copains :

— Michele ! Micheeelee !

— Ne me dis pas que tu ne la connais pas. Elle sait même comment tu t'appelles.

Simone, comprenant qu'il avait été identifié, sortit de la queue et s'approcha des deux hommes. Ce fut pratiquement un défilé de mode : escarpins immaculés, short rase-bonbon, chemisier sans col déboutonné jusque sous le sternum et longue écharpe de *chiffon** entortillée autour du cou, tombant sur les cuisses nues et extrêmement épilées. Tout cela rigoureusement *all white*. Comment il faisait pour ne pas mourir de froid, la question serait restée mystérieuse si Ferraro ne tenait pas pour certain que, selon toute probabilité, il avait déjà une demi-bouteille de sambuca dans le corps.

— Michele, chéri, mais qu'est-ce que tu fais là ? hurla-t-il à mi-parcours.

— Chéri ? demanda, vipérin, Mimmo.

— C'est une longue histoire.

— Depuis quand t'es pédé ?

— Ça va pas, la tête ?

— Tu t'es fait faire une pipe ?

— Tu vas arrêter, oui ?

— D'après moi, c'est eux qui les font le mieux.

— Quoi ?

— Les tarlouzes. D'après moi, ils font des super pipes. Au fond, ils savent comment ça marche, une bite, non ?

Ferraro regarda son ami avec l'intensité mystique de Bernadette à Lourdes.

— Mimmo, tu… tu es une surprise permanente !

L'ami souriait, raide, vers Simone qui dandinait du cul, tout près de les rejoindre.

— N'espère rien, t'es pas mon genre, chuchota-t-il entre ses dents.

— Mais va te faire mettre… Et il lui balança un coup de poing dans l'épaule.

L'autre lui donna une bourrade, comme on faisait dans la cour, à Quarto, entre gamins. Le début d'une lutte rituelle, une danse de coqs dans le poulailler, qui pouvait finir par un éclat de rire conciliant ou aboutir à une chicore orgueilleuse.

— Eh, les gars, pas besoin de vous battre pour moi, gloussa Simone. Parce que j'en ai pour tout le monde, Michele le sait très bien !

Mais pourquoi devait-il jouer les folles perdues ? Pourquoi continuer à exhiber tout ce cirque de pédale qui correspondait si bien aux préjugés quotidiens, comme fait exprès pour justifier les plus lugubres sites para-nazis défenseurs de la pureté de la famille traditionnelle ? Il était vraiment comme ça – "pute à l'intérieur" comme il lui avait dit une fois –, ou bien désormais, à force d'interpréter un rôle de grande folle, il avait confondu le réel avec la représentation, comme s'il cherchait, par un sacrifice extrême, à tranquilliser la majorité bien-pensante, ses dandinements confirmant, un par un, tous les stigmates qui l'avaient affligé depuis son enfance ?

Simone se jeta sur Ferraro, en le bécotant.

— C'est génial de te voir ici. Tu fais toujours tellement la gueule… tu vas te bouger un peu sur la piste, ce soir ?

Ou peut-être était-ce lui le crypto-conformiste. Simone était ce qu'il voulait être. Quand on y pensait, Raoul Melis, l'ami d'enfance de Michelino et de Mimmo, maintenant officier dans l'armée, avait réprimé son homosexualité jusqu'à l'autoflagellation. N'était-ce pas mieux, à ce point, de la vivre sans frein – et que les gens respectables aillent se faire foutre ! – comme le faisait Simone ?

— Bonjour, ma chère, comment tu t'appelles ? demanda Mimmo en tendant la main.

Simone faillit en avoir un coup de sang.

— Oh mon Dieu, Miky, mais quelle poigne il a, ton ami !

Puis à Mimmo, languide :

— Je m'appelle Simone, mais pour toi, je peux être ce que tu veux.

— Mon trésor, tu es mignon, mais moi, je travaille, je peux pas avoir de distractions.

— Quel dommage !

La mine boudeuse, Simone fit un pas en arrière, comme pour mieux l'observer.

— Mon Dieu, comme t'es gros, dit-il puis il se rapprocha. Mais tu es tout comme ça ? Gros partout ?

— Simone, tu arrêtes, oui ? râla Ferraro.

— Ne fais pas le jaloux, Miky.

— Voilà, c'est ça, remarqua Mimmo en ricanant. Ne fais pas le jaloux, Clou !

— Comment tu l'as appelé ?

— C'est une longue histoire.

— Bon, ça va ! s'exclama Ferraro. Arrêtez de roucouler, tous les deux !

— Je te l'ai dit, dit Mimmo, complice, à Simone : Il est jaloux. Mais qu'est-ce que tu leur fais aux hommes, on peut savoir ?

— Tu devrais voir ce qu'ils me font à moi.

Bon, d'accord, elle était bonne, celle-là. Ils rirent de bon cœur tous les trois.

2

Mimmo adressa au barman le geste qui distingua tant Winston Churchill durant le dernier conflit mondial et l'homme lui procura instantanément deux bières glacées et gigantesques. Simone avait déjà disparu dans la cohue (tu parles d'un paradis, c'était un enfer suant et chaotique, ça !) avec deux folles de ses amies. Elles étaient là un peu pour s'amuser et un peu pour faire des relations publiques. Un prostitué doit toujours renouveler le gibier, en attendant de trouver enfin l'homme riche et généreux ; même marié, ça allait. Un de ceux qui ne te frappent pas, qui te demandent seulement de porter des sous-vêtements de fétichistes et au pire de l'appeler *petit papa*. Un type qui demande des câlins en échange de blé, c'est tout.

Maintenant, il s'agissait de trouver un coin tranquille pour bavarder.

— Viens, allons aux chiottes.

— Putain, Mimmo, tu commences à m'inquiéter !

— Fais pas le couillon. Dehors il fait froid, et puis dans les chiottes, je travaille, dit-il en se plongeant dans la foule.

— Quoi ?

Mais Mimmo ne l'avait même pas entendu. Ferraro le suivit tant bien que mal.

— La peau du visage devient soyeuse parce que la crème est substantivante, hurlait à l'adresse d'une fille, une nana *différemment jeune* qui s'était fâchée avec le dictionnaire dans son enfance et qui maintenant était probablement rédactrice publicitaire. Tu ne peux fidéliser le client qu'avec des produits hautement *performing*, continuait-elle, insultant sans répit la langue de ses pères.

Ferarro eut envie de vomir. Il s'enfuit sur les pas de Mimmo, mais ne fut pas assez rapide pour échapper au fragment de dialogue d'un type très bronzé qui, caipirinha en main, déclarait :

— Bref, c'est seulement après avoir tout terminalisé qu'il a compris qu'il était dé-protégé, alors il a régulémenté tout le bazar.

Est-ce qu'on n'a pas été battus, Don Stefano ? pensait, moralisateur, Ferraro. Ou bien vivre comme des brutes est-il notre destin ?

Une fois entrés dans les toilettes, tout parut ouaté. Mimmo avala une longue gorgée de bière, on aurait dit un assoiffé dans le désert, Ferraro essaya de l'imiter mais sans engloutir une égale quantité de liquide dans son œsophage, compte tenu de sa capacité ventrale certainement incomparable à celle de son ami de longue date même si elle était, d'année en année, toujours plus relâchée et flasque.

— Mimmo…

– Non, attends, de toute façon, je sais que tu es venu parce que tu as besoin d'un service.

– Mais ce n'est pas vrai, répondit, piqué, le flic.

– Oui, comme si je ne te connaissais pas…

– En fait… j'étais là pour savoir comment tu allais… le travail, les nouveautés, des trucs comme ça…

Tandis qu'il parlait, son nez s'allongeait. Parce que Mimmo avait vu juste, son ami était là pour lui soutirer des informations qui pouvaient servir dans son dossier.

– Je vais bien, merci, dit-il en s'essuyant les lèvres du dos de la main. Et toi ? Tout va bien chez toi ?

– Je n'ai personne chez moi, idiot.

– Comment ça ? Tu as Simone !

Ferraro but pour faire quelque chose. Deux types entrèrent en riant à gorge déployée, Mimmo les foudroya du regard. Les deux se turent instantanément.

L'un deux essaya de faire la conversation :

– Excusez-moi, c'est les toilettes, ici ?

– Non, c'est l'arrêt d'autobus !

L'autre donna une bourrade à son ami, comme pour dire "laisse tomber" et ils s'en allèrent vers les urinoirs.

– Tu sais pourquoi je viens ici, Clou ? demanda-t-il à ce dernier mais il avait l'air de vouloir qu'on l'entende. Pourquoi est-ce qu'on a fermé la boîte déjà deux fois, tu le savais ?

– On me l'a dit.

– Et tu sais pourquoi ? Parce qu'il y a des imbéciles qui, pour faire la movida, venaient ici sniffer comme des aspirateurs.

Les deux pisseurs se secouèrent leur petit outil et s'en furent la queue entre les jambes.

– Mimmo, allez, on dirait un chien de garde.

– Moi, je fais pas le flic, d'accord ? S'il faut se faire un petit pétard, tu le sais, je ne recule pas mais Seigneur ! Tu as une idée de ce que j'ai vu ici ?

– On sniffe partout, pas seulement en discothèque, répliqua Ferraro. Il y a des camionneurs ou des chirurgiens qui sniffent pour maintenir le niveau de leurs performances professionnelles. La coke n'est pas qu'un plaisir.

— Putain ! Pire encore ! Tu te défonces et tu t'amuses même pas, mais quel sens ça a ?

— Mais qu'est-ce que t'en as à foutre, toi ? Tu es devenu intégriste ?

— C'est pas ça, répondit Mimmo et il avala une autre gorgée.

La chope était presque terminée.

— Tu les vois, ces couillons, là-dehors ? La majorité sont des gamins.

— Ben, pas seulement…

— Clou, c'est plein de quadragénaires qui sniffent, je suis au courant, mais ils font gaffe, ils ont compris comment garder la mesure. Et puis, s'ils se crament le cerveau, ben, merde, ça veut dire qu'à quarante ans, ils ne l'avaient pas encore utilisé..

— Mimmo, tu me tiens des discours de vieux.

— On est vieux, Clou. Ces gamins qui viennent ici se faire des rails, ça pourrait être nos enfants ! C'est eux qui m'effraient. Ils sont fragiles, ils comprennent que dalle. Ils s'envoient de tout : coke, amphétamines, alcool. Ils n'ont plus de freins. Une fois, j'ai vu une fille complètement défoncée qui a fait une pipe à son frère.

Ferraro faillit avaler de travers.

— Putain de merde.

Trois autres garçons entrèrent.

— Lâchez-nous la grappe, ordonna Mimmo.

— Mais… moi, ça presse…

— T'as qu'à moins boire. Les toilettes sont occupées, d'accord ?

Ils sortirent sans mot dire.

— Pourquoi tu les traites comme ça ? Tu n'y peux rien, tu comprends ?

Mimmo termina sa bière. Il lui sortit un rot faible, indigne de sa réputation.

— Tu sais quoi ?

— Dis-moi.

— Quand j'ai commencé ici, je faisais entrer tous ceux qui m'étaient sympathiques. Tu sais, la sélection, ces conneries-là, pour te faire sentir plus important… Je les faisais entrer aussi quand je comprenais qu'ils avaient un paquet de fric en poche, comme ça on les plumait bien comme il faut.

— Et qu'est-ce que t'en as à foutre ?

— J'ai un pourcentage…

— Ah, ok.

— Bon, bref… puis, avec le temps, je les ai vus… ils sortent d'ici, ils cognent dans la rue. Ils deviennent violents, dépressifs…

Une pensée le fit changer d'expression.

— Tu te souviens de Raimondo ?

— Bien sûr que je m'en souviens.

Comment pourrait-il oublier Raimondo, le poète mort dans la fleur de l'âge une aiguille dans les veines ? Ce sont les poids qu'il porte sur son dos, Clou, des décombres calcifiés sous la peau.

— Lui, il se fixait, c'était un truc bestial. Il était dégoûtant rien qu'à le regarder… eux ils ne savent pas mais ils se tuent de la même manière, tu comprends ?

— Ils se tuent de manière plus élégante, plus glamour.

— Une fois, l'un d'eux, il avait… je ne sais pas, au maximum dix-sept ans… il passe la sélection et reste une nuit entière à s'éclater, dans le bordel de la musique, en s'envoyant de tout. Puis on m'a expliqué que son corps était entré en imper… imper… hyper… en somme, son corps bouillait.

— Hyperthermie.

— Voilà, bravo, hyperthermie. Il a eu le temps de sortir pour prendre un peu l'air. Il faisait un froid terrible et son cœur s'est cassé en deux. Un infarctus. Mort, seul comme un chien.

Il s'alluma une cigarette, juste sous l'écriteau d'interdiction de fumer.

— Putain ! chuchota Ferraro.

— C'est moi qui l'avais fait entrer.

— Ce n'est pas de ta faute, essaya-t-il de le consoler.

— Tu sais ce qui me fait chier ? Que personne ne dise jamais que c'est de sa faute, dans ce pays.

Le réveil lança son attaque depuis sa tranchée. Il insistait pour présenter ses vœux de joyeux anniversaire à Ferraro, épuisé par un mal de tête prodigieux. Il n'avait plus l'âge de se coucher tard, de boire comme un trou (parce que la nuit précédente ils ne s'étaient pas arrêtés au premier bock), de discuter de vie et d'éthique avec un ami d'enfance. Il voulait prendre sa retraite, se retirer dans la vie privée, s'occuper de jardinage ou de pêche. Il rêvait d'une vie banale, faite de petites choses de très mauvais goût, sans qu'il ait besoin de les gagner jour après jour. Il essaya d'extraire la mèche de la perceuse qui lui trouait le crâne mais il ne trouva rien sur son front, comme il ne trouva pas le réveil qui, caché Dieu sait où, continua de pépier jusqu'à ce qu'il s'éteigne. Juste le temps de faire quelques ablutions matinales et il se dirigea vers le bar derrière chez lui, celui de Youssef, pour l'habituel cappuccino-croissant.

Il y avait un autre bar, juste en bas de chez lui, mais il préférait faire quelques pas de plus : non pas tant pour les dons de pâtissier du gérant (qui achetait ses viennoiseries, et ne les cuisait pas lui-même), ni pour le cappuccino toujours un peu trop tiède et avec trop de mousse, mais parce que le bar, à cette heure (mais peut-être aussi le reste de la journée) était systématiquement vide. Bref : pas de cohue et le *Corrierone** à disposition gratis.

Il jeta un coup d'œil aux titres. Apparemment, il y avait eu une boucherie à Lodi. Un massacre dans les règles et la fuite d'un détenu. Bien. Il en était presque content : l'homicide sur lequel il enquêtait, lui, n'était même pas en couverture des pages locales. C'était mieux comme ça, il aurait moins d'ennuis avec l'opinion publique (ce qui aurait signifié avoir un De Matteis bavant de rage). Il n'enviait certes pas ceux qui enquêtaient à Lodi. Une affaire pareille, ça voulait dire des emmerdes à n'en plus finir, tout le monde se déchaîne : leaders d'opinion, sous-secrétaires d'État, rock stars, instituts de sondage, charcutiers. Tout le monde a son mot à dire, sa

---

* "Le grand *Corriere*", surnom familier du *Corriere della Sera*.

critique à faire, son indispensable indignation à exhiber aux quatre vents. Et de fait, la voilà : la reconstruction romancée par l'inévitable polardeux du jour à grand renfort de cartes, itinéraires, hypothèses fantasques et invraisemblables… Il passa sans enthousiasme à la page météo, puis décida que peut-être, au fond, il pouvait bien passer un coup de fil à Comaschi. Depuis qu'il était revenu à Milan, il était antipathique avec tout le monde. Il essayait toujours de travailler seul, ne supportant plus personne. Mais Comaschi ne méritait pas de subir ses états d'âmes de frustré d'âge moyen. Il n'avait jamais jugé ses études chaotiques, sa carrière gangrénée ou ses relations sentimentales sans issue. Comaschi, il lui suffisait d'avancer, face à l'absurde (existentiel et professionnel), un sourire moqueur aux lèvres. Mais lui, l'ironie ne lui suffisait plus. Du point de vue de Ferraro, il n'y avait plus de quoi rire. À son âge, dans les générations qui l'avaient précédé, on commençait à faire le bilan, juste pour s'équiper en vue d'un avenir de cheveux blancs et de repos mérité, alors que lui voyait dans la colonne des faits positifs un vide exaspérant, une sorte de portrait exemplaire de la faillite d'une génération, trop comprimée entre ceux qui étaient déjà là avant et ceux qui entraient en conquérants sur la scène. Quant à la colonne du négatif, il ne l'évaluait même pas, autrement le déséquilibre apparaîtrait sans solution. Il y avait Giulia, c'est vrai. Mais suffit-il de transférer sur ses enfants ses propres frustrations, comme si c'étaient des éponges prêtes à laver notre crasse ?

Le portable vibra entre ses mains, l'arrachant à ses tourments matinaux. Comaschi. Cette fois encore, il avait été plus rapide que lui.

— Salut, tu te souviens de moi ? lui dit le collègue, rigolard. Autrefois, nous étions amis, ajouta-t-il, sans savoir qu'il lui lisait dans les pensées.

— Salut, Comaschi.

— Salut, Comaschi ? C'est tout ? Mon gars, tu perds du terrain… quelle saleté, la vieillesse !

— Que dit le magistrat ?

— Qu'on est des merdes incompétentes.

— Rien de neuf, en somme… et De Matteis ?

— Il approuve.

Une certitude. Fort avec les faibles et faible avec les forts.

— T'es où, toi ?

— Je mets la pression sur la famille de Niemen. Je sais qu'ils sont dans le commerce illégal du cuivre, j'en tirerai peut-être quelque chose. Et toi ? Tu ramasses les primevères ?

— J'ai un contact, je vais voir si moi aussi je déniche quelque chose.

— Ne jamais partager avec ton coéquipier, pas vrai ? Tu aimes jouer le héros solitaire.

Voilà, il l'avait coincé. Bref, pas besoin de Comaschi pour comprendre que l'esprit antisocial de Ferraro s'était manifesté au monde.

— Fais pas le vexé. Il vaut mieux que j'y aille seul, ensemble on fait le gentil flic et le méchant flic.

— Bon, d'accord, mais tiens-moi au courant, parce que j'en ai plein le cul. Tu as idée de ce que ça veut dire de dialoguer avec ces dingues ?

— Les Niemen ?

— Non, nos collègues ! Il y a des fois où je voudrais passer de l'autre côté de la barricade. Là, il y a des gens bien plus sympathiques.

— T'exagères.

— Tu vois qui c'est, Mark Twain ?

— Je suis étonné que tu connaisses !

— Tu sais qu'il disait : "Du paradis, je préfère le climat, de l'enfer la compagnie." Voilà c'est un truc de ce genre.

— Tu as découvert l'existence des livres ?

— Mais non, je l'ai lu sur le t-shirt d'une gonzesse avec des nichons énormes.

Ils se mirent d'accord pour se tenir au courant en temps réel. Ferraro paya et sortit du bar. Mimmo, la nuit précédente, entre une bière et un rot, lui avait donné un nom : Kako. Un gitan qui avait vécu au Triboniano avant de trouver une location du côté de la via Imbonati. C'était un ami à lui, il lui devait des services (mieux valait ne pas approfondir) et c'était un type qui savait tout et son contraire. Vas-y seul, lui avait-il dit, Kako n'aime pas les flics.

4

Il la voit arriver plongée dans l'air brillant de l'après-midi. Elle porte ses vingt ans comme un sac en bandoulière, avec indifférence. Il la voit et ne la voit pas, il la devine dans le soleil. Les cheveux blonds et ondulés. Elle les a toujours eus lisses mais là, c'est un caprice du moment, un enjouement permanent, qui ne se répèterait plus jamais dans les années à venir. Michele aussi s'approchait, elle ne l'a pas encore vu et lui se sent comme s'il lui dérobait son naturel. Elle vient de sortir de la masse plombée de l'usine Carlo Erba où elle a tapé pendant des heures des données sur ordinateur. Ce n'est pas son premier travail, ce ne sera pas le dernier. Elle a vingt ans, peut-être vingt et un, Michele ne se le rappelle pas avec exactitude, et il est heureux. Et il est heureux, peut-être, parce qu'il a vingt ans.

Il n'a jamais été là – là avec les pieds, la respiration, avec les yeux –, ni avant ce jour, ni après. De la station Maciachini, il s'est toujours catapulté au-delà de la via Imbonati, vers la banlieue. Il se sent bien à Affori, à Bruzzano, là, il a des amis et des parents, il n'a jamais eu de raison de s'arrêter ici. Sur la place, enfant, il a toujours attendu sous le ciel gris un autobus qui sortirait de la ville, prendrait la via Imbonati, qui est une espèce de blessure qui tranche les maisons, c'est un canal d'écoulement, un tuyau d'évacuation, qui sort, change de nom – via Pellegrino Rossi, via Astesani – jusqu'à se vider au-delà des frontières de la ville. C'est là qu'il est chez lui, dans son cœur. Ici, non, rien ne lui appartient. Il l'a toujours vu de derrière les vitres de l'autobus, assis à côté de la fenêtre, d'un regard oblique et indifférent. Sa destination était ailleurs.

Hormis ce jour-là, quand elle venait à sa rencontre, et que même le bâtiment pachydermique de l'usine ne parvenait pas à lui faire de l'ombre, et qu'elle avait déboutonné son chemisier, à cause de la chaleur. Elle portait une espèce de tailleur bleu à rayures, et Michele pensa que peut-être ça ne la mettait pas assez en valeur, qu'au fond, ça la grossissait un peu. (Mais mieux valait ne pas le lui dire, elle est si susceptible !) Elle ne l'avait pas encore vu et marchait au soleil dans sa direction.

Aujourd'hui, il est encore là et il lui semble avoir perdu tous ses repères. Tout ce qu'il se rappelait, l'immeuble couleur pétrole de la Carlo Erba, n'est plus. Il n'y a plus rien de ses souvenirs, seulement un vide immense, un grouillement de grues, d'ouvriers, de camions, d'excavatrices. La zone entière est soumise à un plan de reconstruction impressionnant, quelques édifices flambant neufs font déjà partie de la ville, déjà y viennent des employés de vingt ans, qui mangent des sandwichs, boivent du café, tombent amoureux, marchent au soleil, d'autres immeubles ne sont que des carcasses de ciment armé, en attente de muscles, de peaux, de respiration. Le vide l'impressionne, lui fait tourner la tête.

Il devrait l'admettre une fois pour toutes qu'il aime cette ville. (Mais est-ce Milan, seulement Milan, son amour ? Ou se cache-t-il la vérité ?) Il l'aime quand elle sait se redessiner, reprendre son élan, suturer les blessures sur son corps vivant, les faire devenir tatouages indélébiles. Il cède à l'enchantement devant un chantier, devant le miracle de la création, il resterait des heures à observer le chaos organisé au-delà de l'enceinte. Mais qu'en est-il de la mémoire ? C'est comme s'il avait mille ans – lui dit une réminiscence de Baudelaire, et il sait qui la lui a lue, cette poésie –, la ville semble changer plus vite que la vie d'un homme, parce que là, il se sent perdu, sans points fixes.

Maintenant, il est là qui marche sous un ciel gonflé de pluie et il a du mal à croire ses souvenirs. Il ne reconnaît pas, dans cet asphalte, celui où une jeune fille blonde de vingt ans le remarque enfin et lui fait un signe de la main, élégant et léger. Où était-elle exactement ? Ici ? Ou là ? Il change de direction, traverse la rue, s'enfonce dans les rues transversales. Il ouvre grand les yeux. Arrive pour la première fois de sa vie via Legnone, une odeur puissante de vanille lui remplit les narines. Il avance, curieux, ses poumons se dilatent, maintenant c'est du chocolat. Il voit la petite fabrique au crépi vert abîmé et la cheminée en briques de terre cuite. La rue étroite, les maisons du début du XXᵉ siècle de l'autre côté. Peut-être est-ce la dernière usine encore active dans la zone, un atelier de friandises, une fabrique de conte de fées. Et sans raison aucune, il est ému. (Quelle matinée difficile !) Il voit là une Milan disparue (et qui au fond devait disparaître), il voit les ouvriers tôt le matin, le froid dans les os, les piquets de grève, les manifestations, le dimanche à la messe avec le costume dominical. À pas même deux cents mètres d'ici, Milan se reconstruit et il semble incroyable qu'il suffise de quelques pas pour faire un saut dans le temps, comme pour saisir l'histoire de la ville, l'histoire d'un siècle, dans le rayon de deux rues. Il revient en arrière, avec l'excuse de chercher son informateur, il se perd dans les cours privées, toujours le nez en l'air. Partout où il passe, du linge étendu, une concierge lui demande s'il cherche quelqu'un. Non, rétorque-t-il, je regarde seulement. (Pourquoi lui a-t-il répondu ainsi ?) Elle ne comprend pas. Qu'est-ce que vous cherchez, insiste-t-elle. Qu'est-ce que je cherche ?

Les visages ici sont toujours les mêmes, les mêmes qu'il y a un siècle. La même fatigue dans les corps, la même envie de vivre dans les yeux. Ce ne sont plus des visages de la plaine, ou des Apennins, ce sont maintenant des visages du Maghreb, de l'Asie, du monde entier, mais l'envie d'être ici, d'être milanais, est la même. Tous les restos sur la rue semblent une exposition universelle de saveurs, que choisir pour déjeuner ? Il connaît ce genre d'endroits. Il y en a aussi par chez lui, via Padova. Des bistrots pour électriciens, camionneurs, ouvriers. Et pour les maçons qui, à midi moins une minute, abandonnent la truelle et vont manger, mettent les pieds sous la table et se délectent des taches de plâtre qui rayent leurs jeans, mieux qu'un styliste de Montenapoleone.

La jeune fille le salue d'un drôle de geste des doigts, pendant quelques instants Michele feint de ne pas l'avoir vue, comme s'il voulait déguster l'existence de la main qui voltige. Puis il la salue lui aussi et presse le pas vers elle, les traits du visage se précisent, l'ombre d'une corniche lui taille le visage en diagonale, la Carlo Erba semble vouloir se précipiter sur elle, mais le froissement des petits doigts semble la gesticulation d'un magicien qui pétrifie la catastrophe et sauve la rue de l'effondrement.

Le cappuccino tiède m'est resté sur l'estomac, pense-t-il. Il voudrait allumer une cigarette, comme il le faisait voilà trop longtemps, voir la bouffée de fumée qui se mêle à la vapeur de son haleine. Enfin, il tourne autour du gouffre, du vide de sa mémoire. C'est comme si l'enchantement de la petite main magique avait disparu, et avec lui l'histoire industrielle de la Carlo Erba, qui résistait grâce à ce petit battement de doigts d'il y a vingt ans. Il marche sur la via Crespi et il lui semble qu'elle est l'arrière de la via Imbonati, une rue plus domestique, presque paysanne, transformée en un immense parking de banlieusards qui arrivent en voiture à Milan et puis se pressent dans le métro. Il monte quelques marches du nouveau complexe immobilier et depuis la petite place, observe le vide du chantier. Qu'est-ce qu'il cherche, en somme ? L'adresse de Kako, elle est pressée dans son poing, sur un bout de papier gribouillé.

Ferraro se serre un peu plus dans son blouson. Il commence à faire froid pour de bon, ce froid humide milanais qui filtre sous la peau et fait grincer les articulations. Peut-être a-t-il dépassé depuis un peu trop de temps les quarante ans, peut-être qu'il ne veut pas l'admettre, que c'est seulement ça. Il remonte sa capuche sur sa tête, comme un de ces innombrables garçons de couleur qui marchent à ses côtés, comme s'il était l'un d'eux, et achève son tour innocent, sans queue ni tête. Il se glisse de nouveau sous deux ou trois entrées où quelques fresques lépreuses sont la réminiscence d'une ancienne idée de décor urbain, il s'arrête pour observer les noms écrits d'une main tremblante sur les boîtes aux lettres, parle du temps avec un vieux, abandonné au fond d'une cour.

Voilà ce qu'il est en train de faire, il l'a compris. Il goûte déjà la nostalgie du futur antérieur. Ici où tout est en train de changer, il enregistre le changement sur lui-même, il en fait un souvenir. Ici, juste ici, où tout est vierge à ses yeux : aussi bien la maison à balustrades que le nouveau chantier. Rien ne lui appartient vraiment ici, tout est vraiment neuf, miraculeusement neuf, et à partir d'aujourd'hui ça le sera pour toujours. (Pour notre petit et modeste "toujours"). Il note, enregistre, topographie ses souvenirs futurs, comme si c'était une ville inconnue. Ce qu'est au fond, pour lui, cette zone de Milan, où il ne reconnaît rien dans les rues, sinon la réminiscence d'une jeune fille blonde, de vingt ans, aux yeux couleur d'herbe en automne, qui fait un pas, puis un pas encore, et Michele avec elle, et enfin ils sont tout près, honteux, se donnent un baiser, sous l'édifice d'un souvenir, plus durable que le bronze.

Les amours ne finissent jamais.

5

Kako fit entrer Ferraro dans un appartement tellement brillant et propre qu'il aurait fallu des lunettes de soleil pour ne pas être ébloui par les reflets. Le policier ne savait pas où se mettre, sa seule présence lui semblait contaminer l'air.

— Assieds-toi, lui dit son hôte. Tu veux un café ?

Le cappuccino bloqué dans ses intestins affirma sur un ton impérieux qu'il ne voulait pas de compagnie, sous peine d'une colite dévastatrice.

— Non, merci. Un peu d'eau, peut-être…

Kako revint avec une espèce de cristal de Bohême incrusté de diamants. Ferraro évitait presque d'appuyer ses lèvres pour éviter que le contact dépravé entre la perfection minérale et la corruption animale ne provoque le suicide moléculaire du verre.

— Tu n'as pas dit à la concierge que je suis rom, j'espère ! lança l'homme.

Ferraro ne comprenait pas :

— Non… non… mais, pourquoi ?

— Personne ne le sait ici. J'ai dit que j'étais moldave, c'est mieux.

Ferraro était perdu. Qu'est-ce qu'il veut, celui-là ? pensait-il.

— Ah oui ? demanda-t-il plutôt.

— Tu sais, ici, il vaut mieux être dealer de crack que gitan. Tu es plus respecté.

Le policier regardait l'appartement parfaitement briqué : le corollaire objectif de son émancipation, du passage du statut de nomade à celui du petit, microscopique, bourgeois.

— Belle maison… dit-il pour dire quelque chose.

— Moi, j'ai l'emprunt, pour ici, tu comprends ? Ils ne me jetteront pas dehors. Ça fait cinq ans que je travaille dans un supermarché, je suis chef de rayon.

— Très bien, le travail ennoblit l'homme…

— Ils ne savent pas que je suis gitan, ici.

— J'ai compris, ne t'inquiète pas, je ne le dis à personne.

Quelle saleté, la paranoïa.

— Qu'est-ce que tu veux ? lance-t-il comme ça, *ex abrupto*.

— Anton Niemen.

— Je l'ai vu au journal télévisé. Sale histoire.

Ferraro finit de s'humidifier le gonflement labial et posa le bijou néo-liberty sur la table.

— Mimmo dit que tu peux m'aider.

Kako commença à se tourmenter le lobe d'une oreille. Peut-être cela l'aidait-il à remettre de l'ordre dans ses idées.

— Anton était quelqu'un qui faisait toujours ce qu'il voulait.

Tu parles d'une nouvelle !

— C'était un professionnel ?

Kako le regarda en fronçant les sourcils :

— Bien entendu, si tu es gitan, tu voles dans les appartements !

Il lui fit une gueule pire que celle d'un enfant capricieux, comme dit la chanson.

— Allez, l'écorché vif, ne te mets pas à faire le défenseur de la race avec moi !

— Vous autres gadjos, vous êtes tous pareils. Vous pensez que les gitans sont tous des voleurs, mais moi je travaille, tu as compris ? Ici, ils ne savent pas que je suis rom.

Putain, celui-là c'est un parano de première. Il a déjà renié trois fois ses origines, pire que Pierre avec Jésus !

– Écoute, l'ami. Moi je suis pareil à personne, autrement, toi aussi, tu es raciste, ok ? Anton était entré dans cette maison pour voler, pas pour discuter de chimie moléculaire.

Kako soupira bruyamment.

– Bon, d'accord. Mais je le fais pour Mimmo, parce que moi, de vous autres…

– Fais pas chier avec tes gadjos !

Il sourit :

– J'allais dire "vous autre policiers"…

Ferraro leva les mains en signe de reddition :

– D'accord, ceux-là, ils sont vraiment indéfendables.

Kako recommença à se maltraiter le lobe gauche.

– Anton, avant, il volait le cuivre sur les voies ferrées. Beaucoup de gens de sa famille le faisaient. Sauf que lui, il n'aimait pas ça, ça faisait trop de boulot.

Un fainéant, quoi. On t'apprend un travail digne de ce nom et toi, qu'est-ce que tu fais ? Il n'y a plus de jeunes comme avant, plus de respect pour les enseignements des vieux.

– Et alors ?

– Et puis Anton a toujours été un élégant. Il aimait bien s'habiller, pas avec les trucs du Secours catholique. Il achetait des fringues de marque, dans le centre.

– Et l'argent, où il le trouvait ?

– Il s'était trouvé un travail.

– Tu te fous de ma gueule ?

– Vraiment. Il collectait les paris sur les chevaux.

– Légalement ?

– Il ne faisait de mal à personne, il ne volait pas.

– Ok, illégalement.

– Bon, excuse-moi. Les gens allaient parier auprès de lui, il le volait pas, l'argent. C'était au noir, voilà tout.

– Va le dire au fisc.

Kako rit de bon cœur.

– Maintenant, c'est toi qui te moques de moi. Il n'y a personne en Italie qui ne vole pas le fisc.

– Tu généralises. Je ne sais pas si tu es raciste ou couillon. Moi, les impôts, je les paie jusqu'au dernier sou, mon cher.

Il devint sérieux :

— Moi aussi, je les paie, d'accord ? J'ai une fiche de paie, je paie les cotisations. Et mes enfants vont à l'école. Je le sais que tu crois que je vais les mettre à demander l'aumône, alors que…

— Tu vas arrêter, oui ? J'en ai rien à cirer de tes enfants. J'espère qu'ils auront le Nobel, c'est bon ? Parle-moi d'Anton, plutôt.

— Il s'était fait son réseau. Depuis deux ans, il ne vivait plus dans le camp. Il aimait les femmes gadjis, il disait qu'elles étaient plus putes.

— Sympathique.

— Il était fou. À son âge, il n'était pas encore marié.

— Mais c'était un jeune gars !

— À son âge, j'avais déjà deux enfants. La famille est tout pour nous. À quoi tu peux te fier en dehors de la famille ? Et en tout cas, aucun père de famille ne lui aurait donné sa fille.

— Pourquoi ?

— Ses parents l'avaient chassé. Il avait combiné un sale coup, un été. Il était dans un camp en Romagne, il y avait sa famille, il s'est enfui avec la fille d'un rom khorakhanè, va savoir ce qu'il lui a raconté… Alors que lui, il était sinti, donc il ne pouvait pas.

— Et pourquoi pas ?

— Il était chrétien, elle non. Anton était un con, il l'a quittée, le père voulait lui trancher la gorge. Qui va se la prendre, après, une fille qui a fait une fugue ? Eux, il fallait qu'ils s'en aillent, en France, ou en Allemagne, tu comprends ? On a su la chose au camp…

— Mais, pardon, tu n'y vivais déjà plus.

— J'ai ma maman et mes frères au camp. Après la mort de mon père, on a brûlé la baraque où vivaient mes parents.

— Oh, Seigneur ! Pourquoi ?

— Les anciens emportent tout avec eux, nous n'avons pas le droit de toucher leurs affaires. Et les femmes ne restent pas seules, abandonnées. Tu comprends le mal qu'a fait Anton ?

Il se leva d'un bond, il semblait fasciné par quelque chose au sol.

– Moi, après la mort de mon père, je suis parti, je devais sauver mes enfants contre ma propre race, tu comprends ?

En réalité, Ferraro comprenait que dalle au discours de Kako. C'était une contradiction vivante, entre le désir d'être un faux Moldave, gadjo et sédentaire, et sa primordiale, authentique culture rom machin-va-savoir-quoi-putain. (Mais combien d'ethnies ils ont ?)

– Non, et je ne veux pas comprendre. Parle-moi d'Anton.

– La famille l'a renié. Puis ils ont payé le père de la fille pour l'offense subie. Anton, je l'ai revu deux-trois fois, mais jamais au camp.

Il s'agenouilla. Il y avait un petit mouton de poussière niché dans le coin inférieur de la table. Il le ramassa avec le même soin qu'un chirurgien extrayant un projectile du thorax d'un criminel et se dirigea vers la cuisine avec ce truc dans la main.

– Où ?

– Une fois dans le centre.

On l'entendait à peine, derrière la porte.

– Où exactement ?

– Dans la salle de billard qu'il y a vers Porta Genova. Il était là avec une gadji, on aurait dit un boss. Une autre fois, il est venu me voir au supermarché.

– Faire les courses ?

Il réapparut, les mains vides.

– Non, il voulait que je lui prête de l'argent. Il disait qu'il avait rencontré une nouvelle nana, mais elle était très exigeante et il ne voulait pas faire mauvaise figure. Les gadjis veulent toujours des cadeaux, tu sais ce que c'est…

– Non, je ne sais pas.

Il savait seulement qu'il parlait par clichés. Ou mieux : il préférait penser que c'était ainsi, sinon il aurait dû revoir ses méthodes d'approche de l'univers féminin, en effet chroniquement inadéquates.

– En tout cas, il me disait qu'elle avait beaucoup d'argent, qu'il me les rendrait. Parce qu'elle était sur le point d'hériter de son grand-père, un truc de ce genre. Et qu'après, elle lui donnerait un travail important.

– Elle ? À lui ? Mais qu'est-ce que ça veut dire ?

– Moi, je l'écoutais d'une oreille distraite. Je le connaissais, Anton. C'était un brave garçon, un peu fou, voilà tout. Je lui ai donné ce que j'avais en poche, ils ont dû se manger une pizza. Puis je ne l'ai plus vu.

– Ça s'est passé quand ?

– Il y a deux-trois mois.

Il n'en tira pas beaucoup plus. Il quitta ce temple propre et lustré dédié au rêve d'une intégration autonégationniste, en pratique Gros-Jean comme devant – qui que fût ce gros Jean, ça, il l'avait toujours ignoré. Si Lanza avait été là, il aurait trouvé une explication, aussi surréelle fût-elle.

Il s'éloigna en vitesse dans cette rue encombrée de souvenirs. C'est-à-dire : d'un seul souvenir, mais si intense qu'il lui faisait quasiment tourner la tête. Les femmes que vous avez aimées restent sur vous, ce sont des taches sur la peau, indélébiles. Plus encore : ce sont des rides sur le visage, des douleurs articulaires, des caries. Le temps se dépose sur elles, les expériences, les souvenirs, les effondrements, les reconstructions. Nous sommes des cartes géographiques ambulantes, de chair et de sang, abris d'histoire et de vie. Votre passé, vous le portez comme un habit taillé sur mesure. Et vous êtes le tailleur et le client.

Assez de branlette intellectuelle ! Puisqu'il ne savait plus où il en était, il téléphona (parce que pour ça, pas besoin de savoir où on est, il suffit de parler).

– Comaschi, laisse tomber le cuivre, c'est une impasse.

– J'essaie avec le bronze ?

Ton avenir est dans le café-théâtre, pas dans le commissariat de Quarto Oggiaro !

– Renvoie-les, les parents n'ont rien à voir.

– Je m'en suis aperçu. Chaque fois que je nommais le fils, la mère crachait par terre !

– Il faut qu'on aille au billard de Porta Genova. C'est l'unique certitude que j'ai.

– *Carambola* ou *goriziana* ?

– Je te battrais même à la *boccette*, en me servant juste de ma main gauche.

– Ouah ! T'es plein de testostérone !

– Qu'est-ce que t'es con ! À propos… c'est qui ce Gros-Jean comme devant, bordel ?

– C'est ce gros type que tu peux prendre par-devant mais aussi…

Il coupa la communication avant que son ami ait fini ses grossièretés. Quelques secondes plus tard, le portable sonna. Il sourit. Ça, c'est lui qui s'est énervé, pensa-t-il. Il répondit sans regarder le nom.

– Je t'écoute, grossier personnage !

– Michele ?

Ce n'était pas Comaschi. Absolument pas.

1

Au fond, le *dottor* Antonio Silva, le procureur, s'était comporté avec Elena de manière affable ; il avait assez d'expérience pour comprendre dans quelle situation désastreuse ils intervenaient. On naviguait à vue, on marchait sur des œufs. Ils devaient, pour le dire avec ses mots, "foncer avec circonspection", oxymore évident, aporie insoluble. Mais la liasse de quotidiens qu'il lui lâcha avec une relative discrétion sur la table de réunion du commissariat, autour de laquelle s'était tenu le sommet matinal, semblait une manière peut-être élégante, mais sûrement salope, de lui dire que c'était elle, avant tout, qui était dans la merde. C'était un problème d'ordre public, avant même de concerner l'action pénale.

Elena jeta un coup d'œil dans le miroir à son fond de teint, elle essaya aussi d'en passer un peu sur les cernes, mais renonça tout de suite. Pour faire disparaître ces ombres sous les yeux, pensa-t-elle, acide, c'est de la chirurgie esthétique qu'il faudrait. Elle jeta la trousse dans son sac et ouvrit le premier quotidien de la pile.

MASSACRE ! LODI, C'EST BAGDAD !

Mais qu'est-ce que c'était que ce titre ? Comment sélectionnent-ils les responsables de une dans les quotidiens ? Où vont-ils les chercher ? Dans les hôpitaux psychiatriques ? "Allez, donne-moi un vrai dingue, c'est que j'ai un journal à faire tourner, moi !"

Elle passa à un autre quotidien, puis à un autre et un autre encore. Rien à faire, ils étaient tous de la même teneur : "Le massacre des innocents", "La troisième guerre mondiale",

"L'enfer de Lodi". Il y avait même un calembour : "L'odicible horreur de Lodi". Puis les articles de fond, les commentaires, les tribunes. Elle arriva à l'article société : "Le flic en jupon". Que d'idioties ! Elle ouvrit le *Corriere*. Non, même le polardeux !

Il fait nuit. Nuit noire. Il y a un homme couvert de sang. Et il y a son ange gardien. Il est menotté à lui. Pour sa sécurité. C'est ce qu'il croit. Mais le commando ne pardonne pas. Coups de mitraillettes, plomb, sang, brutalité. Il n'y a pas de paix dans le bourg. Les complices libèrent leur chef, dans le bourg antique. Assoiffés de violence, ils exterminent sans pitié. La pitié. Pas de code, pas d'honneur. L'ange noir s'enfuit, l'ange blanc reste étendu à terre. Laquelle s'imprègne de sang. Le sang des justes. Il y a un tueur qui avance dans la nuit. Un criminel, dans nos rues. Un assassin en bas de chez nous. Sans pitié. Sanguinaire. La peur. La peur est une morsure, un nœud coulant. Nous avons peur.

Mais va te faire voir ! Que quelqu'un lui apprenne les propositions subordonnées à cet âne au vocabulaire d'analphabète endurci ! Elena jeta le quotidien sur la table. T'as compris, le magistrat ? Voilà où il avait pris la phrase sur le tueur péripathétique…

Fusco la regardait sans mot dire, tendue comme la corde d'un arc, prête à foncer dès que sa supérieure serait revenue de ses pensées tourmentées et obscures.

Elena soupira, puis se laissa aller contre le dossier de la chaise.

— Alors, Fusco, on essaie de récapituler ?

— Le vagabond s'appelle Roberto Sarti, trente-sept ans, né à Bologne, il a des antécédents, mais des broutilles. Il dit qu'il a trouvé la voiture ouverte, avec les clés dans la boîte à gants. À l'en croire, il ne voulait pas la voler, seulement faire un tour, il voulait aller voir sa sœur à Correggio. Quand il a vu les carabiniers, il a eu peur et s'est enfui. Mais il n'est pas allé loin, on l'a pris presque tout de suite. Il a été testé positif à l'éthylotest et…

— Bon, bon, ces détails ne m'intéressent pas…

— Il est toujours en garde à vue, mais selon moi, il n'y est pour rien.

— Revenons à la voiture…

— Sarti dit l'avoir trouvée près de la gare de chemin de fer, où il dort, normalement. Nous avons envoyé tout de suite la Scientifique pour la mettre sous scellés.

— Elle correspond ?

— On dirait bien.

La commissaire soupira derechef. Puis elle appuya ses coudes sur la table et cacha son visage dans ses mains.

— Ça, c'est le bouquet.

— Peut-être qu'on va trouver quelques indices, dit Fusco pour tenter de la réconforter.

— La voiture était l'unique point de départ qu'on avait, dit Elena puis elle leva les yeux sur sa jeune subordonnée : Maintenant, qu'est-ce qu'on cherche ?

Fusco, immobile, faisait tourner sa pupille d'un bord à l'autre. En haut, en bas, de côté. Elle n'arrivait pas à supporter le regard effondré de la commissaire.

— Nous savons qu'il est allé jusqu'à Parme.

— Bien sûr. Mais maintenant, où est-il ? En ville ? Ou bien il est monté dans le premier train qu'il a trouvé ? Nous devrions nous demander : où est-ce qu'il va ?

Elle se leva, lentement. Une idée lui vint à l'esprit :

— Qu'est-ce qu'on sait de l'arrestation de Moundou ?

— Nous devrions recevoir une réponse sous peu.

La porte s'ouvrit à la volée. Pietrantoni et Favalli entrèrent, hors d'haleine.

— Nous avons du neuf, dit le premier.

— Du neuf, répéta l'autre en écho.

2

Voici la liste : Pierangelo Fusari, Antonio Piccirillo, Gaetano Iannone. Les morts, ceux du commando. Les identifications étaient enfin arrivées du fichier central.

— Fusari était un natif de Brescia, expliquait Pietrantoni, tout excité. Au trou pour trafic de drogue et recyclage d'argent sale. Cinq ans. A attiré l'attention des forces de l'ordre pendant un moment, puis il semble qu'il se soit rangé des voitures.

— En quel sens ? demanda la commissaire, en se rasseyant lentement.

— Il travaillait comme camionneur pour une entreprise de déblaiement.

— Et là, il y a un truc curieux, l'interrompit Favalli, peut-être mécontent que cet œil de velours de Pietrantoni lui vole la vedette. L'entreprise appartient à Piccirillo.

— Ah. Intéressant. Qu'est-ce qu'on sait sur lui ?

Pietrantoni se renferma dans un mutisme déçu. Ce con de Favalli l'avait coincé, maintenant Elena (comme il osait l'appeler dans ses pensées) ne lui accordait plus la moindre attention. Fusco posa une main sur son épaule, fraternelle, comme si elle avait lu dans ses pensées (en réalité, elle avait lu sur son visage, qui était plus clair qu'un livre ouvert).

— Originaire de Capoue, continuait Favalli, triomphant.

— La porte du royaume, murmura Rinaldi.

— Quoi ?

Comme s'il pouvait savoir de quoi je parle, pensa la docteur en histoire de l'art médiéval.

— Rien, rien, continuons.

Favalli reprit, moins fanfaron.

— Originaire de Capoue, je disais. Sans antécédents. Résident à Treviglio depuis quinze ans. Entrepreneur dans le déblaiement. Creusement d'égouts, marchés publics. Beaucoup d'argent.

— Et ces types-là, qu'est-ce qu'ils fabriquent avec une Uzi 9 mm en main ?

— Gaetano Iannone, intervint vivement Pietrantoni, encouragé par le contact bienveillant de Fusco. Sa présence peut peut-être tout expliquer.

— Mais qu'est-ce que vous faites, vous jouez à cache-cache ? lança Elena en se levant d'un bond. Vous en avez fini, avec les devinettes ?

Elle leur tourna le dos en se dirigeant vers la fenêtre.

— Un truc de dingue, gémit-elle.

— Iannone est de Villa Literno. De la région de Caserte lui aussi. Depuis quatre ans, résident à Treviglio. En théorie, il est gérant de bar.

— Et en pratique ?

— Les collègues de la direction des enquêtes antimafia disent qu'il appartient… plutôt qu'il appartenait… au système des *casalesi**. Avant de déménager, il avait été arrêté, là-bas, en Campanie, pour détention illégale d'arme à feu.

Elena ne disait rien, elle regardait au-dehors en tournant le dos aux présents. Elle réfléchissait.

3

Une équipe de camorristes qui va récupérer un immigré arrêté pour de futiles motifs. Ça n'a aucun sens. Mais s'il y a les gens de Caserte dans le coup… bah… Peut-être que le soleil va sortir, oui, oui, oui, allez, j'en peux plus de cette humidité. Une *'ndrina* calabraise, j'aurais compris, ici, ils sont forts, ils ont en main la moitié des chantiers de la Lombardie… Mais bon, la camorra a quand même le circuit des ordures. Même ici, dans le coin. Et le trafic de drogue. Elle a le circuit de la coke et investit dans le centre, à Milan. Je dois dire à Mme Lina d'arroser les roses de la terrasse. Si Mauro se décidait pour une fois à appeler, bon d'accord, moi, à son âge, avec maman, quand j'y pense… Combien étaient-ils ? Six, sept ? S'ils étaient plus, qu'est-ce qui leur a pris de mettre Piccirillo dans le coup ? Un type sans casier, c'est utile de le tenir à l'écart, il te lave l'argent sale. Quel nom idiot, Picci-rillo. Pic-ci-ril-lo. Bon, ben, et Rinaldi, alors ? Ben, non, c'est

* Le clan des *casalesi*, un des regroupements les plus importants de la camorra, la mafia de Naples et sa région, tire son nom de son lieu d'origine, Casal del Principe, dans la province de Caserte.

plus beau, *Rinaldo in Campo**, mon père aimait Modugno. Peut-être qu'ils n'étaient pas plus nombreux. Ils ont improvisé ? Il se pourrait qu'ils aient eu l'info tardivement, Radio Zonzon a mal fonctionné. Et Fusari ? Ils sont en train d'enrôler des autochtones, ça je le sais. Du petit personnel, des exaltés. On a toujours besoin d'avoir à sa solde un natif de Brescia, il connaît les amis des amis, élevés à la polenta et à la grappa. Elle est bonne, la frioulane, je ne sais pas comment ils la font dans le Val Camonica, je me souviens encore des gravures rupestres, peut-être devrais-je y retourner, tant d'années ont passé. Un type comme Fusari, ça sert, au bar du village, on ne refuse jamais un café à l'adjoint au maire. Et Moundou ? Quel rapport ? Non, ils n'étaient pas sept. Il s'est passé quelque chose, là. Peut-être qu'ils ne s'attendaient pas à tomber sur les gardiens armés, ils pensaient que ce serait une promenade, quelque chose a mal tourné. À Florence, il pleut, le front nuageux se déplace, c'est ce que dit le journal. Il y a eu un mort à Milan, la nouvelle est brève, ça a l'air en rapport avec les gitans. Pourquoi est-il allé à Parme ? On l'y a emmené ? Là, il y a quelques familles de *casalesi*, ils ont construit des quartiers entiers de pavillons dans toute l'Émilie. Peut-être qu'il cherche une protection. S'ils le cachent, on ne le trouvera plus, il faut pressurer quelques informateurs. "Foncer avec circonspection." Facile à dire, Silva, ça se voit que c'est pas toi qui es dans la rue. T'es au chaud dans ton bureau et puis tu viens faire l'aristocrate compassé avec moi. Mais un commando ça me semble trop pour du menu fretin, et depuis quand la camorra se démène pour un Africain ? Tu l'étudies, tu crois la connaître et elle a déjà changé de forme. Ils sont souples. Rigides à l'intérieur, des règles de fer, pires que dans une académie militaire, et souples à l'extérieur, c'est la théorie darwinienne, non pas le plus fort mais le plus adaptable. Nous pourrions aussi manger quelque chose, au fond quel mal y a-t-il ? Et si en fait, c'était que lui… que lui… lui…

---

* Comédie musicale des années 60 dans laquelle jouait et chantait Domenico Modugno.

— *Dottoressa ?*

Elena revint parmi les vivants. Les deux hommes, dans la pénombre au fond de la pièce, semblaient deux entités fantomatiques. Fusco, trois pas plus avant, était effleurée par un pâle rayon matinal.

— Qu'est-ce qu'il y a ? répondit la femme.

— On vient juste de me faire savoir qui l'a fait.

Elena n'était pas tout à fait revenue à elle, comme si son corps astral n'était pas encore complètement rentré à la base.

— Qui a fait quoi ?

Elle avait du mal à ré-émerger du *mare magnum* de ses raisonnements flottants.

— Qui a arrêté Moundou.

— Bien, parfait.

Elle essaya de remettre de l'ordre dans ses idées.

— Envoyez quelqu'un l'interroger, peut-être que ce sera un coup d'épée dans l'eau, mais il faut tout tenter.

— C'est Ferraro, *dottoressa*. L'inspecteur Michele Ferraro.

5

— Je t'écoute, grossier personnage !

— Michele ?

Elena ?

Elle eut du mal à l'appeler. Mélanger travail et vie privée est une erreur qui, par la suite, se paie, toujours. Ils s'étaient trouvés, ils s'étaient plu tout de suite ; cela semblait naturel de se fréquenter aussi en dehors du travail. Bref, avec les années, la sélection devient cruelle. À vingt ans, tu te permets d'écarter les prétendants pour les raisons les plus stupides, pour la façon dont ils s'habillent, dont ils se font la raie dans les cheveux, pour leurs goûts impossibles en matière de cinéma. À vingt ans, tu ne te rends pas compte que tous les garçons, vraiment tous, sont beaux, même les moches. Et toi, de la même manière, tu ne prêtes pas attention à ta beauté, non pas parce que tu es belle, mais parce que tu as vingt ans, parce que tout peut arriver, parce que tu es un concentré d'éternité, tu te permets de gaspiller les choses et les gens, l'existence est un bien illimité, sans valeur. Tu t'en aperçois par la suite, que la vie n'est pas seulement fragile, un battement d'aile dans la tempête, mais qu'elle ne suffit jamais, à peine as-tu fait une expérience qu'aussitôt tu dois passer à autre chose. Cela attristait Elena. Ne pas pouvoir se permettre de se tromper, encore une fois. Elle trouvait ça insupportable.

Elle avait aimé un homme, elle avait fait un enfant avec lui, et sans aucun préavis, il s'était permis de mourir d'une maladie cruelle, la laissant ainsi, pleine de rêves trempés de sueur où elle se mettait en colère contre un fantôme qui ne l'avait pas assez préparée à l'adieu. Mais peut-on vraiment se préparer à la mort ? Être abandonnée pour une autre femme aurait été mieux, pour Elena. Avoir quelqu'un à haïr peut aider à tenir le coup. Ce sont des choses auxquelles on pense, quand on est fiancé, ce sont des choses qui entrent en compte, quand on est marié : s'imaginer son homme au lit avec une autre, savourer la fureur qui monte, les méchancetés violentes et grossières à lui hurler au visage (elle, tellement incapable de dire des gros mots, héritage d'une école "pour demoiselles" dans la vieille ville), la sortie de scène digne d'une grande dame, les demandes de pardon, de pitié, de grâce. Le faire bien mijoter, dans son jus, après l'avoir ignominieusement chassé de la maison, en lui jetant ses vêtements par la fenêtre. Exaltant, cathartique au point de souhaiter presque que ça arrive vraiment. Parce qu'elle aimait son mari d'un amour si stupéfait qu'elle aurait désiré la trahison rien que pour pouvoir lui pardonner et le faire revenir de nouveau à la maison tout entier à elle. Mais la mort, non. Ça, ce n'était pas un coup de canif dans le contrat, une erreur momentanée, une faiblesse. C'était la vie elle-même qui la trompait, qui se moquait d'elle. Parce qu'il n'y a pas de jeu, on perd toujours contre le destin.

Qui sait comment c'est de perdre un amour à vingt ans, se demandait souvent Elena. Déchirant et romantique, peut-être. Mais elle savait ce que signifiait recommencer à zéro avec le double de cet âge. Avoir peur de tout. Sentir le corps qui se gonfle de désir et l'esprit qui le réprime, sortir le soir avec les habituelles amies, toujours plus rares, qui essaient de vous présenter les derniers célibataires potables des environs, les malheureux dont personne n'a voulu, souvent divorcés ou pire, bien pire, veufs qui te racontent à quel point la femme qu'ils ont perdue était extraordinaire, essayant de créer une démentielle solidarité dans le deuil, basée sur les absents toujours merveilleux et toujours meilleurs que les présents. Désirer la relation sexuelle et la repousser, avoir peur d'un lien sans engagement et en même temps en avoir une envie folle.

Michele avait été un pari pour Elena. Et elle l'avait perdu. On ne peut pas accepter de toujours perdre, ça dessèche l'âme. Non qu'ils se fussent quittés au milieu des hurlements et des trépignements. Trop bien éduqués, l'un et l'autre, trop convenables. On ne peut pas dire non plus qu'ils ne se supportaient pas. Ils jouaient sans cesse à intervertir les rôles, elle l'hyperactive romaine et lui l'indolent milanais. On peut le dire, sans crainte d'être démentis : ils s'étaient beaucoup plu et se plaisaient encore. Mais leurs passés pesaient comme des dalles. Pour Elena, c'était Mauro, ses troubles d'adolescent, sa négligence à la maison, ou sa manière d'éviter Michele, une inquiétude qu'Elena ressentait continuellement, incessant procès à son propre désir de gratification. Comme si, en tant que mère, elle devait sacrifier sur le bûcher de la mémoire familiale son droit à la paix (et même, carrément, au bonheur). Mais elle était, s'il le fallait, prête à se battre. C'était Michele qui, moins franc, ne parvenait pas à se débarrasser de ses fantômes. Il insistait pour dire qu'il se trouvait bien à Rome, qu'il était heureux d'avoir changé d'air, de vie, de têtes ; qu'il l'aimait beaucoup (et peut-être était-ce vrai). Mais inutile de se raconter des histoires. Michele semblait relégué dans un passé mythique, inviolable, dans une narration privée, un *sancta sanctorum* pour de rares adeptes, où, là et pas ailleurs, il se sentait vraiment bien, en harmonie, à l'abri de toute espèce de trouble. Là, rares étaient les personnes admises au rite infantile du bonheur. Il pouvait ne pas les voir, il pouvait ne pas les entendre, pendant des mois, des années même. Il pouvait même s'être fâché avec elles. Mais la clé pour y entrer, elles, elles l'avaient. Elena, non.

7

— Oui, je l'ai lu ce matin dans le *Corriere*… ça doit être sacrément casse-pieds…

> (Comment va, Elena, pourquoi est-ce qu'on ne s'appelle jamais ?)

— On pourrait se voir ? J'aurais besoin de t'en parler plus tranquillement.

> (Je préférerais ne pas le faire, je t'assure, je ne me suis pas encore habituée à dormir seule à nouveau.)

— Elena, je m'occupe d'un meurtre. Si je m'absente encore, De Matteis me pend par les couilles.

> (Que je suis bête ! Je suis vraiment incapable de réussir à parler sans dire une vulgarité ?)

— C'est cette affaire de meurtre dans une villa ?

> (Je le savais qu'on te l'aurait confiée, tu as du talent, bon sang de bonsoir. Si seulement tu étais plus convaincu de tes capacités. C'est toi qui n'as jamais voulu faire carrière, voilà la vérité. J'en suis à donner raison à Francesca, tu te rends compte !)

— Comment tu le sais ?

> (Pourquoi est-ce que tout le monde sait tout de moi ? Comment se fait-il que je sois le seul à ne rien savoir ?)

— C'était dans les pages locales, tu ne l'as pas vu ?

(Toujours aussi distrait. Tu es capable de ne même pas voir ce que tu as sous le nez.)

— Ah... hum... non...

(Qu'est-ce que j'ai l'air con !)

— Michele...

(Allez, ne te fais pas prier, tu me connais, tu sais que je ne t'appellerais pas si ce n'était pas important.)

— Mais en quoi ça me concerne ?

(Ne viens pas me chercher, je suis en train de vivre une période horrible. Je me sens comme un chien battu qui boite dans une tempête de neige.)

— C'est toi qui l'as arrêté, tu ne t'en rappelles pas ? C'était un Soudanais, dans un bar de Milan, il s'était disputé avec le gérant...

(Allez, Michele. Je le sais que tu t'en souviens, il suffit que t'y réfléchisses un peu. Ne joue pas à l'indifférent avec moi...)

— Bah, il faudrait que je me concentre... c'est pas le premier que j'ai arrêté... comment il s'appelle ?

(Mais qu'est-ce que c'est que ce coup de fil absurde ? Pourquoi on ne parle pas d'autre chose ? J'aime bien quand tu me parles de sculpture antélamique... il me semble qu'on dit comme ça... Francesca aussi s'amusait à faire la maîtresse d'école avec moi.)

— Towongo Haile Moundou... quant à savoir s'il s'appelait vraiment comme ça, je ne suis sûre de rien.

(Tu sais ce que ça me coûte de me montrer faible. Avec toi, j'y arrivais très bien, parce que tu ne m'as jamais sauté à la gorge.)

— Non.

144

(Il y a quelque chose qui ne va pas. Je te sens fragile, tu n'es pas toi.)

— Non, quoi ?

(Allez, Michele, concentre-toi.)

— Ce n'est pas son nom. Je ne crois pas que quelqu'un du Soudan puisse porter le nom d'une ville du Tchad.

(Mais je ne devrais pas prendre ce ton. Ça ne me va pas très bien de faire monsieur je-sais-tout.)

— Quoi ?

(Nous y voilà. J'aime quand tu fais celui qui lève la main au premier rang.)

— Moundou… c'est une ville du Tchad.

(N'Djaména est la capitale. Tu t'en souviens, de ma passion pour les capitales du monde ?)

— Et comment tu sais ça, toi ?

(Ce jour-là, avec l'atlas en mains, il faisait froid, les châtaignes nous réchauffaient les mains, moi je lisais les cartes à la dérobée, puis je te demandais le nom de la capitale et toi, tu ne te trompais jamais. On aurait dit mon fils. Tu avais dix ans, pour moi, pas plus.)

— Tu devrais accorder davantage de confiance au soussigné.

(Je ne vais pas te dire que je ne l'ai appris qu'hier avec Don Stefano, pour ne pas avoir l'air con.)

— Michele, je t'en prie, j'ai besoin d'un coup de main.

(Je suis en train de te supplier, tu comprends ?)

— Faisons comme ça, je vais y réfléchir, je vais voir si je trouve quelque chose mais pas avant demain.

(Tu as vraiment besoin de moi ? Comme flic ? Seulement comme flic ?)

— Aujourd'hui.

(Allez, je me sens fatiguée. Il y a un gamin qui meurt d'envie de moi, tu te rends compte ?)

— Oh là là… ce soir, ok ? Maintenant, je dois suivre une piste encore chaude, essaie de comprendre.

(Je te jure, je ne bidonne pas. Si ça ne tenait qu'à moi, j'enverrais tout chier.)

— D'accord, je t'appelle plus tard. Si tu veux, je passe à Milan, on boit un verre.

(Pourquoi j'ai dit ça ? Quel sens ça a ? Je devrais te demander de venir ici, faire une demande officielle à ton commissaire.)

— Mmhh… ben, bien sûr, pourquoi pas.

(Et où je t'emmène, chez moi, c'est le merdier. Je suis un merdier. Ma vie est un merdier.)

— Et toi, Michele… tu vas bien ?

(Tu penses à moi de temps en temps ? Ou bien il n'y a que Francesca dans tes pensées ? Vous avez divorcé, tu vas le comprendre, une fois pour toutes ?)

8

Il resta au milieu du trottoir, immobile, les gens l'évitaient tant bien que mal, le heurtaient souvent. Il resta ainsi, le portable éteint près des lèvres presque une minute, à le regarder, on aurait dit quelqu'un qui devait se rappeler quelque chose de fondamental pour le sort de l'humanité et qui, malédiction, lui échappait tout à fait. En réalité, la tête lui tournait un peu, il avait été vraiment pris au dépourvu par le coup de fil d'Elena, il essayait, immobile comme une statue de cire, de remettre de l'ordre dans son tumulte interne. En pratique, il était en train de graver dans la carte topographique de ses émotions un nouvel avertissement indélébile à associer à ce bout de ville. Puis le portable se réveilla, Ferraro faillit en avoir une attaque.

— Qui est-ce ? répondit-il le cœur battant.

— Ta grand-mère !

Il sourit :

— Elle est morte.

— Que tu crois. En réalité, je suis la mère de ton vrai père.

— Charmante, celle-là.

Il était tranquillisé. Il pouvait continuer à jouer sans y penser avec Comaschi au gentil flic et au méchant flic. Qu'est-ce que ça fait du bien, parfois, d'être superficiel et infantile, aucun moraliste ne réussira jamais à le comprendre vraiment. Ferraro vivait terrorisé par l'idée du futur, du projet, de la responsabilité. Il ne comprenait que l'aujourd'hui, le maintenant, il se plaçait sur un radeau pour traverser l'existence, sans prétentions. Ce n'était pas de l'indolence, mais une totale absence de confiance dans les magnifiques destinées et les routes futures. Au fond, à la fin de tout, il y avait l'abîme. Quel sens cela avait-il de construire des châteaux de pierre sur du sable ?

— Écoute un peu, esthète, qu'est-ce que tu fous, bordel, tu gardes le téléphone occupé après me l'avoir raccroché au nez ?

— J'avais un rot que je ne pouvais pas retenir, je ne voulais pas avoir l'air malpoli.

— Oui, bien sûr, un vrai gentleman… dis-moi… Qu'est-ce qu'on fait ? demanda-t-il, changeant de ton. On se le gagne, notre salaire ?

Ferraro regarda dans le rond de l'horloge publique. Une de celles à coque et poteau vert bouteille, *vert Milan*, qui constellent la ville et font en sorte qu'aucun Milanais ne doive jamais se sentir obligé de sortir avec une montre au poignet. Combien y en a-t-il ? Des centaines ? Des milliers ? Une obsession milanaise, l'horaire, jamais respectée par Ferraro, retardataire chronique et sans espoir de guérison. Qui diable vérifiait, s'était-il demandé pendant des années, qu'elles donnaient l'heure exacte ? Est-ce qu'il y a un bureau à la municipalité, un responsable des horloges de Milan ? Qui les avance ou les retarde, avec des mois de retard, quand arrive le changement d'heure ? Qui est le maître du temps métropolitain ?

— On se retrouve directement au billard. Attends-moi dehors. Donne-moi un quart d'heure, et j'y suis.

— Oh là, une demi-heure, au moins. D'abord, je dois vider ma prostate.

— Tant que t'y es, change aussi tes couches.

— D'accord, je prends une des tiennes, j'ai vu que t'en avais acheté des neuves.

Ils interrompirent la communication. Ferraro fit craquer quelques vertèbres de son cou. De toute façon, il n'y avait rien à faire, avec la vie. Qu'elle te plaise ou non, il fallait la vivre. Arrivés là, mieux valait arrêter de jouer les déprimés existentialistes. Nous ne pouvons que proposer notre bonne volonté et notre sourire, ce qui ne fait jamais de mal face au précipice.

9

— Alors, d'accord ? demanda Comaschi.

— D'accord, soupira Ferraro sans conviction.

— On fait comme j'ai dit, c'est bon ?

— C'est bon, c'est bon, mais bougeons-nous.

Comaschi entra le premier, en faisant spectaculairement claquer la porte d'entrée de l'établissement. Ferraro marchait un pas en arrière, plus discret que son collègue qui, lui, se déplaçait, hautain comme un paon, en regardant chacun des pieds à la tête.

— Ah, enfin, gueulait Comaschi, emphatique. J'ai vraiment envie de m'amuser un peu.

Il voulait que tout le monde l'entende. Il devait être antipathique, gênant, inopportun, et il y réussissait très bien. Pas une seule des personnes présentes qui n'ait interrompu le jeu et levé un regard à la dérobée vers les deux arrivants. Des flics. Pas besoin de le leur demander. C'étaient des flics, au-dedans, au-dehors, dans la voix, dans le comportement. Infâmes, salopards, arrogants fils de pute. Mieux vaut faire semblant de rien, continuer à jouer, même si avec ce genre de flicaille on sait déjà comment ça va finir.

Les deux pieds-plats s'approchèrent du comptoir. Le gérant était en train de ranger des bocks. Il les regarda avec des yeux injectés de fiel.

— Bonjour, vous voulez boire quelque chose ?

Comaschi regarda son collègue :

— Tu as soif, toi ?

— Non.

— Et tu fais bien. Parce que nous, on boit pas.

Il se tourna vers le barman.

— Ne jamais boire pendant le service, tu ne le savais pas ?

— En quoi puis-je vous ête utile, alors ?

— On a envie de jouer. Ici, c'est un bel endroit pour jouer, plein de belles personnes.

Tandis qu'il disait cela, il s'approchait de la première des tables. Un des deux joueurs se redressa au-dessus du tapis vert.

— Qu'est-ce que tu fais, bordel, lui lança Comaschi. Qui t'a dit d'arrêter ?

Il saisit le bout de la queue de billard que l'autre tenait toujours et la lui posa sur la table.

— Joue, joue. Moi, j'aime regarder, tu ne savais pas ? Je suis un voyeur…

Ferraro avait du mal à conserver un air de dur. Il ne l'avait pas, et ne l'avait jamais eu. Toute cette comédie était ridicule, mais Comaschi lui avait appris que certaines fois, pour aller vite, il fallait aussi entrer dans le rôle, et le faire pour de bon, comme l'enseigne la psychotechnique de la méthode Stanislavski.

— Tu sais quoi, collègue ? disait Ferraro, emphatique. Ici, il n'y a que des nullards merdeux qui jouent. Je t'assure.

Le type fit courir avec violence entre pouce et index de la main gauche la queue tenue par la main droite et appuyée sur le bord, une bouffée bleue se souleva au contact de la pointe et de la boule.

— Tu vois ? Qu'est-ce que je te disais, insista-t-il en montrant la boule qui, en courant trop vite, avait "bu" deux quilles. Ils font les professionnels mais c'est des nuls.

Le joueur redressa le dos.

— Vous voulez jouer deux-trois coups, surintendant ?

Donc, ils se connaissaient.

— Non, mon cher, continue donc, lui dit Comaschi, en lui touchant l'épaule d'un geste méprisant. Je préfère voir quelqu'un qui sait vraiment jouer, expliqua-t-il et il se dirigea vers la table suivante.

Personne ne les regardait, mais Ferraro sentait tous les regards sur lui. À part un garçon au milieu de la salle qui, indifférent, continuait à jouer, en solitaire. Comaschi se plaça à côté de lui.

— Et toi, t'es qui, bordel ? lui demanda-t-il.

Le garçon leva les yeux. Souffla sur la mèche de cheveux rebelles qui lui dissimulait le regard, pour les remettre en place. Il n'avait pas le visage de quelqu'un né dans la boue. Un regard vif, un peu de barbe non rasée depuis deux jours, les yeux très bleus. Un étudiant, pensa Ferraro.

— Excusez-moi, c'est à vous de me dire, en l'occurence, qui vous êtes. Identifiez-vous.

En l'occurence ? Identifiez-vous ? Oh Seigneur, ou bien c'est un casse-couilles polémique ou c'est le dernier des ingénus qui ignore jusqu'aux plus basiques règles de la vie civilisée.

— Toi, ça te regarde pas, putain, de savoir qui je suis moi.

Comaschi souleva un pan de veste pour montrer le revolver dans son étui.

— C'est moi qui pose les questions, d'accord ?

Le garçon pâlit.

— Mais, excusez-moi… comment vous permettez-vous… vous ne pouvez pas, c'est une menace, ça, c'est… un abus de pouvoir, j'étudie la loi et je connais mes droits !

La salle éclata d'un grand rire à l'unisson. Les droits, quel truc de dingue, mais ce gamin, où est-ce qu'il vit, dans une maison en sucre ? Il y a des gens qui feraient mieux de rester dans la ouate, au lieu de venir chercher des frissons dans les bas-fonds, pour après retourner dans leurs appartements de luxe au dernier étage dans le centre, en nous laissant nous démerder avec les flics.

Ferraro lui montra sa carte.

— Essaie de rester sage, ça vaut mieux pour toi, lui dit-il à mi-voix.

Le garçon était devenu écarlate, on ne comprenait pas si c'était sous l'effet de la nervosité, du fait qu'il venait de passer pour un crétin ou, pire encore, de la prise de conscience qu'il était évidemment, anthropologiquement, étranger au reste de la faune présente. Il ne suffit pas de jouer au billard, en somme, de chercher une salle comme celle-là, de sécher les cours à l'université, peut-être de jouer avec un des habitués, de lui offrir une bière, pour être l'un des leurs. Si on n'est pas né là-dedans, les règles du jeu s'apprennent après des années et des années de fréquentation du ghetto, qui est d'abord mental avant d'être physique. Les deux flics étaient beaucoup plus solidaires avec la pègre ici présente qu'avec ce gamin à l'air honnête et sympathique, qui probablement dans sa bande du samedi soir était même un type aux manières désinvoltes, agile de tête et de cœur, sans préjugés envers son prochain, progressiste et de gauche, un leader faisant rêver quelques gamines de la *crew* qui le voyaient un peu irréfléchi, beau et maudit. Ici, en revanche, c'était un petit con quelconque, qui tant qu'il restait dans son jus pouvait passer, mais maintenant qu'il s'était mis à faire chier, devait comprendre que quand les hommes jouent, les enfants la ferment.

— Très bien, tas de décérébrés, reprit Comaschi. Je n'ai pas de temps à perdre, c'est clair ?

Il se déplaçait à pas lents et étudiés. Ferraro le suivait du regard. À ce moment seulement, il s'aperçut qu'à la table voisine de celle du garçon, il y avait Vito Mains de Cochon, un de ses amis d'enfance.

— On m'a dit qu'ici vient un tas de belles personnes, continuait le collègue. Et que si j'ai besoin d'un coup de main, vous ne me le refuserez pas, pas vrai ?

Pas de réponses. Ferraro fit deux pas vers Mains de Cochon.

— Salut, Vito, tout va bien ? demanda-t-il à mi-voix mais il s'en repentit aussitôt : manifester leur intimité était une

151

erreur, non pas tant pour lui que pour la réputation de son ami.

— Tout va bien, Clou, répondit-il avec indifférence.

— Bien, conclut le flic.

— Moi, merde, je m'occupe de mes oignons, tu le sais, pas vrai ? ajouta Vito, juste pour faire comprendre aux autres de quel côté il était.

— Et tu fais bien, répliqua Ferraro. Occupe-toi de tes oignons et tu vivras longtemps, conclut-il, lapidaire.

Vito le remercia du regard.

— Un de mes amis m'a dit qu'ici, on joue bien. Mais là, il n'est pas là… quel dommage ! continuait Comaschi, en monologuant avec l'éloquence de Marc Antoine aux funérailles de César. Mais peut-être que l'un de ses amis voudra jouer avec moi, non ?

Un type, au fond de la salle, appuya sa queue au mur et se dirigea vers le portemanteau.

Ferraro le remarqua.

— Où tu vas, bordel ?

— Je vais rater mon train, dit-il pour se justifier.

— Tu attendras le prochain.

— Le problème est que cet ami à moi est mort… vous vous rendez compte, le manque de pot…

Pendant que Comaschi vittoriogassmanisait, un homme au visage couvert de pustules émergea des toilettes, les mains encore sur la braguette. Il ne comprit pas tout de suite ce qui se passait. Il regardait autour de lui comme s'il avait passé une porte donnant dans une autre dimension et qu'il s'était retrouvé sur un point inconnu du flux spatiotemporel.

— Eh oui, il est mort, continuait Comaschi en regardant vers le nouveau venu. Tué hier matin, pendant qu'il essayait de se refaire une garde-robe chez quelqu'un d'autre.

Le vérolé continuait à regarder autour de lui, toujours plus paniqué. Celui-là, il n'est pas clair, pensa Ferraro. Le gamin lui adressa un signe, comme pour lui dire qu'il l'attendait pour finir la partie. Le grêlé le foudroya du regard. Mais qu'est-ce que tu veux, couillon ? Moi, je te connais pas, compris ?

Tout le monde regardait tout le monde.

— Mais moi je sais qu'il n'était pas seul, parce que Anton Niemen était du genre qui aime la compagnie, continuait Comaschi, sur une cadence très soignée à la Carmelo Bene.

Le pustuleux leva imperceptiblement les yeux au ciel. Lui, pensa Ferraro en le montrant mentalement du doigt.

Comaschi fit deux pas vers l'homme.

— C'était un ami à toi, par hasard ?

Le type eut un vague sourire et évalua du regard la distance entre le flic et la sortie.

— Qu'est-ce que tu fais, tu ne me réponds pas ?

— Brigadier, je ne sais pas de quoi…

Quel imbécile. Le prendre pour un carabinier !

— Comment tu m'as appelé ? lança Comaschi, puis, se tournant vers Ferraro : Comment il m'a appelé ?

Maintenant ou jamais ! pensa l'homme, et il se lança comme un athlète de cent mètres haies vers la sortie.

— Putain de merde, chuchota Ferraro.

— Chope ce con, hurla Comaschi au collègue.

Ferraro arracha des mains du gamin la queue de billard et se lança derrière l'homme comme s'il devait écraser un moustique avec une tapette à mouches. L'homme, pour faire plus vite, roula sur le dernier billard, à un pas de la sortie, mais à l'instant où il mettait pied à terre, Ferraro le frappa avec violence au tibia ; la queue, en se brisant, alla se fourrer entre ses jambes, faisant s'écrouler le fugitif à terre.

— Putain, ça fait mal ! hurlait l'homme à terre. Tu m'as fait mal, sale con.

— Tais-toi, crétin, dit Comaschi en s'approchant.

Il le souleva comme un paquet.

— Maintenant, tu viens avec nous, on va se faire une bonne petite causette.

Il le traîna au-dehors, Ferraro sortant en dernier. Il lança un regard vers la salle, comme pour s'excuser ; tout le monde lui tournait le dos, seul l'étudiant observait, hébété, la sortie de scène du bras violent de la loi.

1

C'est toujours comme ça, temps morts et accélérations soudaines, marécages gluants et précipices aériens. *Stop and go.*

Pietrantoni faisait son rapport, excité, et pour une fois pas parce qu'il avait devant lui sa madone stilnoviste. Peut-être ce travail commençait-il à le corrompre, au-delà de tout romantisme obscur. Pas de sexe, on est des flics, seule l'odeur du sang nous excite ! Bien. Au fond c'est Elena en personne qui l'avait emmené avec elle, elle avait perçu du talent en lui ; grossier, entièrement à travailler et à polir, mais un talent authentique, tout comme elle avait fait avec Fusco, qu'elle avait volée au vieux Zeni pour l'emmener avec elle à Rome. Puis Dieu sait ce que ce garçon s'était mis en tête, pour Elena, l'idée même d'être source de passion masturbatoire pour un collègue plus jeune était embarrassante au point qu'elle avait même du mal à lui serrer la main quand elle le rencontrait au bureau. Les hommes, on le sait, sont modérés et distraits quand il s'agit d'utiliser l'eau courante. (Elle était arrivée à cette conclusion dès ses premiers mois dans la police, en voyant à quelle vitesse ils entraient et sortaient des toilettes, toujours avec les mains sèches de ceux qui se dégonflent la raideur urinaire pour ensuite oublier de se laver les extrémités infectées).

Stop and go. Tout semblait enfin se remettre en branle.

— Où exactement, sois plus précis !

La nouvelle avait du jus, il suffisait de savoir la presser.

— Alors…

Pietrantoni parlait en consultant un agenda où il avait pris des notes au hasard.

– À Montecchio, pratiquement à mi-chemin entre Parme et Reggio.

Favalli faisait oui-oui avec la tête, comme une de ces poupées des années 70 qu'on mettait sur le tableau de bord des voitures pour la joie des grands et des petits.

La commissaire fit glisser son index sur la carte d'Italie ouverte sur le bureau.

– Mmh… ça va…

Fusco entra, haletante.

– Qu'est-ce qui se passe ?

Favalli résuma, laissant Elena transpercer l'Italie du regard.

– Une femme vient juste de porter plainte pour le vol de sa carte de crédit, près d'un distributeur de billets.

Fusco fronça le sourcil, comme pour dire : et là-dedans, un beau "qu'est-ce qu'on s'en fout !" on le met où ?

– Et ? dit-elle seulement.

– Elle était en train de retirer de l'argent, quand un nègre grand et gros l'a menacée et lui a volé l'argent.

– Moundou, dit Fusco, étonnée, en s'approchant de la table.

Pietrantoni leva le regard de la carte et la fixa :

– La description concorde. Il s'est fait donner le code aussi, tu comprends ?

– La banque a bloqué la carte, on lui retire l'oxygène, ajouta fièrement Favalli.

Elena qui jusqu'à ce moment semblait concentrée sur une partie de Risk, leva brusquement les yeux.

– Quoi ? hurla-t-elle. Non, bon sang, non !

(Bon sang ? Comment faisait-elle, cette femme, pour ne jamais dire une vulgarité ? se demandait Fusco, admirative. Et comment réussissait-elle, en même temps, à ne paraître ni affectée ni bigote ?)

– *Dottoressa…*

– Tais-toi, tais-toi.

Elle prit le portable et sélectionna un numéro dans le répertoire. Puis mit la main sur le récepteur.

– Favalli, vous êtes sûr que la carte est bloquée ?

Favalli insistait avec son truc de la poupée sur le tableau de bord.

— Bien sûr, je viens juste de parler avec…

Mais Elena, bras tendu, le fit taire d'une torsion du poignet qui fit tournoyer la main ouverte, comme pour le saluer.

— *Dottor* Silva ? dit-elle en s'éloignant. J'ai besoin d'une autorisation bancaire.

Elle alla vers la fenêtre.

— C'est urgent.

L'ouvrit.

— … Je vais vous expliquer.

— Mais qu'est-ce qu'elle fait ? Pourquoi est-ce qu'elle appelle Silva ? demanda Son Évidence aux deux autres.

— Tu n'as pas encore compris ? répondit Fusco. Si Moundou utilise de nouveau la carte de crédit, nous pouvons découvrir où il se trouve.

— Nous nous en servirons comme d'une balise radio, dit Pietrantoni, admiratif.

— Exact. La commissaire est en train de demander au proc l'autorisation, pour la couverture financière.

Moins d'une minute passa, puis Elena revint près des autres, téléphone fermé et sourire aux lèvres.

— D'accord. On le fait. Favalli, appelle la banque, maintenant !

— J'y vais tout de suite.

Il sortit. Elena posa de nouveau le regard sur la table.

— Je suis le chien de chasse à tes trousses, Haile, dit-elle à la carte. Sois sûr que je ne vais pas te lâcher.

2

Rien, il ne collaborait pas. Il disait à grand-peine son nom et son prénom, c'est tout juste s'il n'invoquait pas la convention de Genève : identité, grade et numéro de matricule. Alessio Moles, l'homme au visage semblable à un entrepôt de volcans, attendait son avocat, parce que lui, la petite histoire du bavardage informel, il marche pas dedans. Inutile d'insister, inutile de jouer au petit jeu du café ou de la cigarette. Il ne dit rien. Rien de rien si son avocat n'est pas là. Autrement, motus et bouche cousue : sur lui, sur Niemen et sur tout le reste. De Matteis était hors de lui. Il n'avait aucune envie de garder un type en état d'arrestation dans son commissariat, ça l'énervait autant que si le type avait pissé dans sa salle à manger. Il n'arrêtait pas de dire de faire vite, de lui virer ce casse-couilles.

Comaschi prit la peine de mener une recherche d'archives sur Moles, histoire de comprendre s'il pouvait l'envoyer au trou, comme ça il allait peut-être faiblir dans sa détermination à jouer les mimes Marceau. Ferraro, lui, dut s'occuper du procès-verbal, ce qu'il haïssait en toute circonstance, presque autant que de se couper les ongles des pieds avec la pince abîmée (la seule qu'il avait chez lui, vu qu'il ne pensait jamais à aller en acheter une. Tant qu'il l'utilisait, elle existait, puis elle disparaissait de son esprit, pour réapparaître comme par enchantement, et avec une lame toujours plus émoussée, quand il en avait un besoin urgent. D'où la fureur, la décision d'en acheter tout de suite une autre, dès qu'il sortirait de chez lui. Ce que, justement, il ne faisait jamais, ayant une mémoire sournoise qui ramait contre lui, en ennemie.)

Il s'assit et alluma l'ordinateur. De Matteis entra dans son bureau. Qu'est-ce qu'il veut, celui-là, bordel ? pensa-t-il, inquiet. Mais son chef avait une expression plus détendue qu'avant ; il posa son cul sur le bord de la table, espiègle.

— Qu'est-ce que t'as, Ferraro ?

— Dans quel sens ?

— Je ne sais pas… depuis que tu es revenu ici, tu as l'air… je ne sais pas… c'est comme si le commissariat était trop étroit pour toi. C'est moi qui ai demandé que tu reviennes opérer à Milan, je sais. On n'a jamais accroché, toi et moi, mais tu sais que je t'estime comme flic. Peut-être que tu dois seulement retrouver tes repères…

Oh Seigneur, le petit discours amical, plein de bon sens et de solidarité, de la part de De Matteis, ça non, je ne peux pas le supporter. Je suis vraiment si mal barré ?

— Dans quel sens ?

— Peut-être que tu as laissé à Rome quelque chose en suspens, je ne sais pas. Si je peux t'aider, dis-le-moi, mais je te demande de participer davantage à la vie du commissariat. Je te laisse faire suivant tes méthodes, je te donne du mou, mais toi, n'en abuse pas.

— Dans quel sens ?

— Tu sais dire quelque chose d'autre, à part "dans quel sens" ?

— Dans quel sens ?

Silence.

Dans le cerveau du commissaire une pensée mauvaise commença à creuser entre les neurones comme un ver. Il bondit du bureau, dans un mouvement étonnamment athlétique.

— Va te faire enculer, Ferraro !

Il s'approcha du visage de son subordonné au point de lui faire sentir la chaleur de son souffle.

— Va-te-faire-met-tre ! scanda-t-il, juste pour être sûr que Ferraro comprenait la profondeur du concept, puis il se dirigea vers la porte en disant pour lui-même : C'te connard ! Mais qu'est-ce qui m'a pris ? Oublie ce que je t'ai dit, d'accord ? ajouta-t-il à l'adresse de Ferrraro.

— Dans quel sens ? demanda l'autre avec un sourire mauvais.

— Putain, Ferraro, arrête de faire le couillon, d'accord ? Moi, je te chope tes couilles et j'en fais une omelette, t'as compris ? Écris ce putain de PV et va te faire foutre !

Il sortit en claquant la porte.

Ferraro sourit, diabolique. Il ne faut pas grand-chose pour être heureux ; le malheur de quelqu'un d'autre peut suffire.

En bas à droite de l'écran apparut un message Skype. "Comment tu vas ? Je te dérange ? Ça fait un moment qu'on s'est pas appelés."

Ah, mais qui c'est-y que voilà. Quelqu'un qui aurait apprécié la performance autistique de Ferraro : ce bon vieux Augusto Lanza.

158

3

| [5:23:13 PM] augusto.lanza : | Comment tu vas ? Je te dérange ? Ça fait un moment qu'on s'est pas appelés. |

[5:23:13 PM] *augusto.lanza* : Comment tu vas ? Je te dérange ? Ça fait un moment qu'on s'est pas appelés.

[5:23:18 PM] *michele.ferraro* : salut lanza quel temps fait-il par chez toi ?

[5:23:21 PM] *augusto.lanza* : À vrai dire, c'est une belle journée ensoleillée. Pourquoi tu me le demandes ? Il y a du vent à Milan ?

[5:23:25 PM] *michele.ferraro* : rien, laisse tomber, de toute façon p inutile.

[5:23:27 PM] *augusto.lanza* : Quoi ?

[5:23:31 PM] *michele.ferraro* : j'ai dit rien laisse tombeber.

[5:23:40 PM] *augusto.lanza* : Pardon, qu'est-ce que tu as écrit ? Je ne comprends pas.

[5:23:51 PM] *michele.ferraro* : J'AI DIT LAISSE TOMBER. d'accord ? dis-moi toi comment tu vas.

[5:24:08 PM] *augusto.lanza* : J'ai une rhinopharyngite aiguë due à une réponse immunitaire basse, déclenchée par des conditions environnementales non idoines.

[5:24:17 PM] *michele.ferraro* : oh mon dieu. c'est grave ?

[5:24:26 PM] *augusto.lanza* : Non. C'est un simple rhume.

[5:24:34 PM] *michele.ferraro* : putain tu pouvais pas ércire directement rume tu veux me faire mourir ?

[5:24:53 PM] *augusto.lanza* : Tu devrais vérifier ton clavier. Ou bien taper avec moins de véhémence, tu as tendance à écrire de manière erronée.

[5:25:21 PM] *michele.ferraro* : écuote mon veuix t'as binetôt fini de fiare le pniotilluex ? tu le savias qu'il y a une étdute d'une univresité anlgaise qui dit que même si tu te tomrpes sur tuos les mtos il siffut que la première et la diernère letetre soit au bon ednroit puor que le cevreau cmoprenne qaund mmêe le snes génarél ?

159

[5:25:40 PM] augusto.lanza :	Bien sûr que je le sais. C'est moi qui t'en ai parlé, tu ne te souviens pas ?
[5:25:55 PM] michele.ferraro :	sainte mère, lanza, c'est vrai que tu me maqnues mais seulement quand tu es loin !
[5:26:11 PM] augusto.lanza :	Ben, c'est évident. Je dirais que c'est une lapalissade. Le sentiment d'absence et de détachement se développe avec la distance physique des personnes, autrement, cela perdrait son sens.
[5:26:22 PM] michele.ferraro :	arrête ça ou bien je prends le premier avion pour venir te casser la gueule et roteurne chez moi avant dîner.
[5:26:31 PM] augusto.lanza :	Je ne comprends pas ton excès de violence verbale. Quoi qu'il en soit, tu as des problèmes avec les haut-parleurs ?
[5:26:39 PM] michele.ferraro :	Non, pourquoi ?
[5:26:43 PM] augusto.lanza :	Je préférerais continuer avec un appel vidéo.
[5:26:47 PM] michele.ferraro :	qu'efst-ce qu'il y a tu veux tentendre ma voix ?
[5:26:51 PM] augusto.lanza :	Non. C'est que je trouve pénible de continuer à lire ce que tu écris. Je ne t'ai jamais dit que quand j'étais jeune je voulais être correcteur ?
[5:26:57 PM] michele.ferraro :	ça m'étonne pas du tout.

4

Le futur était arrivé et s'était démontré beaucoup plus imprévisible que ce que sa fervente imagination de jeune lecteur de BD de science-fiction pouvait même lointainement imaginer. Internet l'émerveillait encore ; d'une certaine manière, il ne s'était pas encore habitué à l'idée de pouvoir, gratuitement, vidéo-téléphoner à quelqu'un qui se trouvait à des milliers de kilomètres de distance. Sa fille Giulia, tout cela, elle ne pouvait pas le comprendre, elle y était née, elle, dans le futur. Parfois, elle lui demandait comment c'était, les lires, parce qu'elle, ça lui semblait des pièces aussi vétustes que les doublons des pirates, combien elles valaient, ou bien à quoi servaient ces curieuses pièces couleur bronze qu'il conservait dans une vieille boîte à café, avec deux rainures d'un côté et une seule de l'autre. Qu'est-ce qu'elle pouvait en savoir, de l'existence des jetons téléphoniques, Giulia, peut-être qu'elle n'avait même jamais vu une cabine dans la rue !

Ferraro ne comprenait pas si cette capacité à se souvenir, le fait d'avoir été là quand le monde était en train de changer, était une chance ou si le fardeau de la mémoire n'était qu'un poids, un boulet au pied qui lui retirait de l'agilité. Le souvenir est une malédiction. Se confronter à sa propre expérience, comme si c'était une chose vivante, contemporaine, alors que c'est seulement l'Histoire, à lire dans les livres, pour beaucoup de ceux qui vous entourent. Enfant, il rêvait d'une circulation aérienne dans les cieux de Milan, faite de machines volantes, des villes suspendues dans les nuages, la paix sur terre. Rien de tout cela n'était advenu. Le trafic urbain était horripilant, les poussières fines intoxiquaient les poumons de ses concitoyens, plus personne n'était retourné sur la lune, il n'y avait aucun projet de résidence extraterrestre en vue, la terre était plus affamée et belliqueuse que jamais. Quelle déception, le futur. La sensation qu'il avait, au fond, est que le monde s'était rétréci, on pouvait aller partout et que tout le monde, en conséquence, pouvait venir chez vous, en bas de chez vous. L'exotique, si vous n'alliez pas le chercher, il pouvait venir sonner à l'interphone.

Le premier nègre qu'il avait vu dans son enfance – quand le mot "nègre" n'était pas un gros mot ou une insulte, mais un mot inoffensif, archaïque, qu'on pouvait retrouver dans n'importe quelle anthologie de la littérature à l'école – lui était apparu comme un extraterrestre, un géant de fable, un prince de l'Orient. Il avait eu du mal à détacher son regard, attiré par la différence absolue qu'il portait sur lui comme s'il endossait un costume de brocart, tout en broderies et dentelles, sans que cela l'empêche de se comporter avec naturel. Il n'avait pas eu peur de lui, comprenons-nous, il avait été fasciné. Ensorcelé. C'était en Allemagne, dans un des voyages que, de temps en temps, son père effectuait en camion. Il avait vu l'homme décharger les cartons, parler en allemand (les nègres parlent les langues étrangères ! Peut-être qu'ils connaissent toutes les langues du monde !), signer le bon de livraison. Et puis, voilà, retour vers une Italie prévisible et ennuyeuse.

Là, c'était le futur que Michelino ne pouvait pas prévoir. Tout avait changé, maintenant, les nègres, il fallait les appeler noirs, et souvent ils habitaient à côté. Il arrêtait même certains d'entre eux. De ce point de vue, Ferraro était pragmatique. Ce n'était pas vrai que l'Italie changeait, que c'était une nation à la recherche d'une nouvelle identité, que la mutation entraînait crise et mal-être. Lui, il se rappelait comment était l'Italie de ses petites parties de foot au patronage, celles en noir et blanc. Pour des raisons qui lui étaient obscures, il semblait que personne ne voulût relever l'évidence. L'Italie *avait* changé. Point. La modernité, on la prend toute ensemble, en bloc, on ne peut pas sélectionner ce qui vous arrange et écarter ce qu'on ne veut pas. On peut *skyper* en Amérique du Sud, voyager low cost en Égypte, commercer avec la Chine. Mais souviens-toi qu'eux aussi peuvent le faire avec toi. Tout cela, Giulia le savait instinctivement, sans trop de manières, sans arrière-pensées : elle avait des copains de classe chinois ou péruviens, mais elle n'y prêtait aucune attention. C'étaient des Italiens comme elle. Telle était sa force : aucune mémoire, aucune nostalgie. Le futur était entièrement à imaginer, et c'est aussi pour cela que le présent ne pesait pas du tout.

5

Le voilà, Lanza, avec sa raie sur le côté, les cheveux en ordre parfait, les petites moustaches d'épervier, son unique coquetterie en souvenir d'une jeunesse que lui aussi a dû connaître, qui sait quand, qui sait comment, qui sait où. Mais non, peut-être que ce ne sont pas des moustaches d'épervier (c'est quoi, déjà, un épervier ?) : ce sont celles de Mandrake, minces et qui font un peu gandin. Lui, en tout cas, toujours le même, volcanique, logique jusqu'à l'inhumain, humain jusqu'à l'illogique.

— Explique-moi ça mieux, dit Lanza.

Il y avait presque une demi-heure qu'ils parlaient un peu de tout. Peut-être que pour Lanza, c'était le moment de la pause – qui sait, peut-être qu'à l'Agence européenne, ils font une pause en milieu d'après-midi – Ferraro avait certes à faire, mais c'était l'envie qui lui manquait. N'importe quelle excuse était bonne pour éviter de rédiger le rapport pour De Matteis. Le fait est qu'au bout de quelques instants, et comme d'habitude, il lui vint instinctivement l'envie de parler de travail avec Lanza. Non pas de l'affaire qu'il suivait, mais de celle d'Elena. Et pourquoi donc ? Peut-être parce que au fond de lui quelque chose bougeait, un souvenir, une sensation ; ou peut-être que cela lui semblait plus intrigant, plus intéressant à raconter que le classique braquage de villa.

— Mais tu sais, Lanza, il n'y a pas grand-chose à ajouter. Au fond, ça ne me regarde pas du tout. Et puis, le type que j'ai arrêté, je m'en souviens à peine.

— Comment il était ?

— Comme tout le monde. Ne me fais pas faire le Lanza de la situation : deux yeux, deux jambes, deux bras…

— S'il faut être précis, tous les êtres humains ne possèdent pas tous les détails anatomiques que tu m'as énumérés : je connais personnellement au moins deux manchots, un type à qui on a amputé une jambe, un autre qui…

— Bon, bon, ok, Lanza ! dit Ferraro en essayant d'éviter l'exaspération. Comme la plus grande partie des gens, d'accord ? C'était un nègre, plus ou moins.

— Qu'est-ce que tu entends par "plus ou moins" ?

— Que ce n'était pas le traditionnel nègre des films sur l'Afrique. Maintenant que j'y pense, il semblait, je ne sais pas… plus clair, mais pas comme un Maghrébin… on aurait dit un métis… mais non, ce n'est pas ça non plus…

Il sentait que d'en parler lui faisait remonter des souvenirs, comme s'ils étaient restés enfermés dans l'armoire du grenier et que Lanza était son petit copain de jeu avec lequel il découvrait de vieux papiers jaunis empilés à l'intérieur.

— Nez plus effilé, teint plus noisette…

— Oui, bravo.

Ferraro entendit Lanza parler loin du microphone :

— *Un moment, j'arrive. Encore dix minutes.**

— Tu dois y aller ?

— Non, ne t'inquiète pas… on disait donc…

— En réalité, c'est toi qui parlais. Tu étais en train de me décrire l'homme que j'ai arrêté, moi.

Absolument impossible et pourtant vrai.

— C'était un Tigréen.

— Quoi ?

— Probablement éthiopien ou érythréen.

— Ah, je le savais bien ! s'exclama Ferraro, enthousiaste.

— Quoi ?

— Rinaldi avait un nom : Towongo Haile Moundou. Mais il me semblait vraiment bidon.

— Moundou est…

— Je sais, une ville du Tchad. Pas très soudanais, hein ?

— Towongo est un nom soudanais, mais Haile confirme mon hypothèse.

— En somme, une espèce de patchwork de l'Afrique. Peut-être voulait-il se moquer de nous.

Lanza ne répondait pas. Et ce n'était pas à cause de la connexion capricieuse. Ferraro connaissait ces silences, c'était quand les fonctions cérébrales de cet homme se hissaient sur des sentiers jamais battus auparavant par l'esprit humain. Tout était possible, maintenant : rester silencieux pendant des heures, poursuivre comme si de rien n'était, s'entendre dire des choses invraisemblables, discuter de tout à fait autre chose, clore la communication. Comme jouer au loto. Mais comment faisait sa femme ? À bien y penser, elle aussi elle était bien givrée, donc elle n'y faisait probablement pas attention. Mais rester ainsi, silencieux, dans l'attente que Lanza se réveille de son voyage hyperuranien était passablement casse-pieds, à ce point mieux valait se lancer avec zèle dans la rédaction du procès-verbal.

— Ferraro…

Le voilà. L'oracle est revenu parmi nous.

— Dis-moi, Lanza.

— Un truc, par curiosité…

— Vas-y, je t'écoute…

— Quel match ils donnaient à la télévision le soir où tu as arrêté cet homme ?

Maisputainc'estquoicettequestionàlaconlà ?

— Lanza, excuse-moi, mais comment tu veux que je sache ?

Silence.

— D'accord, dit-il seulement. Je te rappelle plus tard.

Et il mit fin à la conversation, comme ça, d'un coup. Fin de la pause de milieu d'après-midi.

6

Il faisait sombre de plus en plus tôt, décembre était le mois le plus cruel pour Elena. Dans le bureau du commissariat de Lodi qui servait de QG improvisé, c'était un continuel va-et-vient de nouvelles, de fausses pistes, de coups de téléphone, de mises à jour, de tempêtes sous un crâne avec magistrats, questeurs, directeurs généraux, mimes, clowns, nains et danseuses. Dans le rôle de Mangefeu, Elena. Peut-être lui manquait-il un Pinocchio, mais dans ce cas, elle prendrait plutôt le rôle de la Fée bleue.

— Non, non, laissez tomber, élaguez les repérages inutiles, quel sens ça a d'arriver jusqu'à Parme pour revenir à Milan.

— Peut-être qu'il veut nous égarer.

— Ce n'est pas improbable. Mais ce serait idiot de revenir vers nous. Il est en train de fuir, et peut-être qu'il sait où il va !

Ils avaient accroché la carte géographique au mur pour que tout le monde puisse la voir.

— C'est ça que nous devons essayer de comprendre : où diable va-t-il ? disait-elle, en tapant de la paume sur l'Émilie comme un gardien de but sur le ballon.

— Commissaire, j'attends un rapport des collègues de Parme sur les clans de la zone qui…

— D'après moi, on ne va pas le trouver à Parme, intervint Fusco, sans attendre que le collègue termine.

— C'est ce que je pense aussi, Fusco, dit Elena, à deux doigts de l'effondrement.

Elle redressa le dos, le sein se montra généreux sous la veste, Pietrantoni faillit s'évanouir. Elena leva le regard au plafond et ferma les yeux, les serra, pour être précis. Elle semblait vouloir presser ses pensées, les faire pleurer.

— Ne perdons pas de vue les choses. Récapitulons. Combien a-t-il volé à la femme ? demanda-t-elle au hasard.

— Pas grand-chose. Même pas cent euros, dit le favuleux Favalli.

— Très bien, répliqua Elena, fermant toujours les yeux. Donc… Primo : il est seul.

Les autres marmonnèrent. Personne ne savait quoi dire. Pietrantoni s'y essaya :

— Commissaire… excusez-moi, c'est une question ou une affirmation ?

La femme rouvrit les yeux et les pointa comme deux lueurs nocturnes sur le garçon.

— Excellente observation, Pietrantoni.

Les joues du policier atteignirent un coloris à la limite du visible de l'infrarouge.

— Qu'est-ce que tu en dis, toi ?

On entendait clairement le battement frénétique de son muscle cardiaque.

— Il est seul ou il ne l'est pas ?

— Je, je, je…

— Et jusque-là, c'est bien, Pietrantoni, après, il y a "tu" et "il"… continuons…

Bon, un peu de cruauté, tu en rajoutes, inutile de le nier. Ce n'est pas beau de jouer avec ce pauvret, non seulement parce qu'il est jeune, mais aussi parce que c'est ton subordonné ! Tu te souviens comme ils te mettaient en colère tes collègues plus âgés quand ils t'interpellaient juste pour te demander un café ? Ou bien ils te demandaient de ramasser les objets tombés par hasard à terre et tu ne comprenais pas au début, gentille comme tu étais. Jusqu'à ce que tu les aies vus se donner des coups de coude, en te regardant le derrière ? Qu'est-ce que tu fais, alors, tu te venges sur ce gamin ? Tu fais la grand-mère ? Allez, Elenuccia, ne sois pas ridicule…

— Je crois qu'il est seul, dit-il, débordant d'orgueil blessé, dans un seul souffle.

Bravo Pietrantoni, tu m'as donné une belle leçon de dignité.

— Et pourquoi ? demanda-t-elle sans aucun sarcasme.

— Quel sens ça aurait de voler la carte de crédit ? S'il est accompagné de complices qui le protègent, il doit avoir de l'argent sur lui.

— En effet. Bravo. Essayons d'y comprendre quelque chose : il ne s'est pas arrêté à Parme parce qu'il y a une base, mais parce qu'il n'avait plus d'essence.

— Et puis la voiture était repérée, dit Fusco. Elle allait vite être identifiée.

— Moundou, quel que soit son vrai nom, est un type qui s'y connaît, on se l'est dit et redit. C'est un type qui sait tuer de sang-froid, qui sait comment se faire des blessures et comment ne pas en mourir, il a organisé un plan de fuite simple et compliqué à la fois.

— Mais… et les camorristes ? demanda Favalli.

— Eh oui, bonne question. Il est clair qu'ils sont dans le coup. Mais dans quelle mesure ? En somme, s'il se déplace seul, ça signifie que les corps que nous avons ramassés à Lodi étaient tous les composants du commando.

— Un peu juste, comme groupe d'assaut, dit Fusco.

— En effet. Peut-être n'ont-ils pas eu un délai suffisant pour bien communiquer entre l'intérieur et l'extérieur de la prison. Le plan aurait été mis à exécution sans qu'au-dehors on ait eu le temps d'organiser une équipe convenable. Ils ont rassemblé les trois premiers qui leur sont tombés sous la main, des affiliés, mais pas de premier plan. Ou bien ils pensaient y aller tranquillement, que le gardien n'était pas armé… je ne sais pas… à l'évidence, quelque chose est allé de travers et ils sont tous morts.

— Sauf Haile.

— Sauf Haile, oui. Sauf lui, répéta-t-elle en regardant la carte. Si seulement on réussissait à comprendre ses intentions…

— Peut-être qu'il va voler une autre voiture, continua Favalli.

— Mmh… je ne sais pas, ça me semblerait un peu stupide, et lui, il est tout sauf stupide, observa-t-elle, traitant ainsi implicitement son collègue de type stupide.

— Il va prendre un train, le truc le plus anonyme, dit Fusco.

— La police ferroviaire ? demanda Elena à sa subordonnée.

— Je l'ai déjà alertée.

C'est bien, Fusco. Avec toi, je n'ai pas besoin de me perdre dans les détails. Même ce grand artichaut de Pietrantoni s'en sortira, à condition d'arrêter de faire le grand dadais tout *Sturm und Drang*.

(Ce qu'Elena ne savait pas était qu'en ce moment précis, un homme, grand, la boule à zéro, aux traits typiques du Tigréen, après avoir traversé un croisement près d'une pharmacie avec en main du matériel de soins, s'enfonçait dans la nuit de Parme, vers la limite de la ville, on ne sait où. Mais en tout cas par là, tout au fond.)

7

[6:42:13 PM] *augusto.lanza* :   Haile Asfaha Ghebreab.

[6:43:29 PM] *michele.ferraro* :   quoi ?

[6:43:33 PM] *augusto.lanza* :   Appelle-moi. Tout de suite.

8

— L'homme que la commissaire Rinaldi recherche s'appelle Haile Asfaha Ghebreab. Note ce nom.

— Mais toi, comment tu as fait pour…

— Il y a un mandat d'arrêt international qui lui pend, ou plutôt lui pendait au nez.

— Qu'est-ce que ça signifie, "pendait" ?

— Tu veux dire l'origine étymologique ? Ça dérive du latin *pendere* et…

— Lanza, ça je le sais !

— Ah. Tu veux dire la conjugaison ? C'est la troisième personne de l'imparfait.

— Seigneur, Lanza, je n'y arrive pas comme ça, tu comprends ? Je n'arrive pas à te suivre.

— Pour tout t'avouer, je suis à l'arrêt. À moins que tu n'entendes : je n'arriverai pas à te suivre ici en Belgique. Non, ce n'est pas nécessaire, il suffit que tu expliques à la commissaire Rinaldi que…

— Lanza, suffit ! Tais-toi !

— …

— Et maintenant, qu'est-ce que tu fais ? Tu boudes ?

— Non, pourquoi ? Tu m'as dit de me taire et je l'ai fait.

— Mon Dieu, donne-moi la force…

— Quoi ?

— Rien, rien. Écoute, recommençons. Je te demande seulement de ne pas prendre tout ce que je te dis à la lettre. Essaie de sortir du syndrome d'Asperger pendant au moins cinq minutes.

— Je n'ai pas le syndrome d'Asperger.

— Bien, tant mieux. L'important, c'est que tu ne me le fasses pas venir à moi.

— Je ne pourrais pas, même si j'en souffrais, ce n'est pas contagieux.

— Lanza ! Oh là là ! … qu'est-ce que t'en penses, on recommence ?

— D'accord. Recommençons. Haile Asfaha Ghebreab.

— Tu me disais qu'un mandat lui pendait au nez – et je sais très bien ce que ça signifie ! Pourquoi est-ce qu'on ne le cherche plus ? Il était innocent ?

— Non. Il est mort.

— Tu te fous de ma poire ? Locution qui signifie : moquer, tromper, abuser, jouer un tour.

— Je sais ce que ça signifie. Je ne suis pas stupide.

— Ok… excuse-moi si je t'ai vexé.

— Je ne suis pas vexé. Je te mettais simplement au courant de ma lucidité mentale et de la connaissance consciente de mes éventuelles carences de compréhension générale.

— Bon, bon, je me rends, fais de moi ce que tu veux.

— Je souhaiterais que tu écoutes ce que j'ai à dire.

— Dis-le et c'est bon.

— Ghebreab avait été capitaine d'un groupe paramilitaire mercenaire qui a laissé derrière lui de nombreux morts dans différents conflits africains.

— Bon sang. Il est mort comme ça ?

— Il n'est pas mort. Il est vivant.

— Il est mort ou il est vivant ?

— Il est vivant. Mais pour la police internationale, il est mort.

— Quand ?

— Il y a cinq ans. Tué dans le désert libyen, il faisait partie d'une organisation qui s'occupait du trafic de clandestins. En un bref laps de temps, elle s'est effondrée à cause de luttes intestines.

— Eh là, moi, je l'ai déjà entendue, cette histoire !

— Vraiment ? Où ça ?

— Non, non, Lanza… je veux dire… elle ressemble à celle de Gjomarkaj*, c'était quand, il y a six ans, tu te rappelles ?

— Oui, les similitudes sont nombreuses. En fait, je n'ai jamais cru à la mort de Ghebreab, sauf que nous n'avions plus de nouvelles de lui depuis si longtemps…

— Qui "nous" ?

— C'est une longue histoire. Maintenant, ce qui compte, c'est que tu suives l'affaire.

— Je ne la suis pas.

— Je sais. Mais connaissant la commissaire Rinaldi, elle te voudra avec elle dans son équipe.

— Je t'assure que cette fois, tu te trompes. Elena me parle à peine.

* Voir, du même auteur : *La Mort au cœur*, éd. Joëlle Losfeld.

— Vous deviez vous voir ?

— Oui, ce soir. Je lui donne le nom de Ghebreab et on n'en parle plus.

— Vous allez à un concert ?

— Lanza ! !

— Tu savais qu'en réalité les prénoms en Érythrée, ça n'existe pas ? En tout cas comme nous les concevons en Europe…

— Lanza, j'en ai rien à cirer. Moi je transmets tes informations et mon boulot est fait.

— Ah. Très bien. Tu ne veux pas que je t'explique, c'est ça ?

— Non, laisse tomber, ça vaut mieux… plutôt, tant qu'on y est… dis-moi un truc, par curiosité.

— Je t'écoute.

— Mais bordel, c'est quoi, un épervier ?

— Un falconiforme de la famille des accipitridés.

— Ah. Et ça a des moustaches ?

9

Cherchez Haile Asfaha Ghebreab. Comme Zoran. Nous pizza chez Moustapha, table pour 9 h et demie.

14.12.2010 – 19.08   de : Michele

1

Le destin existe et se joue de nous. Le Chaos est un ordre supérieur, à nous incompréhensible, avec ses règles, ses symétries. Comme Zoran, disait le SMS de Michele et Elena avait tout compris. Ce fut précisément avec le cas Gjomarkaj qu'ils s'étaient connus et maintenant, tout semblait se répéter, pour respecter le dessein indéchiffrable que le sort malicieux et pervers réservait à ses pions. *Stop and go.* De la brume des suppositions émergeait enfin le profil d'un homme, trente-neuf ans, natif d'Asmara, en théorie mort, ce qui, à ce point (comme pour Zoran), était décidément peu probable. Les dossiers d'Interpol parlaient d'une armée de mercenaires à la solde du plus offrant. Ceci explique beaucoup de choses, peut-être : les empreintes digitales effacées à l'acide, le mépris de la douleur, l'organisation minutieuse de la fuite, la disparition en territoire étranger. C'est le matériel classique du tueur professionnel : l'anonymat, la cruauté, l'intelligence, la volonté de fer, spartiate, militaire. Si à cela on ajoute les rapports pas encore tout à fait élucidés avec le crime organisé local, le tableau devient de plus en plus inquiétant.

Est-ce que Haile s'enfuyait *vraiment* ? Ou bien : quelle était *exactement* sa destination, sa mission ?

Depuis cinq ans, personne ne savait plus rien de lui. Il était mort. Point. Il s'était reconstruit une identité, Dieu sait à quel prix (documents faux mais très plausibles. Connaissait-il quelqu'un de haut, très haut placé qui le protégeait ?), pourquoi se faire arrêter de cette manière idiote ? Et cela dit : tuer le forain, en prison, était hasardeux, peu professionnel. À moins que ce ne fût cela sa mission. Non. Peu crédible. Il ne pouvait imaginer *avant* qu'*ensuite* cet homme serait arrêté et emprisonné justement à Monza. Ça ne tient pas debout. On aurait dit que, le soir où il avait été arrêté, il avait perdu tout sens commun ; ce bon sens qui l'avait rendu invisible pendant des années, qui l'avait mis *en sommeil,* comme certaines cellules terroristes. Voilà la brume qui devient compacte à nouveau, se fait plus épaisse, à peine on croit avoir saisi le bout de l'écheveau, celui-ci recommence à s'embrouiller. Le voilà, le Chaos qui emmêle notre désir de la lumière, celle qui dissipe les ombres, pour regarder au-delà du brouillard avec un regard limpide. Pour l'instant, Elena devinait au moins qu'un ordre existait, mais elle était frustrée parce qu'elle ne connaissait pas du tout l'équation qui pourrait résoudre les inconnues. Le Chaos triomphait, à un niveau supérieur. Comme toujours.

2

— Fusco, je…

— Allez-y, *dottoressa,* ne vous inquiétez pas, s'il y a du neuf, je vous appelle.

— Je pourrais peut-être lui téléphoner, dit-elle en regardant sa montre mais elle ne vit rien. Au fond, il est un peu tard et…

— Non, vous y serez sans aucun problème.

Elle avait attendu jusqu'à la dernière minute avant de partir pour Milan. Au fond, Fusco avait raison, en quarante minutes, elle arriverait viale Monza, pas de trafic à cette heure. Mais elle perdait du temps, elle tergiversait. Elle avait envie de revoir Michele, bien sûr, mais pas seulement pour des raisons professionnelles ; et c'était justement la raison qui lui faisait craindre le rendez-vous. Chez Moustapha en plus, pas dans une pizzeria quelconque, mais dans *sa* pizzeria à lui, celle où il emmène sa fille quand elle dort chez lui. Pénible. Embarrassant et pénible.

— Dès que j'ai fini avec Ferraro, je reviens et…

— On annonce de la brume pour cette nuit, *dottoressa,* il vaut mieux que vous restiez à Milan.

– Tu te moques de moi ? La brume n'existe plus à Milan.

– Mais ici, oui. Restez en ville, il n'y a pas le feu.

C'est quoi, cette bienveillante malice de ta part, Fusco ? Toi, si peu habituée à sortir des questions professionnelles… D'accord, au fond, c'est justement Michele qui nous a fait nous rencontrer, mais ça ne te donne pas droit à ce genre de clin d'œil. Ou bien c'est moi qui vois et sens des choses qui n'existent pas ?

– Je contrôlerai la météo sur BlackBerry, d'accord ?

– Parfait.

– Parfait.

Mais elle ne bougeait pas.

– À propos, j'ai sollicité de nouveau la Scientifique, comme vous me l'avez demandé.

– Je les supporte pas, ces gens. Il s'est passé presque 48 heures et nous n'avons encore aucun compte rendu détaillé de l'expertise balistique.

– Ils ont beaucoup à faire…

– On a tous du boulot, Fusco ! Comment ça se fait qu'en deux heures, on a eu plus d'informations des polices de la moitié de la planète qu'en deux jours de nos collègues ?

Elle était nerveuse, elle s'accrochait à n'importe quelle polémique pour cacher son trouble. Elle se sentait comme une gamine à son premier rendez-vous galant et ça l'énervait encore plus. Si elle avait été capable de le dire, elle aurait admis qu'elle était dans une fureur noire (mais elle n'osait même pas le penser. L'école catholique avait bien travaillé son surmoi). En somme, passer sa vie à se montrer indépendante et puis avoir la tremblote juste parce qu'elle, elle insistait, *elle* l'avait quitté ! Va, et sois professionnelle, nom de Dieu ("nom de Dieu", on pouvait le dire, c'était un peu fort mais permis).

– Je m'en occupe, dit Fusco en contrôlant l'heure. Mais maintenant, allez-y sinon, il va se faire tard.

– Alors, j'y vais.

– Allez-y. Je suis certaine que Ferraro vous aidera.

Comment ça ? Elle se moque de moi ? Elle est en train de me dire que je ne suis qu'une femme ? Une retardataire ? Eh oh, les gamins sont fous de moi, ça va ?

— Qu'est-ce que tu veux dire ? demanda-t-elle d'une voix faible et soupçonneuse.

— Ferraro est un policier bizarre. Brouillon et bordélique. Mais il a du flair. Ou peut-être de la chance, qui sait. Moi, il m'a beaucoup appris.

Tu es vraiment méchante, Elena, Fusco est une brave fille et tu devrais avoir honte de tes mauvaises pensées.

Elle monta en voiture. La succession des lampadaires de la route jaunissait la nuit, en rythme.

3

Ce ne fut pas simple, pour tous les deux, mais ce fut professionnel. Moustapha lui-même se tint à l'écart, évitant l'habituelle cordialité qui tend, chez lui, à être envahissante. Il prit les commandes, margherita pour Elena, jambon et champignons pour Michele. Prévisibles. Il aurait même pu éviter de demander, certains clients, on sait déjà ce qu'ils veulent quand on les voit pour la première fois. Michele, en plus, était pratiquement chez lui, même si ces derniers temps, il s'était fait rare, presque toujours accompagné seulement de sa fille (qu'est-ce qu'elle est mignonne, Giulia, tellement comme il faut). Il apporta l'eau plate pour la femme et la bière pour l'homme, puis réapparut avec les pizzas fumantes et disparut aussitôt comme par enchantement. Ce deux-là avaient quelque chose à se dire d'important et un bon pizzaïolo sait quand il doit se tenir à l'écart. Ils parlèrent. De travail, rien d'autre. Elena trouva aussi le temps de s'informer sur les développements de l'affaire de Michele, sur l'arrestation effectuée dans l'après-midi. Puis ils se concentrèrent sur Ghebreab. Mais ne l'appelons pas comme ça, demanda Elena, qui, à force de dire Moundou avait presque du mal à changer son nom (en réalité les prénoms, en Érythrée, n'existent pas, avait dit Lanza). Haile, c'était encore le mieux. Aucun des deux ne se laissa aller à des clins d'œil ou à des gentillesses, tout dans la bonne norme, urbains et bien éduqués.

Et alors, pourquoi éprouvaient-ils un malaise ? Pourquoi, nonobstant le soin qu'ils mettaient à éviter de se fixer, se sentaient-ils scrutés, observés non seulement par leurs regards mais même par ceux des autre clients ? Personne ne leur prêtait attention, la majorité regardait l'écran où était retransmis Dieu sait quel match (jamais eu la passion du foot), et pourtant eux deux à leur table avaient la certitude paranoïaque que tout le monde les observait, qu'on analysait chacun de leurs mouvements, de leurs embarras. Moustapha les regardait, le pizzaïolo chinois aussi, la grosse à la caisse aussi. Tous. Même le joueur en short sur l'écran, les clients qui entraient et sortaient du restaurant, les passants sur le trottoir de viale Monza, le quartier, la ville tout entière. En attente. Le destin existe et joue avec nous. Le destin savait bien que ça finirait comme ça, inutile de ramer à contre-courant. Elena en était certaine, dès le premier instant où elle avait entendu de nouveau la voix de Michele au téléphone. Ils étaient là parce qu'ils devaient y être. Peut-être est-ce pour cela qu'ils n'avaient pas opposé de résistance aux événements ? Que naturellement, sans effort, ils s'étaient retrouvés chez Michele, dans son nouvel appartement, pardon pour le désordre, je n'attendais pas de visite ? C'était comme de suivre un scénario décidé à l'avance, bien avant qu'eux-mêmes aient pu l'imaginer, comme si quelqu'un d'en haut savait, un narrateur cruel, un marionnettiste bizarre, un inévitable passage délicat. Donc interprétons nos rôles, avec professionnalisme et ce qu'il faut de participation exigée par les événements, comme si on allait à l'échafaud, en se déshabillant avec calme, sans s'arracher les vêtements, sans la passion de deux inconnus qui se volent le sexe, ni la tristesse de qui le fait par métier.

Ils se retrouvèrent donc au lit, reconnaissant chacun le corps de l'autre, comme quand on rend visite à un vieil ami qu'on n'a pas vu depuis des années et qu'on le retrouve identique à ce qu'il était dans le souvenir. (Tels sont les mensonges de la mémoire qui efface les rides et les cheveux blancs, sa manière d'annuler le temps, les années, la peur de la mort.) C'est ainsi qu'ils se sentaient : retrouvés. Sans avoir besoin de se mettre à l'épreuve, comme des paons hautains, exagérant leurs postures, affectant des soupirs ; se reconnaître sans rien demander, tirer sa force de sa solitude. Renouveler les habitudes du corps, les mouvements usés, les pauses, les excès. En silence, presque, honteux. Sans se le dire jamais, mais en se le demandant sans cesse : pourquoi on fait ça ? Quel besoin de se retrouver dans ce lit ? On ne le fait pas seulement pour le sexe, ce serait minable, ce serait une défaite, mais on ne va pas dire, ce serait encore plus minable, qu'on le fait par amour. Pourquoi le faire alors ?

Peut-être par affection.

4

C'est là qu'à l'improviste, l'Apennin semble commencer sans demander la permission à personne, et moins encore à la plaine ravagée par le ciment et l'asphalte. Près, tout près, une forteresse s'arrime à une roche volcanique qui semble encore chaude et chtonienne, abysse tellurique qui se fait excroissance statique et en se saupoudrant de l'humus padan, tourne le regard vers le soleil du Sud. Là s'agrippent, uniques sous ces latitudes, des milliers de figuiers de barbarie nains, farce microclimatique, annonce de la Méditerranée profonde en réalité bien loin d'arriver. Quoiqu'en y faisant bien attention, l'air de la mer, déjà, s'insinue certains mois dans la vallée et sucre les cuisses succulentes du verrat qui, clémentes et patientes, attendent dans leurs séchoirs de se faire en temps voulu jambons gourmands, ici, dans les terres de la comtesse Mathilde de Toscane. Du donjon de Rossena, il suffit d'un coup d'œil pour voir la roche calcaire de Canossa s'émietter de jour en jour, depuis des siècles. Et ça vaudrait la peine d'y aller, de changer de route, d'abandonner la provinciale, de longer les calanques – griffures de fauve démesuré qui déchirent les crêtes, les rendent tragiques et lunaires – et de monter marche à marche, comme l'ancien empereur du Moyen Âge*

---

* Allusion à ce 28 janvier 1077 où l'empereur germanique Henri IV serait venu demander pieds nus dans la neige la levée de son excommuni-

qui claquait des dents de froid pour satisfaire un caprice papal, et d'atteindre les ruines pour expier la faute d'être encore vivant malgré tout.

Haile connaît l'histoire, son jeune maître la lui avait racontée quand, enfant, il fréquentait l'école italienne d'Asmara (où il était le meilleur et plus prometteur des élèves de ce garçon de Padoue enthousiasmé par son premier poste et qui maintenant est un homme fatigué bientôt à la retraite). Il aurait fait ça vraiment, dévier, se perdre en route, aller à la dérive, abandonner son but, maintenant qu'il était si près du lieu des récits légendaires de son enfance. Mais son destin est tout autre, tout autre son devoir.

Il attend donc, taciturne, le lever du soleil, gelé comme Henri IV, assis sous l'abri du bus local qui doit longer l'Enza et le transporter vers le golfe. Il y a un temps pour la paix et un temps pour la guerre. Un poète que son maître lui avait fait connaître enfant lui rappelait que le bonheur n'est qu'une pause entre deux douleurs. Sa paix est terminée, il doit recommencer à combattre. Il attend donc, recroquevillé sur le banc par la douleur et le froid glacial. De temps en temps, il lève le regard vers la plaine. Puis redresse la colonne vertébrale, se touche le flanc avec des grimaces sans équivoque. Quelques lueurs le dépassent, un va-et-vient de fourgonnettes, de voitures, de tracteurs. L'Italie qui ouvre les yeux et va travailler dans les champs, dans les usines, dans les chantiers. Une autre grimace. Il touche son épaule endolorie, puis écarte son sweat-shirt pour l'examiner : il observe avec attention le pansement qui l'entoure. Le soleil, il le voit arriver de Modène, de la plaine. Enfin, le bus arrive. Haile se lève.

5

Comme il était couché sur le dos, la fastueuse érection matinale de Ferraro produisait en soulevant le drap une

---

cation au pape Grégoire VII séjournant chez la comtesse Mathilde, au château de Canossa : d'où l'expression "aller à Canossa".

bizarre tente canadienne qui, au fond, l'enorgueillissait et dans son cœur le rassurait sur sa virilité pas encore menacée par les années. C'était la pourriture fétide produite par sa cavité orale qui l'avait plongé dans l'angoisse, et donc dans l'incapacité de décider s'il devait se produire dans une approche sabre au clair, vaille que vaille – étant donné le triomphe pelvien à ne pas sous-évaluer, aidé comme il l'était, si banalement, par la physiologie masculine –, ou s'il devait s'esbigner en douce vers la salle de bains pour effectuer les nécessaires gargarismes purgatifs et tant qu'il y était dégonfler la vessie de l'inutile fardeau ambré, conscient, avec cela, que la somptueuse érection susmentionnée s'écrirait au passé composé. Certes, il y avait l'option orale. Mais il n'est pas simple de demander à une femme de vous sucer parce que vous avez mauvaise haleine, ce n'est pas la plus élégante des avances* amoureuses. Même si, inutile de le nier : qu'y a-t-il de plus souhaitable pour un bon réveil que d'observer avec satisfaction, étendu sur le dos, le travail affectueux des lèvres d'autrui sur son propre corrélatif objectif ?

C'est le réveil qui s'occupa d'anéantir les pulsions machistes de Ferraro ; infantile et allègre, du fond de sa cachette, il annonçait comme une fête le surgissement du soleil. Imprononçables sont les mots et les concepts articulés par l'esprit de cet homme tandis qu'il observait la femme avec laquelle il avait partagé sa couche, qui s'éveillait en sursaut (voilà ce qu'il avait oublié : la rapidité opératoire d'Elena de bon matin, son contraire spéculaire) et se dirigeait sans pudeur, seulement vêtue d'un léger tricot de corps, vers la source sonore.

— Mais où il est ? demanda-t-elle, à la recherche du réveil perdu.

— Essaie sous l'armoire, répondit le malheureux.

Elle disparut :

— Le voilà !

Réapparut :

— Que c'est mignon ! dit-elle en observant le bourreau sonore.

Elle l'éteignit.

– C'est un cadeau de Giulia.

Tous deux restèrent comme ça, bras ballants, dans l'attente de décider s'ils allaient vaincre l'embarras et copuler à nouveau comme des bonobos en chaleur ou bien accepter les bonnes règles de la vie civilisée et couvrir leurs parties honteuses.

– Michele, je…

– Chhhut… ne dis rien.

Peut-être que la magie n'était pas rompue. Il suffisait de ne pas l'embrasser sur la bouche. Coups de langue, suçons, bisous dans le cou, tripotage poussé, pas d'haleine au visage.

Ça peut se faire.

Non.

Juste parce que Dieu existe – et qu'il nous hait –, c'était maintenant le portable qui lançait des trilles.

C'est le Destin, pensa Elena. Quel manque de bol ! rumina Michele en se lançant vers la table de nuit. Il regarda le nom du correspondant. Merde ! fut son chuchotement avant de répondre.

– Bonjour, Francesca… qu'est-ce qui se passe ?

Un froid glacial descendit dans la pièce, Elena fouilla les lieux à la recherche de ses vêtements. Dépêchons-nous, sortons de ce vaudeville. Une douche, il me faut une douche. Son portable à son tour sonna, car la vie est bel et bien une comédie, malgré nous. C'était Fusco. Elena posa le réveil sur la table de nuit, prit son portable et se dirigea vers la salle de bains, moitié pour ne pas déranger, moitié pour ne pas être dérangée.

6

– Bonjour, Francesca… qu'est-ce qui se passe ?

Il parlait et voyait le visage d'Elena s'éteindre. La vie est un bordel sans logique, avait-il toujours pensé. Aujourd'hui, ça lui semblait plus que ça : une bouffonnerie.

– Mic, excuse-moi pour l'heure, mais je pars au bureau et puis je sais qu'après j'aurais pas trouvé le temps, répondit son ex-femme, sur un ton vaguement excité.

– Je t'écoute, dit-il, assis, tandis qu'il cherchait ses pantoufles.

– Je t'ai réveillé ?

– Ne t'inquiète pas… il s'est passé quelque chose ?

– Fusco.

Comme ça, sèche.

– *Dottoressa*, pardon pour l'heure.

Le ton de quelqu'un qui n'a pas fermé l'œil.

– Dis-moi donc.

Entre-temps, elle s'était repliée dans la salle de bains. Il n'a même pas de baignoire et ça fait combien de temps qu'il ne nettoie pas les sanitaires ? Elle s'appuya au coin de la cabine de douche. Puis jeta un coup d'œil vers le bidet.

– Vous comprenez, ça m'a paru important et alors…

– Fusco, au fait, pas de salamalecs.

– Je voulais te dire que Giulia, bon, hier soir…

On aurait dit qu'elle cherchait ses mots, avec un embarras qu'il ne lui connaissait pas.

– Qu'est-ce qui est arrivé à Giulia ?

– Calme-toi ! Laisse-moi parler.

Voilà, ça c'est la Francesca que je connais !

– Ok. Je t'écoute.

Où est passé mon caleçon, merde ? Il ne manquerait plus qu'Elena revienne et me trouve en train de parler avec mon ex les roustons à l'air.

– Hier, bon, elle a eu la ménarche.

– La… ména… mais je…

– Nous sommes en train de reconstituer les déplacements de Ghebreab.

– Haile, ça ira plus vite.

Ce nom, au moins, semble sûr. Il se faisait appeler comme ça en prison, aussi. Peut-être qu'il s'y est attaché. C'est un nom important, au fond, celui d'un empereur.

— Il a fait des achats à la pharmacie de San Polo d'Enza.

Elle avait été dans le coin il y a des années, à une dégustation de jambons avec Massimo. S'il voyait maintenant, ici, le mal que je me donne.

— Sur les terres de Mathilde.

— Quoi ?

— Mic, tu es là ? Je ne t'entends plus ?

— Oui, bon…

Mais putain, c'est quoi, la ménarche ?

— Je ne sais pas, c'est un truc grave ?

— Bon sang de bois, Michele, la ménarche ! C'est pas une maladie ! Elle a eu ses trucs, ses premières règles, comment je dois te le dire ? Je te fais un dessin ? Je t'envoie un mail ?

Mais c'est quoi, cette passion pour les termes scientifiques ? Qui a jamais entendu ce mot, je suis un homme, bon sang de bois, qu'est-ce que j'en sais, moi ? C'est quoi ce besoin désespéré d'exactitude ? On ne peut pas dire les choses d'une manière plus terre à terre ?

— Ah… merde… ses… ses règles… mais… ce n'est pas un peu… tôt ?

— Rien, continue.

Elle s'était assise sur le bidet.

— Qu'est-ce qu'il a acheté ?

De la main gauche, elle tenait le téléphone, de l'autre, elle se rinçait les parties intimes (c'est ainsi qu'elle les appelait, même pour elle-même).

— Du matériel de soin, des trucs de ce genre.

— Il est seul, en fuite.

Elle ferma le robinet.

— Sinon, ce ne serait pas logique de montrer son visage au pharmacien. Il sait qu'on le pourchasse. Comment a-t-il payé ?

Au moins la serviette est propre, heureusement, j'ai de la chance.

— En liquide. Mais il n'a plus d'argent.

— Comment tu le sais ?

— Tu plaisantes ? lui dit-elle en riant. Elle a douze ans ! À moi aussi, elles me sont venues à cet âge. En tout cas, je te le dis parce que c'est normal que tu le saches, tu sais, si ces jours-ci vous vous voyez…

— Qu'est-ce que je dois faire ?

En somme, qu'est-ce que tu fais avec ta fille, celle que tu voudrais ne jamais voir grandir, qu'elle reste pour toujours l'amour de son papa ? Il était paniqué. Bientôt, elle s'en foutra de toi, pensa-t-il, voilà la vérité, elle rencontrera un con quelconque avec un piercing dans le nez qui te l'enlèvera. Mais il y avait une autre pensée, plus secrète et inconfessable : quelqu'un va la baiser, peut-être ici, justement sur ce lit où tu faisais le petit coq viril il y a quelques minutes !

— Rien, rien, d'accord ? Ne va pas faire la fête ou des cadeaux idiots, il faut de la sensibilité pour ce genre de choses… Après, si elle veut t'en parler…

— La dépense était autour de 90 euros, dit Fusco en bâillant. Considérons qu'il a acheté aussi quelque chose à manger. Mais il n'y a pas que ça.

Elle tombe de sommeil, la petite. Moi, je suis là, à chercher la chaleur d'un homme qui est collé au téléphone avec son ex et elle, pauvre fille, qui a l'âge de s'amuser, elle fait le travail que je devrais faire moi.

— Quoi ?

— Il a acheté sur un guichet automatique un billet sur une ligne privée d'autobus. Avec la carte de crédit.

Personne ne bouge. Pas de douche, pas le temps. Je me lave les aisselles et le cou.

— Quoi ? Et il va où ?

— Mais je dois faire semblant de ne pas savoir ou bien…

Donne-moi un coup de main, vu que je suis plus embarrassé que toi. Ma fille, tu te rends compte ? Maintenant, je sors acheter une burqa !

— Noooon… c'est elle qui m'a dit de t'appeler.

Je ne les comprendrai jamais, les femmes, pensait-il, en passant son caleçon. Ou peut-être que je n'ai jamais voulu les comprendre, peut-être que ça me va comme ça. Il se leva, pensif, et se dirigea vers la salle de bains, comme il faisait d'habitude.

— Et pourquoi elle n'a…

— Mic, je me rends compte que tu ne peux pas le comprendre, au fond, tu es un homme… mais Giulia veut que tu le saches et en même temps, elle ne veut pas que tu te comportes comme si tu le savais.

— La Spezia.

Elle avait mis le haut-parleur et tout en écoutant, savonnait et se rinçait abondamment les aisselles et le cou.

— Il faut alerter la police de la route, trouver les horaires des bus, voir si nous allons arriver à le rejoindre, à le bloquer.

Il faut foncer. Mais Fusco ne me suffit pas. Avec Favalli et Pietrantoni, le moteur cale trop souvent. Il faut changer de stratégie et de jeu d'équipe.

— Les collègues de La Spezia sont déjà sur les traces du bus, il devrait arriver d'un moment à l'autre en ville.

— Excellent travail, Fusco. Tiens-moi au courant de tout. J'arrive tout de suite.

Elle ouvrit la porte avec vigueur, tirant vers elle la main de Ferraro qui une seconde avant avait saisi la poignée. L'homme eut peur, comme s'il avait complètement oublié sa présence. Ils sourirent tous les deux puis elle l'entendit dire un solitaire "salut, on se rappelle" et elle le vit couper la communication.

— Si je te dis ce que… essaya de dire Ferraro mais Elena le fit taire d'un geste.

— Pas de douche, Michele.

— Quoi ?

— Tu viens avec moi. Maintenant. Je te veux dans mon affaire.

Ce n'était pas Elena qui parlait, mais la commissaire Rinaldi. Difficile de la contredire.

— Tu plaisantes ? Qui va lui dire, à De Matteis ?

— Moi.

7

Bon, je veux bien qu'elle soit du genre convaincant mais, bon sang, De Matteis pouvait quand même résister un peu plus ! Ils fonçaient en voiture, dans une course folle vers Lodi et Ferraro n'en croyait pas ses oreilles tandis que dans le haut-parleur du portable d'Elena, De Matteis se montrait bienveillant, un peu soumis, même, tout en complaisance et serviabilité, il comprenait les exigences de sa collègue, il faut collaborer entre départements du même corps, le bien suprême est plus important que les exigences d'un seul commissariat, la bête sanguinaire ne pouvait pas errer en toute impunité dans la Botte, bien sûr, Comaschi allait traiter l'affaire milanaise sans l'aide de Ferraro, et toutes ces simagrées de héros sauveurs de la patrie. On aurait presque dit qu'il voulait se débarrasser de lui, voilà la vérité. Ça éveillait ses soupçons, toute cette disponibilité aux flatteries de la collègue signifiait une vengeance à son retour à Milan. Son chef ne donnait rien comme ça, gratis, la générosité et la synergie entre collègues, tu parles, où était le piège ?

— Tu pourrais aller un peu moins vite ?

Elena conduisait aux limites du Code de la route. Celui de Mars, où il est interdit de dépasser les 180 kilomètres-heure.

— Pas le temps. S'il y a des bouchons sur la voie rapide, on risque de ne jamais arriver.

— Je te promets de tenir la *paletta** au-dehors pendant tout le voyage, mais je t'en prie, ralentis.

---

* Il s'agit de la plaque ronde et rouge bordée de blanc que les policiers brandissent au-dessus de la glace baissée pour intimer par gestes aux automobilistes l'ordre de s'écarter, le tout en complément de la sirène.

La commissaire leva le pied. Ils étaient revenus aux limitations terrestres. Il y eut quelques minutes de silence absolu. Chacun à penser à ses propres affaires, celles qu'ils avaient laissées en suspens, qu'ils avaient tues. Ce n'était pas non plus de l'embarras, mais une sorte de transe : pensées errantes, incohérentes, associations mentales hasardeuses, fragments de mélodie qui se répétaient, comme si l'enregistrement était planté, à la recherche de la note manquante, celle qui résout l'accord et fait passer au refrain. Puis au sud apparurent les *marcite*, les cultures irriguées de la terre padane. Le fleuve des exosquelettes métalliques qui s'embouteillaient dans l'autre sens, vers la métropole, faisait peur ; au moins, les deux flics l'abandonnaient, sinon ils se seraient retrouvés dans la même mer de tristesse, de fatigue, de sueur, de sommeil.

La sonnerie du portable de Ferraro redonna un panorama acoustique à l'habitacle. C'était Comaschi.

— Je t'écoute, répondit-il, absent.

— Mais qu'est-ce que tu fais, bordel, tu poses des lapins ?

Ferraro essaya de se donner une contenance :

— Écoute, c'est une longue histoire.

— Oui, oui, bien sûr… ce bouffon de De Matteis me l'a déjà racontée. Tu pouvais quand même me passer un coup de fil, non ?

— Excuse-moi, mais tout s'est passé très vite. Si j'avais su…

— Oui, oui, et si ma tante en avait, ce serait mon oncle.

Putain, il était furibond comme une hyène rieuse !

— Qu'est-ce que t'as, tu souffres de solitude ?

Elena se tourna vers lui, sa curiosité éveillée. Ferraro mit une main sur le récepteur.

— C'est Comaschi, sentit-il le besoin de lui dire, pour le cas où elle aurait pensé à quelqu'un d'autre.

Quelqu'une d'autre pour la précision. (Et puis pourquoi devait-il se justifier auprès d'elle ? C'est quoi ces embarras ?)

— À moi, tu vas pas la raconter… dit Comaschi en prenant un autre ton, moins furieux. Dis-moi la vérité. Tu l'as baisée ?

— Comaschi !

Juste histoire d'insister.

— Eh ben ? Qu'est-ce que je t'ai demandé de mal ?

186

— Arrête.

— Eh oh, qu'est-ce qui se pa... ah, j'y suis... elle est là, à côté, pas vrai ?

— Exact.

— Tu ne peux pas répondre, j'ai compris... juste oui ou non, c'est ça ?

— C'est ça.

— Tu l'as baisée ?

Pourquoi est-ce que nous sommes si grossiers, nous autres mâles, si prévisibles ?

— Ça ne te regarde pas.

— Ok, tu l'as baisée... elle t'a sucé ?

— Maintenant, je vais m'énerver, d'accord ?

Elena le regarda de nouveau. Ferraro fit tournoyer son index disposé horizontalement, vissant l'air, comme pour dire qu'il expliquerait tout après. (Oui, mais quoi ? Quelle situation démente !)

— T'es chiant, tu me donnes jamais satisfaction ! Tu sais pourtant que je mène une vie ennuyeuse, pas comme la tienne pleine d'aventures.

— Viens-en au fait.

— Oui, oui... *a chi vuo' fa fess'*, tu veux te foutre de la gueule de qui ?

— Ton napolitain est nul.

— Presque comme celui que nous avons arrêté. Un petit plouc du Sud comme toi.

Inutile d'expliquer à Comaschi que Ferraro était né et avait grandi à Milan. Pour qui a des quartiers de noblesse padane certifiés par diverses générations, être fils de méridionaux faisait de toi, dès le début, un méridional. Parce que, au fond, on sait : à partir de la Porta Cicca, *in giò hinn tücc' terun*, en-dessous, c'est tous des ploucs du Sud.

— Il a parlé ?

— Muet comme une carpe. Mais moi je le fais mijoter au frais, ce qui, à y réfléchir, est une contradiction dans les termes, ou tu mijotes, ou t'es au frais, pas vrai ?

— Mais t'as rien d'autre à faire que de balancer des conneries ?

– J'ai donné un coup d'œil à son casier, l'imprimante a fait des heures supplémentaires avec ce type. Que des trucs minables, toujours en va-et-vient entre le violon et dehors.

– Le complice parfait pour un braquage, en somme.

– Je vais te le pressurer moi, t'es content ? Comme ça, quand tu reviendras, tu trouveras le boulot tout fait.

– T'es un pote.

– Mais toi, dis à la commissaire Rinaldi de ramener une amie, la prochaine fois, comme ça on se fait une belle petite partouze.

– T'es un couillon !

– Faudrait savoir, je suis un pote ou un couillon ?

– T'es un pote couillon.

Lodi, là, au fond, se montrait somnolente, comme une ménagère en robe de chambre et bigoudis qui sort la poubelle de bon matin.

8

Le front nuageux avance sur la ville, gris ciment, déversement fangeux dans le ciel ; plombé, il a dépassé les montagnes, gagnant le golfe. Il semble déterminé à effacer l'azur de la voûte, à couper le souffle, à comprimer les esprits, à les faire souffrir.

Le maillage logique des rues de La Spezia accueille le fleuve automobile en entrée. Le voilà : le bus qui traverse les gorges des Apennins a atteint la mer. Repéré dès les limites de la Lunigiana, on l'a toutefois, sur ordres supérieurs, laissé continuer tranquillement vers la station de correspondances, observé à bonne distance par une voiture de patrouille banalisée plongée dans la circulation. Une laisse optique de bonne longueur, qui mime la liberté de mouvement, prête à être serrée à la gorge au bon moment. Nul ne peut descendre sans être identifié, tel est l'impératif, personne ne doit échapper à la loi. Mais évitons les réactions irréfléchies, la panique, évitons d'effrayer les passagers, nos bien-aimés concitoyens dont la sécurité est sans conteste notre principal objectif.

Le gros animal, ignorant ce qui se trame, se gare. Sur le quai ils descendent, ils se pressent, innocents et sans défense. Les gardiens de l'ordre les comptent, comme s'ils passaient le portail d'un enclos, vers leur destination diurne. Quelques hommes de la police de la route remarquent des groupes d'immigrés, ils s'approchent, circonspects, demandent les papiers. Comme d'habitude, les maçons, les artisans, les marchands ambulants, extraient de leurs portefeuilles le rectangle de papier légal qui les tient en vie, honnêtes et modestes. Des femmes à la peau châtaigne, d'âges divers, s'éloignent du véhicule. Les gardiens de la démocratie ne s'attardent pas sur elles : ce sont des aides à domicile, des marchandes ambulantes, des étudiantes aussi, si rare que cela paraisse.

Mais rien. Personne ne ressemble à la reproduction envoyée par le siège de Lodi, l'inutile photographie pâlie qui fait geler les doigts de ceux qui la tiennent en mains pour la confronter à ceux qui passent devant leurs yeux. Ils demandent, pour être sûrs et respecter la procédure, mais ils savent que personne ne sait rien, personne n'a vu personne. Il est déjà difficile de survivre dans le silence et dans la culpabilité d'exister, là, désagréables aux yeux de tous, mieux vaut éviter les compromissions.

Ainsi, il ne reste plus qu'à monter, à entrer dans le ventre de la bête métallique, parler avec celui qui la gouverne, tandis que d'autres collègues de mission se chargent de passer de rangée en rangée, en s'abaissant aussi pour regarder sous les sièges couverts de toile déchirée, pour observer, scruter, prendre des notes, en espérant un coup de chance. Le chauffeur met ses lunettes pour mieux scruter la photo, puis les retire quand il parle aux policiers. Il ne sait que dire et le dit. Vous avez une idée, vous, du nombre de personnes qui monte, du nombre qui descend ? Lui, il transporte les corps et les âmes qui leur sont connectées, mais sans implications émotives. C'est de la bonne santé de la grosse bête qu'il doit s'occuper, son unique intérêt, rapport symbiotique à donner et à avoir. Ce visage ne lui rappelle rien. Ils sont tous pareils durant le premier trajet du matin, il n'y a même pas de distinction de race, de couleur, de vêtement. Tous enfants de la même condamnation, exactement comme ceux qui maintenant l'interrogent. Et en fait, ils le comprennent, frustrés mais d'une manière justement modérée. Au fond, ce n'est pas à eux de défaire les nœuds ; au maximum, ils doivent faire un rapport à qui en sait plus et qui voit plus loin. Ils saluent du tranchant de la main sur la visière et s'en vont, conscients d'une seule chose : l'inconnu qu'ils devaient arrêter, le criminel enfui de manière romanesque de la prison, le personnage duquel plus d'un journal parle ce matin, l'homme figurant sur la photo accrochée désormais dans tous les commissariats de la nation, le protagoniste de doctes élucubrations télévisées commises par des criminologues photogéniques, lui, en somme, Haile, a disparu dans le néant.

1

Il lui faut deux heures pour atteindre la ville à pied. Maintenant, il pleut, cette pluie qui semble de l'humidité condensée plutôt qu'une simple chute de gouttes, comme si le ciel promettait sans jamais tenir, infini hors-d'œuvre d'un dîner inexistant ; la capuche sur le crâne rasé ne paraît donc pas une manière de fuir les regards, mais une tenue adéquate dans cette situation. Il n'était jamais allé à La Spezia, mais il la reconnaît. L'Italie appartient à son paysage intérieur, il la connaissait avant même d'y avoir été. Il passe piazza Giuseppe Verdi et lève les yeux sur l'horloge de la tour du Palais des Postes. Il est encore tôt, pense-t-il. Il reste là, à observer l'édifice. Il pourrait être sur la Harnet Avenue, pense-t-il fugitivement.

Avant l'indépendance, tout le monde l'appelait Kombishtato, avant encore, elle s'appelait avenue Mussolini, lui racontait le grand-père Ghebreab quand ils vivaient encore à Haz-Haz, juste à la sortie du centre d'Asmara, dans les *agdò* offerts par le régime fasciste, aux fidèles *ascari** après la conquête de l'Abyssinie. Le grand-père aimait parler, le petit Haile, écouter. J'ai combattu avec le *Cummandar es Sciaitan*, se vantait le vieux Ghebreab, avec le "Commandant Diable". Les fascistes appelaient nos maisons *tucul*, comme les Soudanais, peut-être parce que pour eux les Africains étaient tous pareils, parlaient la même langue, avaient les mêmes habitudes, c'est parce qu'ils ne savaient rien de nous, et, tu sais, avec les années, j'ai compris que beaucoup de ces soldats ne savaient rien non plus sur eux-mêmes ; ce dont je suis

---

* Nom des troupes indigènes de l'empire colonial italien.

certain, c'est qu'ils savaient être méchants, j'ai vu brutaliser, torturer et empaler durant la guerre d'Abyssinie, mais ne crois pas que les Éthiopiens ou, pire, les Anglais, étaient plus gentils. Et pourtant le Cummandar es Sciaitan était différent. J'étais spahi à Agordat, avant la chute d'Asmara : nous tombions comme des mouches, comme des feuilles d'automne. Que d'héroïsme inutile, assaillir les colonnes blindées anglaises avec la cavalerie. Je suis resté avec Amedeo Guillet, même après, parce que moi je sais ce qu'est l'honneur. Nous étions tigréens, tigrés, sahos, namas, kunamas, afars, yéménites même, orthodoxes, catholiques, musulmans, animistes... nous avions une dette d'honneur envers le Cummandar. Mais aussi envers l'Italie. Ils nous ont donné un nom, ils ont fait de nous un peuple. Ethnies, langues, religions, gens des hauts plateaux, du désert ou de la côte. Érythréens depuis que les Italiens nous ont appelés ainsi. J'étais un enfant quand j'ai commencé à travailler dans les chantiers d'Asmara. Les Italiens étaient encore peu nombreux, puis ils arrivèrent comme des essaims de libellules pour donner forme à notre ville. Regarde-la, comme elle est belle notre capitale. Une petite Rome.

Peut-être était-ce aussi le subside annuel que Ghebreab retirait en ville, celui que lui envoyait le gouvernement italien (à présent républicain et antifasciste), qui le rendait si fidèle à la cause (monarchiste et fasciste). Quand il passait sur la Nakfa Avenue et qu'il rencontrait un des rares Italiens présents – toujours plus rares avec les années, jusqu'à leur disparition totale –, il ne manquait jamais de le saluer, d'abord en levant le bras et puis juste après, en lui tendant la main ; ou peut-être était-ce la nostalgie de la jeunesse à présent fanée, qui réussit à faire des souvenirs d'un peuple envahisseur et d'une guerre impérialiste quelque chose comme une aquarelle délavée représentant seulement l'héroïsme et les jeunes années, un printemps de beauté.

Haile se rappelle parfaitement quand, de Haz-Haz, il descendit pour la première fois dans la ville, que jusqu'à ce moment il n'avait vue que d'en haut, comme une étendue indistincte de maisons avec quelques rares et informes exceptions colorées. Il marchait avec sa mère sur la terre rouge qui, impertinente et grossière, souillait de poussière pourpre ses premières sandales, toutes neuves, à lui marmot d'à peine six ans. Ils allaient voir une tante, Tsega, sœur de son père, qui accouchait chez elle. Ils traversèrent tout le centre habité, du nord au sud et Haile avait l'impression d'avancer dans une cité enchantée. Pendant des années, il crut que toutes les villes de l'Érythrée, non, de l'Afrique, du monde entier, étaient faites de longues avenues aérées pleines de gens qui bavardent aux tables des bars, en dégustant leur café ou en buvant du *gingerino*.

Ils étaient presque arrivés quand il entendit pousser un youyou à sept reprises. Un garçon pensa-t-il, si ça avait été trois hurlements seulement, c'était une fille. Qui sait comment on l'appellerait, son cousin, il était né la veille, ils devaient attendre encore une semaine avant de le sortir de la maison pour le présenter aux parents et amis. La mère restée sur le seuil de la maison cria, joyeuse : "*Inkuà Mariam anzia-tiky.*" Des femmes leur offrirent une portion de *ghat*, sa mère en mangea à peine et laissa Haile terminer sa polenta ; il le fit non pas tant par voracité que parce qu'il n'avait rien à faire. L'enfant s'ennuyait à mort, Haile s'en rappelle encore. Les femmes parlaient entre elles, les hommes, autour d'une table, buvaient du café épicé et se donnaient des claques sur l'épaule. Un autre groupe de femmes arriva ; à l'instant où l'une d'elle hurlait depuis le seuil "*haros ambesa*", l'enfant décida de se dérober au regard maternel et de se faire un petit tour de quartier, de toute façon la "lionne qui venait juste d'accoucher" ignorait même sa présence, elle n'allait certes pas se vexer. Puis il vit cet oiseau de ciment blanc, aux ailes déployées, prêt à prendre son envol. Qu'est-ce que c'était, sinon un palais magique ? Il y avait une inscription, en amharique, mais Haile ne savait pas encore lire. Il revit bien des fois, au cours des années, le Fiat Tagliero mais l'émotion de la première fois, il ne l'oublia jamais. De même il retourna à d'innombrables reprises en ville, souvent pour accompagner son vieux grand-père au cinéma Roma – que lui, nostalgique, continuait à appeler Excelsior – ou pour boire une *Asmara lager beer* au bar du cinéma Impero. Là, alors, Haile l'abandonnait à ses vieux amis et trottinait sur le Kombishtato jusqu'à la cathédrale catholique de San Francesco, toute en briques rouges. Une fois, il trouva aussi le moyen de monter dans le clocher pour embrasser du regard toute la ville : là-bas la mosquée, là-derrière, la synagogue, de ce côté, la cathédrale orthodoxe tewahedo.

Nous sommes miaphysites, mon fils, lui rappelait sa mère chaque fois qu'elle le surprenait à traîner autour de la cathédrale catholique, nous croyons en l'unicité de Jésus-Christ, divin et humain, nous vénérons l'Arche d'Alliance, conservée dans l'église de Notre-Dame de Sion, ne va pas dans cette église, ça ne te concerne pas. Elle ne le disait pas avec intolérance, mais par respect pour la religion des autres et pour la sienne. Mais Haile n'était pas intéressé par les complexes et millénaires questions conciliaires entre obédiences chrétiennes. Il aimait le clocher, il aimait voir Asmara, son monde, de là-haut.

Sa mère s'appelait Mirfet, "tu as le nom d'une princesse", la taquinait son mari. C'était une femme simple et religieuse, toujours enveloppée dans la très légère fouta de dentelle immaculée. Un jour, devant la cathédrale orthodoxe, après qu'elle eut prié avec de légers coups de tête contre le montant du portail, un prêtre lui dit que ce casse-cou de Haile était un enfant vif et doué et que la famille devait peut-être faire le sacrifice de l'envoyer à l'école. Le père, Asfaha, y réfléchit, puis il consulta les autres hommes de la famille, qui décidèrent à l'unanimité que Haile méritait un effort financier. Mais dans l'école italienne, insista le père d'Asfaha, le vieux Ghebreab. Ce fut ainsi que, chaque jour, au petit matin, Haile descendait en ville avec son père sur une petite moto, si tôt qu'il arrivait le premier et attendait devant le portail, dans l'air froid du haut plateau, avant que le soleil lui réchauffe l'uniforme et les os. Ainsi, pendant des années, jusqu'au lycée (scientifique, le "Guglielmo Marconi").

Quel travail faisait exactement son père, il le découvrit à dix ans. Il faisait encore nuit quand il le réveilla. Aujourd'hui, c'est ton anniversaire, pas d'école, lui dit-il, aujourd'hui, on va

194

faire un long voyage. Il l'emmena avec lui à la gare et le laissa flâner entre les voies, tandis que lui et un autre cheminot chargeaient de charbon la chaudière de la locomotive. Cela dura des heures. Après un mouvement de curiosité initiale – il lisait partout : "1885", date de production des rails, ou bien des noms exotiques écrits sur les wagons et les locomotives : "Breda", "Ansaldo" –, Haile commençait à penser que ce bizarre cadeau de son père était tout compte fait une déception cuisante, à ce compte-là, il aurait mieux valu qu'il aille à l'école. Puis la motrice commença à souffler de la vapeur et bougea, tirant les wagons de marchandises. "On part", hurla son père, et il le fit monter près de lui sur la locomotive. C'est ainsi qu'il sortit de sa ville pour la première fois : sur un monstre mécanique et bruyant muni d'une longue queue chargée de marchandises. Maintenant, ici, dans cette ville italienne, sous une pluie fine qui s'insinue dans son cou, Haile s'en souvient parfaitement, de ce voyage. Il se rappelle les gamins qui faisaient paître les troupeaux sur le haut plateau et qui couraient derrière le train en le saluant avec allégresse. Et lui qui leur rendait leur salut, rempli de l'orgueil de conduire le monstre. Il se rappelle les virages vertigineux, les tunnels obscurs. Il se souvient quand son père avait hurlé *fermo !* à son collègue, comme ça, "stop" en italien. Il ne dit pas *doubel* en tigrinya. Asfaha parlait toujours tigrinya à la maison, mais avec le vieux grand-père, il utilisait l'italien. Pourquoi *fermo* ? lui demanda-t-il. Les cheminots utilisent uniquement des mots italiens, lui expliqua-t-il comme ils étaient arrivés à Arbanova, où le train fit une halte pour prendre de l'eau dans l'énorme citerne. Ce fut un voyage très long, qui dura toute la journée, fait de travail, de sueur et de peines ; l'homme qui maintenant marche vers la gare de La Spezia rit à la pensée du petit Haile, convaincu d'avoir fait le voyage le plus long du monde, maintenant que lui, l'homme, il l'a vu pour de bon, le monde, et même pas en entier. Puis ce fut le départ pour Ghindae et, de plus en plus bas, tandis que l'air devenait toujours plus torride, Mai Tala, Dogali. On ne pouvait pas atteindre l'île de Taulud, semble-t-il, à cause de problèmes sur la ligne. Ils parvinrent aux portes de Massaoua exténués, tandis que la nuit tombait de nouveau.

2

Haile dépasse la place et voit monter la route qui conduit à la gare de La Spezia. Il est encore tôt, pense-t-il, mieux vaut ne pas se faire voir dans ce coin, on ne sait jamais qui pourrait vous attendre. Il tourne les talons.

En revanche, aux portes de Massaoua, cette nuit-là, il y avait un ami du père qui les attendait, un homme que l'enfant n'avait jamais vu. Bienvenue, *as-salamu 'alaykoum*, répétait-il en leur serrant vigoureusement la main. Puis il leur présenta son fils : Sayed. C'est là qu'ils se virent pour la première fois, dans le clair-obscur de la place devant la gare. Haile a du mal aujourd'hui à se le rappeler, il se souvient avec peine du visage de Sayed plongé dans l'ombre – son sourire embarrassé, le regard fatigué. Mais il se rappelle le voyage sur la plateforme de la camionnette, assis à l'arrière à prendre l'air, tandis que dans l'habitacle, les grands parlaient sans trêve. Il se rappelle la clarté lunaire qui blanchissait le désert des salines, le long pont qui reliait la terre ferme à Taulud, la première île, le noir profond, à peine ridé, de la mer, il se rappelle parfaitement la déception de ne pas réussir à la voir – ça lui semblait une étendue uniforme de pétrole –, de ne pas la comprendre. Et il se rappelle le sentiment instinctif de complicité né entre Sayed et lui. Ils riaient et plaisantaient comme s'ils étaient frères, amis depuis toujours. Ils arrivèrent ensuite à la deuxième île, la vieille ville. Le première chose qu'il vit fut l'hôtel Torino et la place voisine où hommes, femmes, marins, chèvres, corneilles, en pleine nuit, nombreux et bruyants, grouillaient sous les portiques ou s'attardaient dans les bars. C'était ça, Massaoua ? Malgré l'obscurité que les lumières vermeilles éclairant les portiques rompaient seulement par intermittences, il était évident pour le petit Haile que cette ville n'avait rien à voir avec Asmara. Est-ce que par hasard cela veut dire que chaque ville du monde est différente ? Chaque fois que j'irai dans un endroit différent, je verrai des choses nouvelles ?

Ils descendirent du véhicule près de la vieille mosquée et s'enfoncèrent dans un dédale de ruelles. Certaines étaient si étroites que, souvent, des draps ou des toiles étaient tendus d'un bâtiment à l'autre, comme un toit, au point que Haile ne comprenait pas s'ils marchaient dans une rue, dans une cour ou à l'intérieur d'une maison à la toiture d'étoffe. En tournant à un coin d'immeuble, il vit des filles qui remuaient le charbon de quelques fourneaux sur lesquels elles préparaient l'*ingera*. Nous sommes arrivés, dit le père de Sayed. Ils furent accueillis avec tous les honneurs, par les hommes et les femmes présents à ce qui semblait une fête de bienvenue. Ils dînèrent abondamment, rirent et plaisantèrent. C'est au moment du café que le petit d'Asmara sombra soudain dans le sommeil des justes. Aujourd'hui encore, l'homme, le tueur échappé de la prison de Lodi se souvient de ce moment : les femmes qui rôtissent les grains de café, qui le broient, les enfants qui volent le maïs grillé à la table des grands et le mangent avec gourmandise, l'aïeule de la maison qui, avec des gestes mesurés, fait tournoyer en l'air comme un encensoir la torréfaction fumante, et tout le monde qui se remplit les narines du parfum, pour la bonne fortune. Puis plus rien. Le noir. Mais aujourd'hui encore, il imagine son père souriant qui le prenait dans ses bras – pauvre chiot, la journée a été très longue – et le portait à l'intérieur de la maison, le posait sur une litière déjà couverte d'enfants somnolents.

Ils devaient rester deux jours à Massaoua. Le temps de décharger toutes les marchandises du train et de charger celles provenant du port, puis ils rentreraient à Asmara. C'est ce que lui expliqua son père le lendemain matin sur le seuil de la maison, tandis qu'il saluait les femmes en route vers la mosquée. Haile se retrouva ainsi soudain libre de faire tout ce qu'il voulait, Asfaha semblait s'être déjà désintéressé de lui, trop occupé à accueillir, comme si c'était lui le maître de céans, les autres hommes qui entraient dans la maison à la dérobée, en le saluant avec révérence.

L'enfant sortit de la tranchée noire de la ruelle et d'un coup, le soleil l'éblouit, lui coupant le souffle. C'était encore le matin et il faisait déjà si chaud, comment était-ce possible ? C'était donc vrai, ce que lui racontait le vieux grand-père, que Massaoua était la ville la plus chaude d'Afrique ?

C'est Sayed qui occupa sa journée en l'emmenant avec lui sur une barque, hors du port. La voilà enfin la mer, enfin il la voyait, claire sous la lumière implacable du soleil, réelle à sembler presque de la roche en fusion. Pour lui, jusqu'à ce jour, seuls existaient les récits de son maître d'école : vous vous appelez érythréens parce que *erythrós*, en grec antique, signifiait "rouge", comme la mer Rouge, la mer qui vous baigne. Ce fut un Italien, un écrivain, qui vous donna ce nom. Vous vous rendez compte ! Le nom de votre peuple vous a été offert par un poète !

Haile tendait la main dans l'eau, la plongeait. Mais elle n'est pas rouge ! s'exclamait-il pour lui-même et Sayed ne comprenait pas s'il plaisantait. Elle n'est pas rouge. Elle est azur, bleu, indigo, céleste, pervenche, turquoise, cobalt. Et tous les bleus du ciel, des mosaïques de la cathédrale copte, des palais d'Asmara. Il se mouilla le visage et sentit l'eau le rafraîchir et lui brûler les pupilles ; il la lapa : elle est salée ! hurla l'enfant à n'en plus finir. Sayed rit de bon cœur, presque comme un homme qui a vécu.

3

Il tourne sans but dans le centre, maintenant il est place Matteotti, il préfère ne pas rester trop longtemps au même endroit. Quand il peut, il profite des portiques, autrement, il se trempe le crâne sous la pluie battante. Il est encore tôt, pense-t-il. Il fait froid, l'hiver semble s'être précipité à l'improviste sur la ville. La canicule de Massaoua est bien loin.

Sur cette barque, Sayed lui expliqua, avec un brin de prétention, ce que le jeune garçon d'Asmara ne suspectait même pas. Haile, aujourd'hui, se rappelle à grand-peine ses paroles. La mémoire se joue de nous, récrit les dialogues, les mots, les postures. Seules les impressions, les sensations, les odeurs semblent immuables, comme si le corps, ses sens, étaient les seuls garants de l'expérience vécue. La raison véritable de la venue de son père en ces lieux, Sayed la lui livra en passant, comme si elle allait de soi, tandis qu'il pêchait distraitement, canne à la main. Rien à voir avec un cadeau d'anniversaire, Haile le sait aujourd'hui avec certitude. Sa présence servait à éviter les soupçons. Ghebreab, le cheminot, était depuis longtemps tenu à l'œil par les autorités d'Addis-Abeba. Le chargement de marchandises dans le port de Massaoua pouvait être un excellent moyen pour rencontrer les autres membres du Front populaire de libération de l'Érythrée. Voilà ce que faisait ce groupe d'hommes enfermés dans la maison de Sayed pendant que les deux gamins pêchaient, en apparence indifférents, au large du port : organiser la résistance armée, combattre les Abyssins, visages différents, races différentes. Éthiopiens impérialistes, qui faisaient de l'Érythrée une colonie africaine sous le talon d'un autre État d'Afrique. Maintenant que tout le continent avait connu la décolonisation, cela semblait une insulte supplémentaire, encore plus violente.

Nos pères sont des guerriers, lui disait Sayed, ils combattent pour la liberté. Moi je ferai pareil quand je serai grand. Moi aussi, ajouta Haile dans un élan sincère. Sayed sourit et soudain se jeta dans l'eau profonde. Depuis la surface, il criait à son ami de plonger, que l'eau était chaude et le soleil trop à pic. Mais Haile n'y songeait pas un instant. Il s'y refusait, comme une fille farouche, avec un regard plein d'une peur panique et d'une infinie tristesse. Il fallut un instant à Sayed pour deviner que son ami ne savait pas nager. Il se moqua de lui comme d'un bébé, lui qui était aussi enfant que Haile, puis ils jouèrent à se cracher dessus mutuellement, l'un dessous, l'autre dessus.

Puis c'est arrivé.

Sayed essaya de remonter sur le canot. Il demanda à Haile de se déplacer, pour faire contrepoids. Mais le gamin ne connaissait pas grand-chose à la dynamique des barques, il se déplaça de manière maladroite et tomba cul par-dessus tête hors de la barque, en la retournant. Ça, Haile, aujourd'hui, tandis que les larmes de la pluie glacée de début décembre lui purifient le crâne, ça, il s'en souvient à la perfection : le cœur qui bat follement, les mouvements insensés des bras, la mer sur le dos, sur la tête, partout. L'eau saumâtre dans le nez, dans les poumons, le vide dans le cerveau. Puis la main de Sayed qui se referme sur sa chevelure bouclée, le remonte hors de l'eau glacée. Ne bouge pas, lui criait-il, essoufflé, ne t'agite pas. Puis il lui fit agripper la coquille de noix renversée. Ne la lâche pas, lui disait-il, affectant le sang-froid mais Haile n'avait pas besoin de son conseil, il semblait fusionné avec le bois pourri, poussin terrorisé, agrippé à la roche instable. L'ami, dans un effort démesuré, essaya de nager en poussant la barque et l'enfant vers la rive. Là, au fond, ils voyaient les monstres métalliques du port qui déchargeaient les marchandises des navires. Haile pleurait et appelait à l'aide, mais personne ne tournait le regard vers eux. Ils étaient seuls, à la dérive dans la mer de l'existence. Mais Sayed avait du cœur et des poumons. Il poussa tant que son souffle et la peur de la mort le lui permirent, puis s'effondra, le visage dans l'eau, s'abandonnant. Ce fut alors que Haile se rendit compte que le fond était devenu rocheux et s'était rapproché. Il avait pied. Il laissa l'embarcation s'échouer contre un éperon et essaya d'agripper l'ami évanoui qui flottait dangereusement en direction du large.

Haile y pense, aujourd'hui, tandis qu'il marche à côté d'un grand entrepôt dans cette ville marine, si différente de celle où il était en train de mourir pour la première fois de sa vie (car lui, la mort, il l'a rencontrée tant et tant de fois, depuis ce jour). Comment fit-il pour le ramener à terre ? Quelle force pouvait-il avoir à dix ans ?

Sur la rive, il le gifla, le secoua avec vigueur, essaya de le soulever, de le retourner sur le côté. Puis Sayed rejeta un flot d'eau saumâtre, un autre encore, et revint à la vie.

Dans l'attente que leurs vêtements sèchent, ils restèrent nus sur les roches, pendant l'après-midi entier, stupéfaits de voir encore le ciel, de percevoir la chaleur torride de l'air, de respirer encore.

— Tu m'as sauvé la vie, dit Haile après un silence infini.

— Toi aussi, tu m'as sauvé la vie, répliqua l'ami en souriant.

Il s'assit calmement en étreignant ses genoux.

— On ne doit rien dire, déclara-t-il avec gravité.

Le petit Haile s'appuya sur ses coudes.

— Non. Rien. Mon père ne doit pas le savoir.

Sayed regarda la barque échouée. Il se leva, calme.

— À partir d'aujourd'hui, nous sommes frères, dit-il.

— Frères, acquiesça Haile, le regard sur l'eau indifférente.

— Nous sommes des guerriers nous aussi, la mort ne nous fait pas peur.

— Nous combattrons pour la liberté.

— Nous tuerons les ennemis.

— Nous les tuerons tous.

— Ensemble.

Il y eut quelques secondes de silence, comme pour sceller le pacte.

— Sauf les enfants, ajouta Haile.

— Quoi ?

— Nous combattrons et s'il le faut, nous tuerons. Sauf les enfants.

— Sauf les enfants.

Dans les toilettes du bar, Haile se change avec calme. Il met les vêtements trempés dans le gros sac de plastique de la boutique, essaie de faire attention, de ne pas laisser traîner de traces de ses doigts. L'absence d'empreintes digitales, aujourd'hui, équivaut non pas à une protection mais à une signature. Ils le savent sûrement, pense-t-il, même s'il a du mal à croire qu'ils viendront faire des relevés ici. Il met son sac à dos à l'épaule et il sort en catimini, un autre sac à la main. Il est habitué à passer inaperçu, ignoré de tous. Les règles de la fuite, de l'anonymat, de la clandestinité, il les a apprises de son père.

Il était trop petit pour se rappeler, mais les récits de Ghebreab étaient si vivants qu'il les fit siens. Son père était à Addis-Abeba quand Mengistu, au meeting de Mesqel Square – que ceux du DERG appelèrent ensuite avec arrogance place de la Révolution –, brisa à terre ces trois bouteilles pleines de sang humain. "Mort aux contre-révolutionnaires !" criait-il. Il en avait après les gens du Parti révolutionnaire du peuple éthiopien. Les prochains, ce sera nous, dit Ghebreab à Osman, le père du petit Sayed. Telle était leur tragédie : avoir grandi en s'abreuvant de pensée révolutionnaire socialiste, indépendantiste et communiste, et voir maintenant Mengistu les dépasser sur la gauche non par idéologie, mais par violence, brutalité, horreur. Ils devaient faire disparaître les preuves, vivre leur lutte en clandestins, rester en sommeil, pour éviter le *Qey Shibir*, la Terreur Rouge. Parce qu'elle était d'une violence inouïe, et Haile, chaque jour plus homme, le savait. Il apprit à être un étudiant ennuyeux et convenable, banal et monotone, et de nuit à se défendre, dans les camps de combat clandestins, à tirer, à utiliser une arme blanche. Au nom de la liberté, de l'indépendance. Parce que le monde partait en morceaux, quand il avait vingt ans, l'Union soviétique se pulvérisait, le bloc socialiste s'évaporait. C'était le moment de la poussée finale. Ainsi, à la fin, il connut vraiment la guerre, la brutalité, le sang des vaincus et des vainqueurs ; avec à ses côtés son ami d'enfance, capitaines courageux, guerriers. Ils entrèrent à Addis-Abeba mitraillette au poing, victorieux et souillés par la mort. Sayed l'Âme noire et Haile l'Implacable, ainsi les appelaient leurs soldats. Commandant et vice-commandant d'un groupe d'assaut d'élite. Féroces et sans règles. Tout : violence, razzias, pillages, viols, tout. Sauf les enfants.

Ce furent des années d'espérance, de joie, ce furent ses vingt ans. Avec une délégation de combattants, après la victoire sur l'Éthiopie, il partit pour l'Italie, à la recherche désespérée de financements. L'Érythrée n'avait plus rien, la disette fauchait la population, ils plaçaient leurs espoirs dans les gouvernements européens, dans les communautés de la diaspora. C'est ainsi qu'il connut Rome, et cette ville était tellement différente de ce qu'il avait imaginé, tellement pleine d'édifices vieux et en ruine qu'on aurait dit qu'il y avait eu une guerre. Même si, ensuite, en passant par certains quartiers, vers le Tiburtino ou la Garbatella, il lui sembla marcher au cœur d'Asmara. Ainsi connut-il Milan, le quartier érythréen de Porta Venezia, où il mangea la *zil-zil* et la *sambusa* tout comme si ça avait été la cuisine de sa mère. Ou cette église, le Rédempteur, près du cours Buenos Aires, jumelle de San Francesco. En les regardant, il se sentait chez lui, bien qu'il fût à des milliers de kilomètres de l'Afrique.

Son train est en retard, cela l'agace. Il contrôle la disposition des caméras de surveillance, se recroqueville dans sa grosse veste imperméable puis traverse le passage souterrain et débouche sur un autre quai. Un express est à l'arrivée, dès que le convoi s'arrête, il grimpe à l'intérieur, parcourt un wagon, laisse avec indifférence le sac contenant les vêtements dans les toilettes puant la pisse, puis descend avant que le train reparte.

Ils avaient déclaré l'indépendance, ils étaient en train d'écrire la nouvelle constitution, pourquoi alors voyait-il son père chaque jour plus triste, abattu, mélancolique ? J'avais ton âge quand j'ai commencé à combattre, mon fils. Maintenant que mes cheveux sont gris, mon âme aussi vieillit. Je vois des choses, je soupçonne des choses que je n'aime pas voir, que je n'aime pas soupçonner. Les guerres, on peut les gagner, mon fils. La paix, on peut seulement la perdre.

Voilà le train. Haile avance vers la locomotive, presque au-delà du quai, moitié parce que les wagons sont vides, moitié par un instinctif respect envers son père machiniste. Les banlieusards maussades se pressent. Certains montent, d'autres descendent. Il attend. Le chef de train à casquette rouge blasonnée fait retentir un sifflet impérieux et agite la palette. Puis il monte. Haile le suit.

En queue, comme s'il attendait lui aussi le signal convenu, un géant à l'épiderme sombre se débarrasse du mégot qu'il tenait entre pouce et index en le catapultant vers le ciel. Il est déjà dans le dernier wagon en mouvement quand le petit cylindre de tabac rougeoyant atteint son pic ascensionnel, ne pouvant ensuite que se rendre aux lois inexorables de la gravité, et accepter de la parabole aérienne son déclin comme inévitable et fatal.

1

Fusco fut charmante et affectueuse, elle embrassa Ferraro comme une collègue et amie. Favalli moins. Une poignée de mains, dents serrées. Qu'est-ce qu'il fout là, celui-là ? disaient ses traits tirés. Maintenant la Rinaldi se ramène ses vieux fiancés ? Mais où on est, là ? Pietrantoni ne connaissait pas Ferraro, il était depuis peu dans le SCO, donc il se présenta avec cordialité et professionnalisme, sans savoir que la main qu'il serrait avait plongé, la nuit précédente, dans les parties intimes de la femme qui, pour lui, jeune stilnoviste, était une madone *Acheropita*, d'une beauté céleste jamais violée par la main humaine.

— Il a disparu.

Tel était le résumé. Disparu. Le visage de la commissaire était l'icône de l'incrédulité.

— Ce n'est pas possible qu'il puisse se jouer de nous comme ça. C'est… incroyable.

— Peut-être qu'il devait venir précisément à La Spezia, dit Favalli.

— Mais qu'est-ce qu'on vient faire, à La Spezia ? Il est allé faire un tour aux Cinque Terre ? dit Ferraro, ironique et hors de propos.

Favalli le regarda à peine. Ils se supportaient mal à Rome, ils continuaient à mal se supporter ici.

— De là, il pourrait prendre un bateau ou un train, dit Elena. Fusco…

La jeune femme interrompit la commissaire.

— Je me suis permis d'envoyer des indications à la police portuaire et ferroviaire, j'ai aussi joint la photographie que nous avons récupérée en prison.

Ferraro sourit à demi. Brave fille. Je me souviens de toi en train d'hésiter, au bar Quinto, tu ne savais pas si tu devais commander une bière ou un café, c'était ta première filature. Qui sait, c'est peut-être vrai que le monde sera sauvé par les femmes.

— Excellent. Ordre de priorité maximum. Je veux tous les hommes sur le territoire avec la photo de Haile dans la poche de leur veste.

La mer, les tunnels, les éclats de lumière fatiguée, la lueur épuisée de l'hiver couvert de nuages, les traverses qui fuient le regard, les rails qui se séparent, cherchent d'autres routes, le roulement cadencé des soudures au rythme syncopé, le wagon de l'interrégional à moitié vide, la place au fond, occupée seulement par Haile, qui regarde par la fenêtre, il ne se rappelle même plus La Spezia, il a autre chose en tête. Puis la mer, encore. Et le temps, qui court, rapide, comme les traverses au-delà de la vitre.

Le gazouillement arcadique hors de la pièce silencieuse, la carte de la Botte étalée sur le bureau, Ferraro et Fusco l'un en face de l'autre en train d'observer le plan. Rinaldi visage appuyé à la vitre, qui regarde au-dehors. Cette attente m'épuise les nerfs, cette inaction me détruit. Peut-être que je n'aurais pas dû aller à Milan hier soir, j'ai vu la tête de Favalli, cet imbécile, en somme moi, les miracles, je ne les fais pas, je ne sais pas les faire. Ferraro qui fait une grimace à Fusco. Du sourcil, il dit tu l'as vue ? Fusco serre les lèvres. Muette, elle dit oui, mais qu'est-ce qu'on y peut ? Nous, on y met notre bonne volonté. Elena détache son front de la vitre. Puis elle souffle dessus, elle la couvre de buée, dessine de l'index comme une petite fille. Ferarro active ses neurones-miroirs et en conséquence déplace l'index sur la carte.

— Putain, où est-ce qu'il va ? se demande-t-il et il s'aperçoit que l'onde sonore rebondit dans la pièce, qu'il l'a dit à haute voix.

— Il est en train de s'expatrier, l'interrompt impétueusement Favalli, fax à la main, brisant le vide placide de la pièce, l'attente interminable, le temps suspendu de la poésie pour les ramener tous dans la prose de la poursuite.

Le train qui s'arrête à la gare. Des gens montent. Haile regarde par en dessous, caché derrière un journal, compte mentalement combien de personnes sont présentes. Au fond du convoi, le géant d'ébène a un pied sur le marchepied. Il fume avidement et observe le va-et-vient. Puis il y a un sifflement. Il rentre, une autre cigarette à demi consumée connaît l'ivresse du vol.

Ils sont en train de faire le point. Pietrantoni passe d'autres fax à Favalli. Les voix se chevauchent.
— Il a fait des achats dans un centre commercial, à La Spezia. Puis il a acheté un billet au guichet automatique de la gare.
— Il ne veut de contact avec personne.
— La Spezia n'est qu'une étape.
— Donc, pas de bateau.
— Le billet est pour Vintimille.
— Il s'en va. Ses amis l'attendent à la frontière.
— Quelle heure est-il ? À quelle heure est parti le train ? Où se trouve-t-il maintenant ?
Fusco consulte l'horaire ferroviaire en ligne. Elle regarde sa montre.
— S'il n'y a pas de retard, à cette heure-ci, il n'est pas loin de Gênes.
— Il est déjà arrivé ?
— Non, non…
— Tu parles… un train local… ce serait un miracle…
Ferraro semble comme un poisson dans l'aquarium. Sa contribution à l'enquête est comparable à celle d'un muet dans le chœur d'enfants de la Cathédrale de Milan.
— Pas d'excursion aux Cinque Terre, lui dit, sarcastique, Favalli.
Maintenant, je lui fourre mon poing dans la bouche et je lui arrache les couilles, pense le flic, agacé. Mais il se tait, il ne veut pas faire de scène devant Elena.

Laquelle n'a même pas entendu la méchanceté.

— Envoyez tout de suite quelqu'un sur ce train.

Fusco compose un numéro sur son portable et s'éloigne :

— Je veux deux hommes sur...

— Et s'il est descendu avant ?

— Pourquoi, s'il a pris un billet pour Vintimille ?

— ... s'il le faut faites arrêter le train... quoi ? Dites qu'il y a une panne...

— Ce ne serait pas la première fois qu'il nous trompe.

— Tous les hommes disponibles doivent aller dans les gares entre La Spezia et Gênes pour un contrôle.

Fusco est encore au téléphone, mais elle a entendu l'ordre de sa supérieure.

— S'il descend à Gênes, ça devient encore plus difficile.

— Il ne va pas redescendre, s'il avait besoin d'y aller, il y serait allé en bus.

— On devrait peut-être préparer un hélicoptère, aller à Gênes. Rejoignons-le, s'excite Favalli.

— Nous n'arriverons jamais avant lui.

— On peut pas non plus rester ici toute notre vie. Il est parti, on va se le mettre dans la tête, oui ou non ? Rapprochons-nous, au moins.

Favalli la regarde d'un air implorant, on dirait un adolescent qui a demandé à maman si samedi il pourra aller en boîte avec ses amis. Elle ne sait pas trop quoi répondre. Elle irait volontiers à Gênes, mais pour visiter le centre médiéval, la piazzetta Doria, la cathédrale de San Lorenzo, le très beau musée dans l'hypogée de la cathédrale. Comment s'appelait l'architecte ? C'était un grand, il faisait des musées. Je me rouille.

— Toi, qu'est-ce que t'en penses ? demande-t-elle comme si elle demandait à Ferraro la permission du *pater familias*, ce qui fait fumer Favalli par les oreilles, mais elle ne s'en rend pas compte.

— Moi ?

Albini, il s'appelait. Franco Albini. Splendide musée.

2

Antonio Silva, le proc, était d'accord. Envoyons-les sur le terrain, ces policiers qui se prennent du bide à force de rester au bureau à remplir les grilles du loto. Peu importe si ensuite, le fugitif sera pris ou pas. Au fond, dans ces cas-là, c'est une question de chance, pas seulement de professionnalisme. Mais imaginer des duos de policiers arpentant le pays en posant des questions le remplissait de joie, le tranquillisait. Les gens veulent la sécurité et nous la leur mettons en vitrine. On pourra tout dire, sauf que nous perdons notre temps à faire des écoutes téléphoniques, comme de vieux baveux qui se régalent à écouter les perversions des autres, en somme.

Et les flics, à Monterosso, à Sestri, à Santa Margherita, ils y étaient allés et les questions, ils les avaient posées, mais pas l'ombre de Haile. Dans le train, en tout cas, deux hommes de la police ferroviaire s'étaient mis sérieusement au boulot, en commençant par la queue. Photographie à la main, ils passaient de wagon en wagon, contrôlant les visages des voyageurs, ils demandaient les papiers, posaient des questions. Mais tous ceux qu'ils voyaient avaient des têtes de voyageurs quotidiens : étudiants, ouvriers, immigrés, aides à domicile, artisans, employés. Quelques touristes, aussi, très rares l'hiver, les plus joyeusement bruyants de tous. Un wagon était plein d'Anglais habillés en montagnards, peut-être de retour d'un trekking, qui racontaient abondamment leur *grand tour** à d'autres forçats de la culture. On n'entendait que ça : le Beau Pays, les spaghettis, la Renaissance, la pizza, des gens sympathiques, mais pas fiables, dommage que les services, deux heures de retard, digne du tiers-monde, *it's incredible, oh my god, by jove* !

Bon, j'ai tous les yeux braqués sur moi, maintenant qu'est-ce que je dis à Elena ? Parce que, tout ça est bel est bon, très bien l'affection, très bien la baise, mais moi je serais volontiers resté à Milan, j'avais ma belle affaire de braquage dans une villa à suivre, je me faisais mes enquêtes, avec

Comaschi, mon petit copain de récré, sans avoir besoin de jouer à qui l'a plus longue avec ce couillon de Favalli !

Ferraro était une statue de sel. Il semblait vouloir se confondre avec la tapisserie usée des murs. Peut-être ce bureau avait-il été celui de quelqu'un, il y a des années, qui avait les goûts de la reine Victoria, peut-être que la tapisserie avait été posée justement à l'époque victorienne ; vu l'odeur de moisi, la chose ne semblait pas impossible.

— *Dottoressa*, je fais préparer l'hélicoptère, insistait Favalli, après avoir attendu inutilement un mot de Ferraro.

— Qu'est-ce que nous savons de la police ferroviaire ?

— On ne va quand même pas attendre toute notre vie dans cet endroit, insistait Favalli, ragaillardi par le silence coupable de Ferraro.

— Favalli, essayez de vous calmer, le reprit la commissaire qui commençait à n'en plus pouvoir de tant de sécrétion hormonale.

Il a joué les amibes tout ce temps, commençait-elle à se rendre compte, et aujourd'hui qu'il y a Michele, il nous la fait Rambo made in Roma.

Elle se passa les mains dans les cheveux, l'esprit confus. Elle regarda la carte. Rien, pas même une idée.

— *Dottoressa...*

C'était Pietrantoni, tremblant.

— ... Peut-être qu'il convient de le faire préparer, en tout cas, l'hélicoptère.

— Tu crois ?

— Anticipons. Entre-temps, il y aura certainement des nouveautés. Si ce n'est pas à Gênes, ce sera à Vintimille.

La femme déplaça son regard de lui à Favalli. Puis elle revint à Pietrantoni.

— D'accord. Vas-y.

Le garçon sortit comme un chien qui remue la queue.

— Il était temps, souffla Favalli. J'en avais marre d'attendre l'oracle.

À Gênes, à la gare de Porta Principe, une dizaine de flics en civil attendaient, répartis sur le quai. Pas de coups de tête, pas d'attaque de la diligence, parce que après ça finit en tragédie. Quand le train arriva, ils se firent tout yeux, si quelqu'un même vaguement bronzé devait descendre du train, il serait certainement cerné. Mais il n'y eut que les Anglais et quelques voyageurs journaliers à descendre.

En queue, aucun signe du suspect, crachouilla l'un d'eux dans la radio. Rien non plus en tête. Contrôlez les toilettes, peut-être qu'il a été pris de dysenterie, conclut le plus sympathique.

Entre-temps, le train s'était remis en route, les deux poulets dans le convoi poursuivirent leur chemin vers le wagon suivant.

— Il n'est pas descendu à Gênes, annonça Fusco, oreille collée au portable.

Elena regardait au-delà de la vitre, elle ne se retourna même pas. Le silence faisait frire l'air. Favalli et Ferraro semblaient se renifler mutuellement, dans l'attente du bon moment pour mordre l'autre à la jugulaire, pour décider enfin qui était le mâle alpha de la bande.

La commissaire se retourna, lentement.

— Qu'est-ce que tu en penses, Michele ? lui demanda-t-elle de nouveau.

Maintenant, bordel, il faut que tu donnes une réponse ! Ne serait-ce que pour couvrir de merde cet imbécile. Allez, n'importe quoi, un truc surprenant, à la Lanza. Une de ces sorties à laquelle on ne s'attend pas, un truc de prestidigitateur. Allez, allez : réfléchis, réfléchis, réfléchis. S'il était là, qu'est-ce qu'il dirait, ce dingue d'Augusto Lanza ? Allez, vieux, fais un effort, gagne ta croûte.

— Mmmh... je me demandais...

Qu'est-ce que je me demandais ?

Elena fit un pas vers lui.

— Dis-moi.

Ah, si je savais.

— Cette histoire de carte de crédit...

— Eh...

Ça avait l'air d'un accouchement de primipare. Interminable.

— Je ne sais pas… tout est… si facile…

Mais ça, c'est de Ferraro, pas de Lanza. Qu'est-ce qu'il dirait, lui ? Allez, raisonne un peu, balance-le… le truc le plus absurde qui te vient à l'esprit.

— Nous n'avons rien d'autre, Michele. C'est notre seul point d'appui, lui dit-elle, déçue.

— Eh oui… la seule chose… mais…

Favalli leva les yeux au ciel. Dans le genre je m'accroche aux vitres, Spiderman est un dilettante, pensa-t-il, mauvais.

— Mais ?

— Ok. Rien.

Il commença à marcher, lentement.

— Nous n'avons que ça, d'accord… (Que dirait Lanza ?) Je me demande alors…

Il s'arrêta à deux pas de Favalli et le regarda fixement.

— Voilà…

Il changea de ton, se fit gai.

— Est-ce que vous savez, par hasard, ce qu'il a acheté avec cette carte de crédit dans le grand magasin ?

— Quoi ? demanda, vraiment stupéfait, le collègue.

— Tu as dit qu'il a effectué des achats. Mais qu'est-ce qu'il a acheté ?

— Mais si tu permets, qu'est-ce que tu veux que j'en sache ? Nous avions un billet pour Vintimille, ça, ça m'a semblé une nouvelle importante, pas qu'il a fait du shopping dans le centre.

Qui, traduit comme il faut, signifiait : pauvre imbécile !

La commissaire Rinaldi regarda les phéromones des deux hommes qui se filaient des baffes dans les airs.

— Favalli, dit-elle, interrompant le rite préparatoire aux morsures à la gorge. On le sait ou on le sait pas ?

L'homme regarda sa supérieure :

— Mais quoi, *dottoressa* ?

Il faisait semblant de ne pas comprendre la question.

— Que diable a acheté Haile à La Spezia ?

— Mais quelle importance ça a, excusez-moi ?

Eh oui, qu'est-ce qu'on en a à branler, au fond ? pensait Ferraro. Mais voir Favalli embarrassé le faisait jubiler. Que Dieu bénisse saint Augusto Lanza, archange surréaliste.

— Ça, ça ne vous regarde pas, Favalli, dit Elena, dure et tranchante. Ça me regarde, moi.

Parce qu'il y avait une pensée qui commençait à lui trotter dans la tête. Moins qu'une pensée, une sensation. Mais elle sentait qu'elle était bonne.

— En somme, on l'a demandé, ou on ne l'a pas demandé ?

— Je, je... si vous voulez, je peux rappeler le magasin, me faire passer le directeur... marmonna Favalli, archipenaud.

— Voilà, bravo. Bougez-vous.

3

Haile ouvre un petit pot au poulet. De son sac à dos, il extrait une petite cuillère et commence à avaler. Il le fait avec difficulté. Juqu'à maintenant, il a tenu avec de l'eau, des sucres et des boissons énergétiques. Il a aussi bu des alcools, pour cautériser les parois écorchées de l'œsophage. Mais maintenant, il a besoin de protéines, il doit reprendre des forces. Il avale la pâtée enfantine, en s'efforçant de contenir ses spasmes et de ne pas vomir. Il regarde par la fenêtre, le paysage commence à changer.

Il avait compris qu'ils avaient perdu la paix, et pour toujours, quand il avait vu renvoyer *sine die* la proclamation de la nouvelle constitution. Et quand des révolutionnaires de la première heure, comme son père, les plus démocrates, ceux qui s'étaient rendu compte que les vieux schémas géopolitiques n'avaient plus de sens, avaient été, jour après jour, mis dans les cordes. Au nom de la sécurité de la nation. Mais le vieux Ghebreab le lui dit un jour. Tu sais, Haile, ceux qui au nom de la sécurité sacrifient leur liberté, ceux-là perdront tout : la liberté et la sécurité. Nous avons été les derniers à conquérir l'indépendance, quel besoin avions-nous de retomber dans les logiques suicidaires des autres États africains ? Peut-on être si prévisible ? L'homme fort toujours plus autoritaire, l'opposition dénigrée, la pensée critique traitée d'antinationalisme. Quel inutile gaspillage d'espérances.

— Ce continent est sans espoir, Haile, lui disait un Sayed encore plus déçu. Il ne mérite pas notre idéalisme.

— J'ai combattu toute ma vie, répondait l'enfant d'Asmara. Je ne sais rien faire d'autre.

— Maintenant, on va se battre pour nous. Dans notre propre intérêt, à toi et à moi.

Quand éclata l'absurde guerre de frontière pour le triangle de Badme, ils ne le virent même pas. Ils étaient déjà au service de différentes guerres tribales, depuis deux ou trois ans, à semer la terreur avec professionnalisme. Ce continent est sans espoir, continuait-il à se répéter, pour justifier la violence. Il était devenu un disque rayé, déçu, désenchanté. Beaucoup de leurs vieux compagnons d'armes moururent au front, pour défendre un territoire pauvre en ressources, sans aucun intérêt stratégique. Soixante-dix, peut-être cent mille morts, en majorité des civils, en deux ans. Des morts inutiles. Juste bonnes à justifier le régime militaire, la "dérive autoritaire". Mais désormais l'Âme noire et l'Implacable s'étaient créé leur armée privée de marginaux et de violents, bons pour toutes les besognes : meurtres sur commande, défense armée de trafiquants, évacuations, massacres ; en Somalie, en Éthiopie, au Soudan, partout. Sauf les enfants, rappelait Haile à son ami. Mais, depuis longtemps, il ne répondait plus, il hochait à peine la tête.

— Vous avez une idée du nombre de gens qui passent ici chaque jour, mademoiselle ?

Si même les femmes chefs de rayon des grands magasins n'éprouvent pas de solidarité de genre et vous traitent comme la secrétaire du directeur, quel espoir avons-nous de la changer, cette nation ? pensait Elena en soupirant.

— Je suis mariée. Et veuve, aussi.

— Oh, excusez-moi, madame… je suis désolée pour votre mari.

— *Madame…* insista-t-elle, acerbe. Je vous en prie, essayez de faire un effort.

Sourcils froncés, Ferraro agita la main droite, bouts des doigts réunis, mimant le geste interrogatif dit de l'artichaut. Téléphone dans la main gauche, Elena leva l'index droit vers le ciel comme saint Jean-Baptiste rappelant à l'assistance d'où lui est concédé le droit de baptiser et à qui il se sent soumis. Ou peut-être, plus probablement, comme pour dire : attends une seconde.

— Bien sûr, à partir du ticket de caisse, je peux remonter à la caissière et…

Ferraro pointa son index à la perpendiculaire de son pavillon auriculaire droit, avec le visage toujours crispé de celui qui ne comprend rien, en simulant une obscène et insistante pénétration dactylo-auriculaire.

— Voilà, bravo, remontez.

Elena comprit enfin la requête du collègue et mit le haut-parleur.

— … mais faites vite, c'est une question vraiment urgente.

— Chère madame, que vous êtes pressée ! J'ai le magasin plein de monde et je ne peux pas…

— Je vous dis que c'est urgent.

— Faisons comme ça, dit l'autre, faussement conciliante, faites-moi appeler par votre chef. Nous verrons ce que…

— C'est *moi*, le chef, *madame* ! Et bougez-vous, ou vous allez passer la nuit en prison.

Parce que, comme on dit à Rome, *quanno ce vo' ce vo'*, faut ce qu'il faut.

Maintenant le train s'arrête à l'énième petite gare, de la dernière voiture descendent trois passagers et personne ne monte. Le wagon est vide. L'homme embarqué à La Spezia procède à son habituelle inspection des alentours, un pied sur le marchepied et le corps à demi hors du train. Puis il s'allume la sempiternelle cigarette. Quand l'interrégional repart, il ne l'éteint pas, il la savoure à fond, à pleins poumons, en marchant lentement vers le wagon suivant. L'idée de se choper une amende est la dernière de ses pensées.

— Deux slips, deux paires de chaussettes en fil d'Écosse, un jean taille 52…

À l'autre bout du fil, la femme lisait la liste des achats de Haile en chantonnant. Tous écoutaient le haut-parleur d'Elena et commentaient à voix basse.

— Il s'est refait une garde-robe.

— … deux t-shirts taille XL de couleur noire…

— Sûr qu'il n'a pas regardé à la dépense !

— … une chemise de coton bleu…

— On est en train de perdre notre temps, c'est tout.

Les deux agents de la police ferroviaire sont enfin arrivés en tête du train, il ne leur manque plus que le dernier wagon. Ils ont judicieusement travaillé, ils ont demandé papiers et informations à tous les passagers. Il faut du temps pour ce genre de choses, des heures même. De toute façon, à Cogoleto et à Varazze, il y avait des collègues qui contrôlaient, si quelqu'un de suspect était descendu ou monté, ils l'auraient pris à coup sûr. Maintenant, ils sont arrivés à Savone. Ils finiront à temps pour rentrer chez eux avant la fin du service. Ils ouvrent la porte coulissante et entrent dans la dernière voiture.

— … un sweat-shirt à capuche, taille XL…

— Taisez-vous que je ne comprends pas.

— … assorti à une veste coupe-vent couleur crème…

Puis, l'instinct irrépressible de la vendeuse :

— Vous savez, c'est un modèle en promotion, on en vend beaucoup ces jours-ci.

— Continuez, ne perdez pas de temps.

La vendeuse soupira. Jamais une satisfaction. Et puis une femme, dans la police, quels goûts ça peut avoir ? Elle doit s'habiller comme une hommasse !

Il traîne derrière lui, de voiture en voiture, l'odeur de la fumée. Les quelques passagers ne lui accordent pas un regard, désormais la présence d'un nègre n'est plus un événement dans les trains italiens, on s'est transformés en un pays d'immigrés, ma chère madame, où va-t-on !

L'homme bouge lentement. Il observe. Ouvre la porte des toilettes comme s'il devait y entrer, puis ne le fait pas. Il s'avance dans le soufflet entre les deux voitures, à présent, il a dépassé la moitié du convoi. Une personne pressée, pour le dépasser, le bouscule. Lui, instinctivement, glisse la main dans la poche, comme pour y prendre quelque chose. L'autre s'en va, tirant sa valise à roulettes, il ne s'est aperçu de rien. L'homme souffle, irrité. Il retire la main de sa poche et examine le couteau à cran d'arrêt fermé. Il le déclenche, pour le simple plaisir de voir la lame scintiller. Puis il le referme et le remet dans la poche de son blouson de cuir. Ouvre l'énième porte coulissante.

— Brodequins en Gore-Tex pointure 43…

— Je devrais m'en acheter aussi, les miens sont ouverts sur le côté.

— … écharpe de chiffon de soie, blanche…

Quoi ? Comme celle de Simone ? C'est quoi ça, bordel, il est pédé, lui aussi ?

Il intervint :

— Qu'est-ce que vous avez dit, pardon ?

— Et vous, vous êtes qui ? demanda la femme, en entendant une voix mâle.

— Inspecteur Michele Ferraro.

— Ah, je le disais bien, qu'il y avait un chef !

— Là, je l'étrangle, chuchota Elena.

— Répétez-moi la dernière chose que vous avez dite.

— L'écharpe de chiffon ?

— Blanche, la précéda Ferraro. Elle est très longue, pas vrai ?

— C'est très à la mode cette année, une pièce très élégante.

La commissaire Rinaldi commença à écarquiller les yeux. Elle avait compris.

— Nous sommes des idiots, dit-elle pour elle-même.

— Quoi, pardon ?

Au fond de la voiture, un homme est assis, de dos. Les deux agents s'approchent, lui posent des questions, puis lui demandent ses papiers. Tout est normal, tout est régulier. Il ne sait rien, n'a rien vu. Et puis ce n'est certainement pas lui que nous cherchons, celui-là, il est blanc comme un linge !

Le plus vieux des deux flics, par scrupule, contrôle les dernières toilettes. C'est occupé. Ils frappent, intiment d'ouvrir. Pas de réponse. Le bruit de ferraille des roues sur les rails est assourdissant. Ils frappent encore. L'un des deux met la main sur son pistolet. Personne n'ouvre. Les deux hommes s'agitent. Maintenant, ils frappent fort sur la porte, ordonnent de sortir tout de suite, maintenant !, mains en l'air.

La porte s'ouvre, lentement. En sort une petite vieille folle de rage qui marmonne quelque chose sur la mauvaise éducation des jeunes d'aujourd'hui, les problèmes de l'âge, de l'incontinence, les conditions hygiéniques précaires des chemins de fer italiens et tous les jurons typiques de ces vieux gâteux, sourds comme des pots, qui s'ils restaient chez eux éviteraient de nous faire venir un infarctus, à nous qui travaillons pour leur sécurité, mais s'ils mouraient avant de s'acheter des kilos de couches, ils rendraient un très grand service à toute la nation !

5

— Où on va ? hurlait le pilote.

— Savone, ordonna Rinaldi, tandis qu'elle attachait sa ceinture de sécurité.

L'hélicoptère, après avoir atteint le nombre requis de tours de pales, entama son mouvement ascensionnel. À l'intérieur, on comprenait que dalle de chez que dalle, il y avait un bruit délirant.

Favalli était en train de dire quelque chose, mais sa voix était couverte par le fracas extérieur. La commissaire lui fit signe de mettre les écouteurs, pour pouvoir communiquer. En plus de Ferraro, elle aurait préféré emmener Fusco, ou même cette grande nouille de Pietrantoni, mais elle avait choisi Favalli pour une simple question de paix au travail. Elle était certaine de ses sensations, mais un idiot utile sert toujours, il peut donner les bonnes réponses à celui qui pose toujours les mauvaises questions.

— *Dottoressa*, hurlait Favalli, malgré les écouteurs. Mais comment vous pouvez dire…

— Favalli, nous nous sommes trompés sur toute la ligne, voilà la vérité, dit-elle puis, après un instant de réflexion : Je me suis trompée sur toute la ligne !

Ferraro la regardait. Voilà un chef. Quelqu'un qui sait assumer les responsabilités, d'où que vienne l'erreur dans son équipe.

— Pardon, *dottoressa*, c'est peut-être un cadeau, ça se peut, non ?

La femme ne l'écoutait plus, elle s'était mise en communication avec Fusco et Pietrantoni, qui étaient restés en arrière pour rassembler tous les documents et le matériel de l'enquête. Ils les rejoindraient plus tard en voiture.

— Fusco, écoute-moi bien.

— Allez-y, commissaire.

— Avisez les collègues sur le train pour Vintimille qu'ils doivent abandonner la recherche du fugitif. Maintenant, nous cherchons une femme, d'accord ?

— Avec une écharpe de chiffon en soie blanche, compléta Fusco. C'est bien ça ?

Elena sourit :

— C'est bien ça.

— Elle est probablement jeune, poursuivit Fusco. C'est un truc très à la mode chez les filles cette année.

Pendant ce temps, fasciné, Ferraro contemplait la plaine qui se plissait, se transformait en Oltrepò.

Le policier du train vient à peine de couper la communication. Il avise le collègue. Nous devons faire des heures supplémentaires. L'autre a un air contrarié, il espérait finir son service et aller se manger une pizza entre amis. Pas de noir, maintenant, continue le premier. Puis il lui livre les indications de Fusco. Son collègue réfléchit. Mais oui, attends, tu as dit une écharpe de soie blanche ? Viens avec moi. Et il s'éloigne. Bouge-toi, insiste-t-il. Parce que peut-être on va y arriver à rentrer à temps à la maison pour la pizza.

— Excusez-moi, pourquoi est-ce que ça ne peut pas être un cadeau ? insistait Favalli.

— Tu as eu une sacrée intuition, Michele, dit Elena, déclassant la question de Favalli au rang de bruit de fond.

— Ah oui ?

Remercie Lanza, pas moi, voulait-il lui dire. Mais il ne le fit pas, lâche et un peu con, vu qu'il se délectait de ces compliments sous le nez de ce couillon de Favalli.

— *Dottoressa*…

— Favalli, écoutez-moi.

Au fond, elle le lui devait.

— Il a une complice, d'accord ? Il ne s'est jamais déplacé seul, ils étaient deux, ou peut-être trois, qui sait. Nous cherchions un homme, mais les achats, c'est une femme qui les faisait. Il s'est toujours moqué de nous, il savait que nous allions le suivre grâce à la carte de crédit.

Ils s'étaient crus plus malins que lui, voilà la vérité. Plus intelligents. "Ça me paraît trop facile", avait dit Michele. J'ai bien fait de l'enrôler. Certaines fois, on a besoin d'un regard extérieur qui voit les anomalies qu'on a sous les yeux mais que nous ne savons plus voir. Ça, ça devrait être les Alpes maritimes. C'était comment déjà ? Les Alpes ligures, les Alpes cottiennes, les Alpes grées… ouh, je ne me rappelle pas. On croyait l'avoir et en fait, il nous manipulait. Un esprit froid, calculateur. Qui ne laisse rien au hasard. Peut-être que je ne devrais pas traiter Favalli comme ça, au fond, il manifeste de la bonne volonté. La fille, parce qu'il est clair que c'est une fille, a commis une erreur, un péché de vanité. Elle a agi sur une impulsion, de manière peu professionnelle. Elle était là, dans un grand magasin et tant qu'elle y était, elle s'est acheté aussi l'écharpe.

— Haile a utilisé la carte de crédit comme un de ces lièvres mécaniques pour les chiens de course au cynodrome, dit-elle à son collègue, en revenant de ses pensées flottantes.

Tandis que Favalli cherchait à déchiffrer cette hardie métaphore, Elena poursuivit, pensive :

— Nous tous derrière à suivre un train pour la France et lui…

— Et lui, alors, où est-il ? demanda Favalli avec appréhension.

— Nous ne le savons pas, c'est ça le problème.

— Il est en train d'aller de l'autre côté, dit enfin Ferraro.

— Où ?

— Je n'en ai pas la moindre idée, mais certainement pas à Vintimille. Peut-être vers Florence, ou Rome.

À un certain point, malgré les nuages, la mer apparaît, inéluctable, sur la courbe de l'horizon.

— Mais alors, nous sommes revenus au début, nous n'avons rien en main.

— Nous avons la fille.

La voilà, difficile de ne pas la remarquer. Elle devait avoir dans les vingt-cinq ans maximum et si elle en avait plus, elle les portait plus que bien. Une chemise d'une blancheur immaculée, à col en pointe, à peine déboutonnée, un pantalon noir élégant, des chaussures de sport. Et une longue écharpe de chiffon blanche qui enveloppait son cou élancé. Le plus jeune des deux policiers l'avait reluquée longuement quand ils étaient passés dans la voiture à l'aller. Belle nana, pas à dire. Mais il y avait autre chose qui avait éveillé sa curiosité : ces coupures sur le visage, verticales, ces cicatrices. Pourquoi elles s'abîment comme ça ? Une fille comme ça pouvait faire mannequin, au minimum. Même si, à bien y regarder, les cicatrices, ça s'efface sur cette peau brillante et très noire. Tu imagines, comme j'aurais la classe si je me l'emmenais manger la pizza ce soir ? Ils crèveraient tous d'envie ! Coupures ou pas, moi, avec celle-là, je tirerais bien un petit coup ou deux.

La fille lit un livre avec passion. Le plus vieux des deux, maintenant devant elle, le lui referme, sans brutalité. La fille lève les yeux, regarde autour d'elle, comme pour chercher une voie de fuite. Il ne lui faut pas longtemps pour comprendre qu'il n'y a rien à faire. Elle se lève, l'air triste. On la menotte.

— On l'a, hurle Fusco.

— Comment ?

Elena arrange ses écouteurs, elle n'a pas bien compris.

— Quoi ?

— On l'a. C'est une fille, africaine, tout correspond, même l'écharpe.

— Où est-elle ?

Favalli écrase les écouteurs pour mieux entendre. Ferraro écoute, mais regarde dehors. Il emmènerait volontiers Giulia en hélicoptère, ça lui plairait sûrement.

— Ils sont en train de la conduire au commissariat de Savone, dit la voix de Fusco.

— Nous y sommes presque nous aussi, dit la commissaire avec un geste d'entente au pilote qui lui rend la pareille. Vous, bougez-vous et rejoignez-nous.

— Pietrantoni se déchaîne sur l'accélérateur.

— N'exagérez pas, quand même.

Ah, l'instinct maternel, quelle arnaque !

Haile essaie de redresser son dos un peu endolori. Puis il fait craquer les vertèbres de son cou. Enfin, il contrôle l'état de la blessure. On dirait un électricien automobile qui procède à une révision minutieuse du moteur, avec professionnalisme quoique sans enthousiasme, comme si son corps souffrant n'était pas à lui.

Il est assis dans les premières rangées, dos tourné au machiniste, son regard contrôle tout le wagon. Qui est à moitié vide. Quelques personnes, ici et là, somnolentes.

La porte du fond s'ouvre. C'est le contrôleur. Un nouveau, il a pris la suite du précédent. Haile tâte son jean, à la recherche du billet. Puis, du coin de l'œil, il s'aperçoit que la porte du fond s'ouvre de nouveau.

Et il le voit entrer.

Ils se regardent.

Ils se reconnaissent.

L'homme qui fume, au fond du wagon, sourit, méphistophélique.

1

Nerveusement, la commissaire Rinaldi tournait entre ses doigts le passeport de la fille arrêtée. Zahra Arop. Soudanaise, réfugiée elle aussi. Trop de coïncidences. Et puis le billet de train saisi ne laissait pas place au doute : il avait été émis par la billetterie automatique de La Spezia et payé avec la carte de crédit volée. C'est une complice, rien à ajouter. Il faut seulement comprendre si elle est la seule.

Elle la regardait à travers le rectangle vitré de la porte qui séparait le couloir de la salle des interrogatoires. Jeune, une chaînette d'or au cou avec un curieux pendentif, le visage marqué par des scarifications rituelles, la peau très noire, comme le wengé. Zahra. Longues jambes croisées, pose élégante. Dieu sait pourquoi ils ne lui avaient pas pris son livre, qu'elle lisait avec passion, indifférente au contexte, comme si elle était dans la salle d'attente d'un aéroport. De temps en temps, elle jouait de ses longs doigts en les croisant dans l'écharpe de chiffon, mais toujours sans détacher son regard des pages.

Le portable d'Elena sonna :

— Fusco ?

— *Dottoressa*, j'ai oublié…

— Je t'écoute.

— Nous avons le rapport balistique sur la fusillade.

— À la bonne heure. On attendait encore un peu, et on pouvait le mettre sous l'arbre de Noël. Il est long ?

— Je ne sais pas. On nous a livré un DVD juste comme on partait pour Savone. Le technicien de la Scientifique dit qu'ils ont produit des simulations en 3D pour mieux nous faire comprendre les données recueillies.

— Ils ont trop regardé la télé, ces gens ! lança Elena, venimeuse.

Fusco rit. Même Ferraro, qui était là à côté, l'entendit rire. Il connaissait la gaieté gracieuse de Fusco, ça le mettait automatiquement de bonne humeur.

— Tu y as jeté un coup d'œil ?

— Pour tout dire… c'est-à-dire…

Prise en défaut !

— Nous avons reçu le disque et nous sommes partis, se justifia-t-elle. Mais si vous voulez, j'ouvre l'ordinateur et…

— Ok, ok, pas besoin. Vous êtes à combien de Savone ?

Elle entendit Fusco répéter la question à Pietrantoni.

— Une heure, une heure et quart maximum, dit-elle ensuite.

— Bon, on le regardera tous ensemble, faisons une projection privée au cinéma paroissial.

— J'amène le pop-corn, ajouta Fusco, hilare.

— Excellent ! À tout à l'heure, dit Elena et elle coupa.

— Qu'est-ce qui se passe ? demanda Favalli.

Elle mit les deux collègues au courant, sans emphase. Désormais, elle n'avait pas beaucoup d'espoir dans le rapport balistique, les choses et la vie semblaient avoir pris des routes inattendues, des sentiers interrompus, des parcours imprévus, les gens de la Scientifique, elle les avait relégués dans l'oubli, comme si la fusillade était un truc vieux de plusieurs mois, carrément de plusieurs années, et non pas de quelques jours.

Elle regarda de nouveau à l'intérieur de la pièce. Et sursauta, la fille la regardait. En réalité, elle observait son propre reflet, car elle, de l'autre côté, il n'était pas dit qu'elle sache qu'elle pouvait être vue. Ou peut-être que si, qui sait ? Elle se regardait et ajustait quelques mèches rebelles.

Tu as les cheveux lissés, cette coupe, je l'ai vu faire par mon coiffeur, dans le quartier de Prati, sur moi, ça n'irait pas bien, j'ai l'âge que j'ai, au fond. Tu n'as pas l'air d'une criminelle… Qui es-tu, Zahra ?

— D'accord, dit-elle soudain. Entrons.

L'homme marche lentement, vers Haile, il regarde autour de lui, la main dans la poche du blouson, il dépasse le contrôleur, s'assied en face du fugitif.

– Laurent, le salue Haile, avec affectation, comme deux voyageurs quotidiens qui font toujours la même ligne.

– Salut, Haile.

– Tu m'as enfin trouvé.

– Ça n'a pas été facile.

Le train s'arrête, quelques personnes descendent. Tous deux vérifient la situation. Il n'y a plus personne.

– T'es monté où ?

– À La Spezia, comme toi.

Il retire sa main de la poche et la passe sur son front en sueur.

– Tu ne vas pas fumer ? demande Haile en montrant la sortie du menton.

– Ça fait mal. Fumer tue.

– Il n'y a pas que ça qui tue, dit Haile avec un mauvais sourire.

On entend le coup de sifflet du chef de train.

– Où est Zahra ?

– Je ne sais pas.

Ils parlent bas, sur le ton du conciliabule.

Quelques secondes encore et puis le train se met en marche. Derrière la vitre, c'est une succession de collines arides, de vignes dénudées, de pinacles enneigés. Il pleut. L'eau strie les vitres, les gouttes de pluie roulent vivement sur le verre, y formant des toiles d'araignée.

– Billets, s'il vous plaît.

Le contrôleur le dit en automatique, sans insister. Les deux hommes portent leurs mains à leurs poches, en se scrutant mutuellement.

Le premier à retirer sa main est Laurent.

– *Voilà mon billet**, dit-il au cheminot.

Le contrôleur l'examine avant de le lui restituer, sans rien dire.

— *Merci**, conclut Laurent, bien élevé.

Haile a déjà le carré de carton suspendu en l'air.

— Voilà, dit-il.

L'homme lui sourit. Un nègre qui lui parle en italien, ça le rend automatiquement plus courtois. Il poinçonne le billet et le lui restitue.

— Merci, dit Haile.

— Je vous en prie, lui répond-il tout en ajustant ses lunettes embuées.

Le chauffage est trop fort. Il entre et sort du wagon, chaud, froid, ça va finir qu'avant ce soir je me chope un rhume. Cet air conditionné me tuera !

Il semble sur le point de retourner en arrière quand quelqu'un au milieu de la voiture l'appelle.

— S'il vous plaît !

Laurent, d'instinct, glisse la main dans la poche du blouson. Haile est légèrement penché, il regarde au-delà du contrôleur.

— Ttt, Ttt, fait-il à son vis-à-vis en secouant imperceptiblement la tête, c'est pas une bonne idée.

— Je vous écoute, dit le cheminot en se tournant vers la voix.

Une fille s'approche.

— Pourquoi on a tant de retard ?

L'homme retire ses lunettes et les essuie avec un mouchoir de tissu. Il soupire, il a dû répondre des dizaines de fois à cette question, depuis qu'il a commencé son service.

— Il y a eu un contretemps à la motrice d'un train devant nous, ce n'est pas notre faute.

Il remet les lunettes.

— On a combien de retard ?

Les deux hommes assis n'ont pas cessé de se regarder dans les yeux, impénétrables. On dirait qu'ils jouent au premier qui rira.

Le contrôleur regarde sa montre :

— Je dirais… environ quarante minutes.

— Bon Dieu, jure la fille.

Le cheminot en rougit presque.

– Vous devez nous pardonner, cette fois, nous, on n'a vraiment…

Elle ne l'écoute même pas.

– Là, je l'ai raté, dit-elle pour elle-même. Écoutez… mais à Rome, je peux trouver une autre correspondance pour Foggia ?

– Attendez un instant.

Le contrôleur s'assied à côté de Laurent et sort l'horaire des trains.

– Il devrait y en avoir un qui part à… attendez que je vérifie.

Il consulte les pages écrites serré en approchant la brochure de ses yeux, lunettes sur le front. On vieillit tous.

3

Elle était exaspérante. Son calme placide, son sourire serein. Ça ne lui arrivait pas à elle, on aurait dit qu'elle assistait à la représentation théâtrale d'une compagnie amateur de flics, presque par hasard, en touriste, en spectatrice. Les preuves étaient écrasantes, la complicité indiscutable, l'incarcération imminente. Mais elle, rien. Jambes croisées et petit pied tapotant l'air en rythme. Un peu irritée, presque.

– *I want a lawyer*, disait-elle de temps en temps, dissipant ainsi le soupçon qu'elle fût sourde ou muette.

– Celle-là, elle ne collabore pas, elle fait la teigneuse, dit Favalli.

Ferraro ne savait pas trop quoi dire. Dans le sens : même s'il l'avait su, il n'aurait pu l'exprimer. Son anglais était d'une insuffisance embarrassante. S'il s'était retrouvé une fois dans sa vie à Londres, il aurait pu à grand-peine commander un *fish and chips*. En le montrant du doigt.

Elena prit une chaise et s'approcha de la table.

– D'accord, dit-elle.

Et elle s'assit en face de la fille. Elles restèrent ainsi, en silence, en se regardant dans les yeux. On aurait dit qu'elles communiquaient par télépathie.

Puis elle donna un coup d'œil au livre posé sur la table (*the book is on the table*, se rappelait Michele. La première et unique leçon d'anglais que sa mémoire capricieuse lui ait gardée en réserve). Elena baissa la tête, pour lire le titre sur la tranche, un rideau de cheveux lui glissa sur le visage. D'un souffle de côté, elle remit sa mèche en ordre. Un geste de fillette, drôle, fait sans y penser.

— *I read it*, dit-elle à Zahra. *It's a good book.*

La fille sourit.

— *Yeah, it's true.*

— *A sad novel. Hard.*

Ferraro ne comprenait pas grand-chose, mais d'instinct, il jeta un œil au titre. *The Road.* Bof. Ça doit être un livre de voyages.

— *Life* is *hard, sister. You know ?*

Elena sourit. Tu as raison, ma sœur, dure, très dure.

— *If you want, we can help you…* lui dit-elle avec douceur.

Le visage de Zahra se pétrifia de nouveau.

— *I just want a lawyer.*

Et elle recommença à faire battre son pied dans l'air, en passant entre ses doigts le médaillon d'or qu'elle portait au cou.

Elena se leva, elle prit en main le petit volume en édition de poche.

— Tu l'as lu ? demanda-t-elle à l'adresse de Ferraro.

— Non… je ne sais pas de qui c'est… répondit-il.

— Le père meurt, à la fin, dit la commissaire en jetant le livre sur la table.

Zahra écarquilla imperceptiblement les yeux, avec le classique agacement de qui ne veut pas connaître la fin du film ou du livre. Elena sourit.

— Bien, dit-elle. Je vois que tu comprends l'italien à la perfection, constata-t-elle en s'asseyant à côté de la jeune femme. Je suis désolée de t'avoir révélé comment ça finit. Mais lis-le quand même, ça vaut le coup.

Zahra lui rendit son sourire. Elle semblait dire : ok, jouons sans tricher, cartes sur table.

– On le trouvera de toute façon, tu le sais ? dit Favalli, en prenant l'air dur.

Elle leva les yeux sur lui.

– Ça, c'est vous qui le dites.

Impassible.

– Nous savons qui c'est.

– Vraiment ? rétorqua-t-elle, moqueuse.

– Haile Asfaha Ghebreab, dit calmement la commissaire.

Zahra pointa sur elle son regard sous des paupières mi-closes.

– Tu nous croyais si bêtes ? insistait Favalli. Nous sommes du Service central opérationnel, nous, ajouta-t-il avec un orgueil crétin.

Pauvre con, voulait lui dire Ferraro, si ça n'avait tenu qu'à toi, vous seriez encore à chercher un Soudanais qui s'appelait Moundou !

Zahra ne détourna pas son regard de la commissaire.

– Faites-le taire, sa voix m'irrite.

Favalli s'empourpra :

– Bordel, comment tu peux te permettre, négresse de merde ?

Elena, soutenant le regard, articula :

– Favalli, arrêtez.

– Mais vous avez entendu ce que…

– Oui, j'ai entendu, dit-elle puis elle le fixa : Ce que vous avez dit, vous. C'est une insulte absolument gratuite. Sortez de cette pièce.

– *Dottoressa*, je…

– Allez-vous-en. Tout de suite.

Au fond, "négresse de merde" était une insulte standard, pour tout interrogatoire qui se respecte. Mais avec la commissaire Rinaldi, il n'y avait pas moyen de s'amuser, et Favalli aurait dû le savoir. Il sortit tout penaud, en reniflant malgré tout en silence une morve d'insultes que Ferraro, télépathe lui aussi, percevait parfaitement.

La paix revint. Zahra se remit à jouer avec son pendentif.

– Pourquoi tu le protèges ? demanda Elena, pas maternelle mais solidaire. Tu te rends compte de ce qui t'attend ?

— *Inch'Allah*, dit la jeune femme en haussant les épaules, fataliste.

— Pourquoi risques-tu ta liberté pour quelqu'un comme Haile ? Qui est cet homme, pour toi ?

Zahra ne cessait pas de la regarder, mais elle avait l'air de penser à autre chose. Comme si elle était plongée dans un vieux souvenir.

4

Le seul bruit que tu entends maintenant, c'est le crépitement des fagots en flammes sur les toits des cabanes, au fond du village. Tu te balances d'avant en arrière, la main serrée sur le gri-gri de cuir que tu portes au cou. Tu claques des dents et tu rentres la tête dans les épaules, comme si tu avais froid, à genoux devant le corps de ta mère. Tu ne bouges pas de là, alors même que le flot de son sang visqueux a touché tes jambes nues. Le combat a été violent, féroce et improvisé. Puis il s'est terminé.

Maintenant, tu entends des pas, tu lèves les yeux vers l'entrée du toucoul, *le rideau déchiqueté par les rafales de mitraillettes te laisse deviner ce qui se passe dehors, sur la place. Des pillards en uniforme entrent dans le village et s'approchent, soupçonneux. Tu entends tirer, près de ta cabane, tu presses tes paumes contre tes oreilles mais tu ne fermes pas les yeux, tu vois. Tout. Un homme de ton village s'échappe, en tirant au jugé. Puis tu le vois bondir et s'effondrer, sous une grêle de projectiles, des giclées de sang jaillissent de son corps. Un diable du désert s'approche. Détonation sèche d'une balle dans le front, puis de nouveau le silence. Il gesticule vers ses camarades, semble dire que maintenant, tout est fini. Il fait un autre geste avec les doigts, il veut contrôler, semble-t-il dire aux autres. Tu as de nouveau froid, tu trembles, tes doigts sont glacés.*

Le soleil aveuglant, au-dehors, projette l'ombre de l'homme à l'intérieur de la cabane. L'ombre s'allonge, s'élargit, jusqu'à tout obscurcir. Il entre. Tu as tant de larmes dans les yeux que tu le distingues mal. Il est beaucoup plus vieux que ton frère mais c'est quand même un jeune homme, sa peau est plus claire que la

230

tienne, son nez plus effilé que le tien, les cheveux sont courts, coupés en brosse, le regard est une lame. Il te voit te balancer. De dehors, on l'appelle, Haile, ça va ?, lui tourne les yeux vers la voix puis ramène son regard vers toi.

Tu ne sais pas bien pourquoi tu le fais, mais tu le fais. Tu retires de ton cou ton gri-gri, celui qui t'a protégé depuis ta naissance et tu le lui tends, comme butin de guerre. Un sourire lui fend le visage. Il tourne encore le regard vers les voix excitées qui entrent dans les cabanes des survivants : pas de prisonniers, pas de témoins, crient-ils. Puis des coups de feu. Tu es toujours là, avec ton amulette que tu offres sur tes deux mains, lui alors tend la sienne, prend le gri-gri et se l'accroche au cou. Puis il s'assied sur ses talons, met une main dans sa veste. Il a un sourire doux, tu aurais envie de lui toucher les lèvres. Il extrait d'une poche un médaillon d'or, suspendu à un fil qui semble un rayon de soleil. Il te le met dans la paume, referme tes doigts dessus. Tu ne comprends pas mais tu serres le poing.

— Zahra ? l'appelle-t-on dans le futur.
Dans un autre pays, dans une autre langue, dans un autre monde.

Les voix se rapprochent, tu entends leurs pas, les souffles haletants. Tu halètes toi aussi, toujours plus fort. L'homme devant toi te fait signe de te taire, puis te couche sur le drap de sang de ta mère. Ferme les yeux, te dit-il, ne bouge pas, reste immobile. Tu t'exécutes, tu fais comme te dit le démon, tu essaies de paraître morte, mais les yeux fermés tu as la sensation que ton cœur bat si fort que tout le monde pourrait l'entendre. Tu écoutes entrer la voix d'un homme. Il y a un problème ? dit-il. Allons-nous-en, répond Haile, tout le monde est mort, ici. Tu serres fort dans ton poing le rayon d'or.

— Zahra, où va Haile ?

Tu es restée comme ça toute la journée et toute la nuit, collée au sang de ta mère. Puis tu les entends arriver, tu as reconnu la voix de ton frère Adem et alors tu te lèves, tes jambes te semblent de plomb, tu sors de la cabane. Tu marches lentement, le village est un sépulcre, tu sembles un esprit sans repos, avec ton soleil entre tes phalanges exsangues. Ton frère fait deux pas en avant, puis deux autres, s'agenouille à ta vue, il pose la mitraillette à terre. Mais il ne t'embrasse pas. On dirait qu'il a peur de toi. Il pleure. Au fond, il n'a que treize ans.

– Zahra, qui sont vos complices ? demande la commissaire.

Zahra est encore absente, ses doigts frémissent sur le pendentif d'or. Elle ne comprend que la fin de la question, mais ça lui suffit.

– Complices ?

Elle rit à gorge déployée, jusqu'aux larmes.

Les policiers se regardent, perplexes.

– Zahra… insiste Rinaldi.

– Mais vous ne voulez pas comprendre ?

La fille s'essuie les yeux avec les doigts.

– Vous ne le trouverez jamais, Haile l'Implacable. Mettez-vous-le bien en tête. Jamais !

5

À l'arrêt, le contrôleur s'éloigne. Haile se lève.

– Où tu crois aller, comme ça ? lui demande l'autre.

– Je pensais que tu voulais fumer, répond-il, ironique.

– Je fumerai après. Et il sort son couteau.

Le regard de Haile file de tous côtés, à la recherche d'une voie de fuite, mais il sait très bien qu'il est dans un cul-de-sac. Le train se remet en mouvement, sans que personne ne soit monté dans le wagon.

Il tente le tout pour le tout, s'élance, mais Laurent est plus rapide que lui, il lui place un coup de poing au menton qui le fait rebondir entre siège et fenêtre. Le train file, rapide, dans la campagne romaine. Haile essaie de se relever mais l'autre le frappe de nouveau d'un coup de pied dans l'estomac. Puis il se redresse. Il semble énorme. Il est énorme, un colosse chargé de brutalité. D'une main, il lui bloque la gorge sur le siège, rien que comme ça, il pourrait lui rompre le cou, puis il lève le poignard pour le lui enfoncer dans la poitrine.

L'humeur joyeuse de Fusco et de Pietrantoni, dès qu'ils arrivèrent au commissariat, s'adapta à l'atmosphère funèbre engendrée par les collègues à la sortie de la salle d'interrogatoire.

— *Dottoressa*, laissez-la-moi, disait Favalli à Rinaldi, au moment où les deux autres entraient. Allez vous prendre un café, donnez-moi une heure.

— Ne dites pas de bêtises, Favalli.

— J'ai mes méthodes, insista-t-il.

La commissaire le regarda, énervée.

— Je ne le mets pas en doute, je ne suis pas née d'hier. Ce que vous n'avez pas compris, c'est que vos méthodes ne serviront à rien, avec elle, rétorqua-t-elle, lapidaire, en montrant la porte de la salle.

À travers le miroir sans tain, on voyait Zahra qui continuait à lire, indifférente, ses doigts agiles jouant avec le pendentif.

— Commissaire, intervint Fusco, en lui montrant un DVD. Si vous voulez, nous avons…

La femme regarda sa subordonnée, comme si elle venait seulement de s'apercevoir de sa présence.

— Oui, dit-elle. Oui, Fusco. Allez, voyons un peu ce rapport de la Scientifique. Au moins, on fera quelque chose.

Elle avait une voix chargée de déception. S'il avait pu, Ferraro lui aurait donné une caresse.

Le train, sans aucun préavis, freine brutalement. Laurent a encore le bras levé quand il perd l'équilibre, son coup de poignard change de direction et tombe sur l'épaule blessée de Haile. Le spasme lui arrache un hurlement d'animal. Entretemps, Laurent se prend dans les jambes de l'homme à terre. Maintenant ! pense Haile dans un souffle. De par-dessous, il décoche un coup de pied dans le genou gauche de son adversaire, sa jambe se plie de manière anormale, Haile perçoit clairement le bruit des os qui se désagrègent. À grand-peine, il se hisse sur le siège, de là balance un coup de pied très violent sur le visage de Laurent qui lui fait gicler du nez un geyser de sang. Presque aveuglé, l'homme essaie de frapper avec le poignard, qu'il n'a jamais abandonné, mais il ne réussit qu'à lacérer le tissu du dossier. Tandis qu'il s'efforce d'extraire la lame, Haile plie de nouveau le genou en soulevant la cuisse, puis lance sa jambe comme un piston, frappant de la semelle de son brodequin l'articulation du coude. L'adversaire a une secousse électrique, il lâche le poignard et hurle de désespoir.

— Bien, Laurent, dit Haile dans un sifflement. Et maintenant, finissons le boulot.

Pietrantoni alluma l'ordinateur et lança le DVD.

— Il y a quelques documents, des tableaux et une modélisation solide, dit-il en faisant courir la flèche sur le dossier ouvert.

— C'est quoi, bordel, une modélisation solide ? demanda à mi-voix Ferraro à Fusco.

Elle sourit :

— Tu n'emmènes jamais Giulia voir les dessins animés ?

Giulia a la ménarche, pensa-t-il horrifié, comme s'il ne l'avait vraiment compris qu'en cet instant. Elle aura encore envie de voir des dessins animés ? Où est-ce que je vais l'emmener au cinéma, maintenant ?

— Si ce sont des modèles solides, ce sont des marionnettes animées, pas des dessins animés, non ?

— Mon Dieu, Ferraro, dans quel monde tu vis ?

Bonne question !

— Voyons la reconstruction de la scène du crime.

Pietrantoni fit partir le film. On voyait, d'en haut, une reconstruction simplifiée de la zone où avait eu lieu le massacre, avec automobiles, ambulances et petites poupées symbolisant les protagonistes de la fusillade. Le point de vue descendait, lentement, à la hauteur des yeux.

— C'est interactif ? demanda Fusco à Pietrantoni.

— Non. Ils ont fait la modélisation et ils en ont extrait le film, autrement, c'était trop lourd.

Ferraro écoutait sans comprendre.

Les poupées bougeaient de manière grossière dans l'espace virtuel. Jusqu'à ce que le point de vue trouve la position adéquate. De là, il ne bougea plus.

— Mais il n'y a pas le son ? demanda Favalli.

— Si tu veux, on allume la radio, dit Ferraro.

Favalli se rembrunit :

— Je t'ai à l'œil, lui dit-il à mi-voix.

— Je ferai avec, lui répondit Ferraro, en souriant.

Haile a coincé le cou de l'homme assommé dans le creux de son coude, mais il a du mal à traîner le corps étendu sur le sol. Ça pèse, et il ne peut utiliser que le bras droit, la douleur à l'épaule gauche est tellement aiguë qu'elle a engourdi ses mouvements. Heureusement, les toilettes ne sont pas loin. Il s'enferme à l'intérieur, avec le corps évanoui de Laurent. Puis, calmement, il accroche son sac à dos à la poignée de la fenêtre et retire son t-shirt noir. Il inspecte la géographie de la dévastation. Combien d'années peut durer un corps aussi usé ?

La blessure a recommencé à saigner et le pansement est trempé de sang. Haile ouvre le sac et extrait le nécessaire pour des soins d'urgence. Le miroir des toilettes lui restitue des grimaces de douleur qu'il a du mal à reconnaître comme les siennes.

Puis des rayons rouge sang commencèrent à jaillir des petites poupées.

— Voilà, ce sont les trajectoires balistiques, dit Fusco.

Ça commençait à devenir intéressant.

— Ils ont tiré de là, indiquait Pietrantoni sur l'écran, et de là.

— Rien que nous ne sachions déjà, murmura Favalli.

— Attendez un instant, dit la commissaire. Ils sont quatre.

— Qui ?

— Le commando. Ils sont quatre.

— Comment ont-ils fait pour calculer ça ?

— Après contrôle du rapport technique, dit Fusco.

Le point de vue recommença à bouger. Il s'élargit et recula, vers le groupe de feu. Et là, ils virent une chose qui les laissa interdits. Le dernier pantin, celui qui était le plus en arrière, laissa partir un rayon pourpre vers ses complices.

— Mais bordel…

— Oh, mon Dieu… dit Elena en tournant le regard vers Ferraro. Tu as compris ce qui s'est passé ?

Oui. Bien sûr, évidemment. Il avait compris que dalle de chez que dalle.

6

Tu as marché pendant des jours et des kilomètres, sans but. Vous étiez des milliers, réfugiés de stupides guerres sans fin. Tu as traversé des frontières, des régions, des gués, des broussailles. Tu as vu le Darfour, le Soudan du Sud, tu es entrée avec ton frère dans le Wakaga, tu as connu des langues diverses, des races différentes. Comme ça pendant des années. Un gisement pétrolier, une veine minière, un abus de pouvoir, une disette, une razzia, un coup d'État, une guerre. Et chaque fois, il fallait reprendre le voyage. Vous avez quitté la République centrafricaine, vous vous êtes enfoncés dans le Moyen-Chari. Quand tu étais petite, Adem, à son retour de l'école, t'apprenait à lire. Aujourd'hui, c'est différent. Ici, ils ne sont pas égaux à nous, nous devons garder la foi dans nos traditions, te dit ton frère, maintenant que c'est un homme de pas même vingt ans, avec un filet de barbe qui s'obstine à ne pas lui couvrir le menton. Tu es une femme toi aussi à présent, le voile te couvre la tête.

— Dans cette histoire, nous continuons à voir les choses de manière erronée, dit la commissaire à son auditoire, disposé en demi-cercle autour d'elle. La seule chose que nous avons comprise tout de suite est que la criminalité organisée ne planifie pas une attaque de commando contre une ambulance pour un quelconque minable.

— On est revenu au point de départ, *dottoressa* ?

— Oui, Favalli. Nous devons recommencer du début.

Elle les regardait tous l'un après l'autre.

— Pourquoi y a-t-il eu cette expédition nocturne à Lodi ?

— Ben... nous le savons... Haile n'est pas un cave quelconque, il a un passé qui pèse lourd. Nous ne savons pas comment, mais il a fait savoir qu'il était incarcéré à Lodi.

— Comment a-t-il fait ? demanda Pietrantoni. Il n'a jamais communiqué avec l'extérieur.

— Comme si c'était un problème, dit Ferraro. Si je veux faire arriver une information ou la faire sortir d'une prison, je connais cent manières pour le faire sans que ça se sache.

— Mais ça me semble un peu bête. D'abord, il se fait arrêter et puis il demande à être libéré ?

Elena commença à se tapoter les lèvres de l'index droit, les yeux tournés vers des mondes très éloignés. La pièce mit le silencieux. Ils restèrent ainsi pendant presque dix secondes.

Ce jour-là, tu es allée ramasser du bois et remplir le bidon d'eau. Ma fille, te disait ta mère chaque fois que tu lui demandais des nouvelles de ton père, les hommes sont maudits. Ils sont nés pour faire la guerre, pour défendre les villages, pour combattre d'autres hommes, pour mêler leur sang à la terre. Tu es penchée sur la rive du fleuve, attentive à ne pas y tomber. Tu devras faire bouillir cette eau couleur de boue, dans la saison des pluies, les villageois sont tombés comme des mouches, décimés par le choléra. Tu ne t'es pas aperçue qu'ils étaient derrière toi, ils étaient trois. L'un d'eux t'a fermé la bouche avec la main. Tu as essayé de le mordre et il t'a donné un coup de poing sur la mâchoire. Boire le vin est haram, t'a dit Adem. Ce ne sont pas des hommes, ceux qui se laissent prendre par les fumées de l'alcool, ce sont des chiens. Celui qui est sur toi a l'haleine sale et une chemise colorée. Sur celle-ci est écrit : JÉSUS EST MON BERGER. Les deux autres t'arrachent les vêtements, tu pries qu'ils ne te découvrent pas la tête, toi soumise au Seigneur de toutes les choses. Ils t'utilisent comme on utilise une mule, un urinoir, un chiffon. Ils te laissent dans ton sang, la bouche tuméfiée, le ventre en flammes.

— Peut-être que c'est le contraire qui s'est passé, intervint brusquement Fusco, pensive, rompant le silence de la pièce.

— À savoir ?

— Peut-être qu'ils ont su, *du dehors*, qu'il était dedans. Ils le lui ont fait savoir, ils ont organisé un plan d'évasion.

— C'est là que nous nous trompons.

— Qu'est-ce que ça signifie ? C'était une évasion, ça, organisée au millimètre près.

Rinaldi quitta sa place, fit trois pas vers la fenêtre, arqua le dos, mains sur les reins, comme si elle essayait de faire craquer quelques vertèbres. Pietrantoni dessinait du regard son doux profil à contre-jour. Ferraro le regarda avec curiosité.

— Non, ça n'était pas ça. Ou plutôt, c'était organisé pour que ça semble l'être. Pour que Haile croie que c'était ça.

Les connexions neuronales de Favalli déclarèrent *forfait*.

— J'y comprends rien.

— Après, je te ferai un résumé, murmura Ferraro, pas peu acide. Tu sais lire, non ?

— On peut savoir, bordel, ce que t'as après moi ? murmura Favalli, le regard torve.

— Tu commences à m'emmerder, Favalli. Je ne fais que défendre mon territoire.

Quoiqu'éloignée, Rinaldi remarqua la prise de bec :

— Enfin ! dit-elle en élevant la voix, impérieuse. Vous allez arrêter ça, tous les deux ? J'en peux plus de ce comportement de petits coqs dans le poulailler !

Les deux hommes baissèrent le nez, comme deux adolescents surpris par la prof.

Tu es revenue au village alors que tu sentais sur toi la fièvre. Les enfants couraient à ta rencontre et riaient de toi. Les femmes t'ont dit qu'aucun homme ne voudrait de toi comme épouse, maintenant que tu étais contaminée, que ton frère Adem ne pouvait te reprendre chez lui, que l'honneur de la famille était plus important que ta douleur. Mieux vaut mourir, tu t'es dit. Tu étais prête à mourir. Tu l'avais déjà rencontrée, la mort, et elle ne te faisait plus peur. Mais tu as connu Stefano, le prêtre aux cheveux gris et à la peau d'albinos. Il t'a ramenée chez lui, t'a donné un lit. Tu as fait la cuisine pour lui et tu as mis de l'ordre dans ses affaires. Stefano ne voulait rien de toi, c'est toi qui as choisi de le faire. Nous n'avons qu'un seul Seigneur, Zahra, t'a-t-il dit, mais il ne t'a pas demandé de prier dans son église. Tu ne vas pas à la mosquée, mais tu fais tes ablutions cinq fois par jour, la tête couverte du hidjab. Chaque soir, il t'a appris un nouveau mot, chaque soir, un nouvel exercice de lecture. Tu ne peux pas vivre ici, t'a-t-il dit un jour, tu dois t'en aller, te sauver. Tu es intelligente et capable, il y a des sœurs à Moundou, elles ont une école, tu travailleras pour elles et tu étudieras.

Fusco continua, indifférente :

— Qu'est-ce que vous voulez dire, exactement, commissaire ?

Elena regarda la jeune femme comme si elle était la seule à qui elle pouvait se fier.

— Ils n'étaient pas là pour libérer Haile. Ils étaient là pour le tuer.

La théorie de la commissaire resta suspendue en l'air, fluctuante, comme si elle cherchait des oreilles disposées à la comprendre vraiment.

— *Dottoressa*, tenta de raisonner Pietrantoni. On ne peut pas dire que j'aie compris grand-chose. En somme, alors pourquoi le quatrième membre du commando… celui qui était derrière, je veux dire…

— Eh oui, le coupa-t-elle. Pourquoi s'est-il mis à tirer sur ses camarades ?

Le visage de Ferraro s'éclaira soudain, on aurait dit qu'il criait : eurêka ! eurêka !

— J'ai compris, dit-il en fait, plus terre à terre.

— Bien, alors, explique-nous ça.

— C'est-à-dire… je crois avoir compris… dit-il, prenant déjà ses précautions.

— Fais-nous le croire à nous aussi, si tu y arrives.

Tu as voyagé sur la remorque d'un camion, assise au sommet d'une pile de sacs d'arachides, avec d'autres femmes et filles, jusqu'à Sahr. Au départ, Stefano t'a dit au revoir en ajoutant que tu avais l'air de la princesse au petit pois, mais tu n'as pas compris ce qu'il voulait dire. Vous êtes arrivés tard à Sahr, ce jour-là, la piste était pleine de boue. Ils ont déchargé et rechargé dans la remorque de nouvelles marchandises et puis Alaji, qui est un bon frère, après la prière, a remis ses sandales, ajusté son boubou blanc comme le lait et a repris le volant. Derrière, sur l'empilement de sacs, tu sentais l'air se refroidir et tu voyais le ciel au fond virer au noir.

Ce furent les pirates de la route qui exécutèrent la volonté du Seigneur. Ils ont tiré dans les roues du camion, frappé Alaji, volé ce qu'il y avait à voler. Et t'ont emmenée avec eux. Moi, je te connais, tu es la pute de Yaroungou, t'a dit l'un d'eux. Il y a beaucoup d'Arabes, de Français et de Chinois qui veulent baiser à N'Djaména, ils ont beaucoup d'argent, maintenant, tu vas travailler pour nous. Trois jours et trois nuits de viol, dans une chambre de Moundou. Trois jours et trois nuits. Trois. À l'aube du quatrième, tu as dit : Seigneur, je n'ai plus rien à me faire pardonner par toi. Je ne te demanderai plus rien, je ne te prierai plus. Tu as ramassé ton hidjab à terre et tu t'en es servi pour étrangler l'homme de garde. Puis tu as rassemblé tes affaires et tu es sortie de cette pièce.

— C'est Zahra, dit Ferraro, en montrant la cloison de séparation. C'est elle, le quatrième membre.

— Ça, c'est très vraisemblable, en effet, rumina la commissaire.

— C'est toi qui as raison, Elena.

Il l'appela par son prénom, alors qu'il s'était promis qu'au travail, il valait mieux éviter trop de familiarité.

— Ils y sont allés pour le tuer. Du moins, ils le croyaient. Je ne sais pas ce qu'il peut bien avoir à foutre avec la camorra, Haile, mais peut-être que le lien c'est justement Zahra. Elle sait que certains veulent sa mort. Pour des raisons que j'ignore, ils ont confiance en elle.

— C'est comme si elle leur avait dit : moi, je le convaincs de sortir et vous le tuez. C'est possible ? demanda Fusco.

L'air vibrait. On se serait cru à un *brainstorming* d'une équipe de scénaristes de série télé. Américaine, bien entendu.

— Exact. Sauf qu'elle jouait double… ou plutôt triple jeu.
— Oh mon Dieu, dans quel sens ?

Ils t'ont capturée sur la route. La jeep a surgi devant toi, l'un d'eux est descendu poignard à la main, il a incisé ta chair, ton visage de princesse. Comment oses-tu, putain, apprends la leçon. Mais tu avais déjà vu la mort enfant, comment pouvait-il te faire peur maintenant ? Tu lui as volé son revolver à la ceinture et tu lui as tiré deux balles à bout portant, dans le ventre. Puis tu as fait deux pas en avant, vers le tout-terrain, le bras pointé vers le chauffeur. De l'intérieur, un de tes violeurs s'est penché à la portière, un fusil à pompe à la main. Tu tires, avant lui. La boîte crânienne explose, des morceaux de cervelle souillent la vitre. Mais ce n'est pas toi qui l'as atteint, tu as tiré à l'aveuglette, quand tu as fini de tirer, tu as jeté l'arme vers la voiture qui tentait de fuir, puis tu t'es affaissée à terre. Deux autres coups de feu et la jeep a dérapé contre un arbre. Ici, c'est nous qui commandons, vous allez le comprendre, a dit une voix au chauffeur. Et puis un dernier coup de feu est parti. Tu es restée recroquevillée, au milieu de la route, avec le sang qui te coulait sur les joues, constellant ta poitrine de rubis. Puis tu as entendu une voix. Et toi, qui es-tu ? il t'a dit. Tu la reconnais, cette voix, même si tu ne l'as entendue qu'une fois. Tu as levé le regard sur l'homme devant toi. Les pieds, les jambes, le torse, le cou. Tu t'es levée. Ça, tu lui as dit en lui montrant son cou, ça, c'est moi qui te l'ai offert. Haile a touché son gri-gri de cuir noirci par les années et t'a souri. Jusqu'à présent, il m'a porté chance, t'a-t-il dit.

— Je fais croire que j'ai convaincu Haile de s'échapper, poursuivit Ferraro. Je convaincs les chefs que je veux être dans l'équipe pour le tuer. Mais ensuite, je tire dans le dos des types du commando et je fuis avec Haile, qui en réalité connaissait le plan. Le vrai, en somme.
— Un peu tordu, dit Favalli.
— Occam ne serait pas d'accord, dit Elena, pensive.
— Et c'est qui, bordel, Occam ?
— C'est le type au rasoir ? demanda Fusco à la commissaire, curieuse.

Elena leva les yeux sur elle et lui sourit.

— Oui, c'est lui, répondit-elle puis s'adressant à Ferraro : Ok, c'est un peu boiteux mais pour l'instant, c'est la seule hypothèse. Cela signifie qu'il ne s'enfuit pas seulement de nous, mais qu'il est aussi probablement poursuivi par d'autres.

— Mais pourquoi vouloir le tuer maintenant ? avança Favalli. De toute façon, il était en prison.

— Je ne sais pas. Peut-être le moment était-il venu de le faire disparaître. Même en prison, il pouvait être dérangeant de le savoir encore vivant.

Fusco regarda vers la porte qui les séparait de Zahra.

— Maintenant, il est seul, pour de bon. Il n'y a aucun complice qui puisse l'aider.

— La seule chose que nous ne savons pas, c'est où il se dirige.

— Il ne fuit pas, conclut Elena. Il est en train d'aller régler ses comptes avec ceux qui veulent sa mort.

7

Haile est dans le couloir, il est en train de trafiquer la serrure des toilettes quand il entend le haut-parleur dire que les Chemins de fer s'excusent pour le retard auprès de l'aimable clientèle mais que la ligne est bloquée par un dérangement technique du train qui les précède. Pendant ce temps, lui, avec une pièce de monnaie, il réussit à faire tourner le verrou du dehors, dissimulant ainsi le cadavre de Laurent dans les toilettes.

Puis il regagne sa place, récupère ses affaires et les glisse dans le sac à dos. Mais il garde dans la poche de son jean le couteau de Laurent. Maintenant, le haut-parleur annonce que le retard est de 82 minutes, mais que la circulation sera rétablie au plus vite. Haile regarde au-dehors, c'est l'hiver, il fait nuit tôt en cette période. À l'horizon, il devine quelques crêtes des Apennins, ponctuées de faibles lueurs. Il s'aperçoit que le chauffeur est descendu du côté droit pour se fumer une cigarette. Mauvais signe, Dieu sait quand ils vont repartir. Puis il voit, à travers les vitres de la plateforme, dans la voiture voisine, que le contrôleur revient de son tour d'inspection. Peut-être est-il las de se faire insulter par les voyageurs, il veut sans doute se réfugier dans le premier wagon, celui qui est vide.

Haile se décide vite. Allez, maintenant. Dans une impulsion, il ramasse ses affaires, met un pied sur le siège, ouvre la fenêtre de gauche. Jette le sac au-delà du ballast. Puis, avec peine, enjambe la glace, se suspend avec la main gauche et se jette hors du train. Devant lui, il y a le noir, le néant, et le froid.

1

C'est une maison de campagne défaite, délabrée, de briques étroites couleur crème, dont la toiture en chevalet a été noircie par les flammes. Bout de paysage abandonné à lui-même, campagne romaine qui se refuse comme lieu et devenue vide existentiel. Haile entre par la porte déglinguée, prête à tomber en poussière, il s'aide d'une petite torche. À terre quelques vieilles revues porno, froissées et jaunies, des préservatifs roulés en boule, et même deux seringues usagées. Le cercle lumineux de la torche s'attarde sur les cloisons au crépi lépreux. NOUS VOULONS TOUT, dit une inscription délavée. ANGELA EST UNE PUTE, en dit une autre, plus lisible. L'homme inspecte tous les recoins avec attention. Il y a plusieurs mois, peut-être des années que plus personne n'est venu ici. Enfin, il se laisse tomber à terre, éreinté. Le carrelage dégage une humidité glacée. Il cherche aiguille et coton dans le sac et, en hurlant de douleur, entreprend de recoudre la blessure au bras. L'opération terminée, Haile se touche le front, il brûle de fièvre. Ne t'endors pas, se dit-il, pas maintenant.

Il lui revient à l'esprit le visage incrédule de Laurent en train de reprendre connaissance, sa mort qui court sur le fil de la lame tandis que Haile lui ouvre la gorge, la souffrance du veau égorgé qui s'étouffe, les toilettes du wagon éclaboussées d'une pluie pourpre qui semble l'œuvre d'un peintre débutant et maladroit.

Il l'avait connu à Moundou, Laurent, devant une bière glacée. Il est temps de changer de boulot, lui avait dit Sayed, qui était assis à sa table, tandis qu'ils attendaient Laurent. Ça suffisait comme ça d'aller partout mitrailler, ça suffisait aussi les putains, de toute façon, en Afrique, ça ne rapporte rien. Haile buvait, lent et concentré, comme s'il avait voulu goûter, en plus de la bière, les propos de son ami. Il avait accepté de changer d'uniforme cent fois, rien que parce qu'il le lui avait demandé. Changer de nation, de langue, d'identité. Il s'était passé les doigts à l'acide, s'était mis à faire du trafic de prostituées dans la moitié du continent africain. Ça, ça ne serait que l'énième dérivatif, pensa-t-il. Rien d'électrisant, juste une distraction, une bière glacée, rien que le soleil jaguar. Laurent apparut devant lui, à contre-jour. Il leur tendit la main à la manière affectée des Tchadiens, douce et de la pointe des doigts. Sayed le fit asseoir. Ça a toujours été un homme d'action, Laurent. Un sous-fifre, un intermédiaire, pas un cerveau très raffiné. Il était porteur d'un message : il y a des hommes, des Européens, à N'Djaména, qui sont en train d'organiser une nouvelle route de migrants. Puis il s'alluma une cigarette.

La tête pend de manière anormale sur la poitrine, Haile la relève d'un coup, sa nuque cogne contre la brique. Il s'était endormi. Pas ici, se dit-il, pas à terre. Allez, lève-toi. Au prix d'un effort effroyable, il parvient à se fabriquer un grabat au-dessus du carrelage. Il ne veut pas être dévoré par les insectes, ni aggraver ses douleurs rhumatismales. Il vérifie de nouveau sa fièvre. Elle est très forte, il s'en rend compte tout seul. Il avale avec difficulté quelques antipyrétiques dégotés au fond de son sac. Puis il décide de faire un autre tour de la ruine. Il a vu quelques poutres noircies qui pourraient lui servir de charbon de bois. Il ramasse ce qu'il trouve et le porte à l'intérieur. Allumer un feu pourrait être dangereux mais la fumée, personne ne la voit la nuit. Il ne passera pas la nuit s'il ne se réchauffe pas un peu.

Dans c'te pays, on mange *dimmerda*, merdeusement, disait un des Italiens, assis à la table de l'Amandine, bistro de style colonial tardif au cœur de la capitale. Il parlait la bouche pleine, en s'empiffrant de croissants. Y'a que dans c'te putain

245

de bar *dimmerda* qu'on mange quelque chose de chrétien, *ma 'nto rieste e' Ngiammena*, mais dans le reste de N'Djaména, Jésus, quelle dégueulasserie ! Mais comment vous faites, vous autres, bordel ? *V'aggie ffa je nu bell piatte 'e spaghetti co' e vvongole veraci, o' pistille e nu poche 'e petrusine,* Je vous fais un beau plat de spaghettis avec des palourdes, le pesto et un peu de persil. Haile aurait pu lui dire que les spaghettis al dente, sa mère les lui faisait depuis qu'il était enfant, mais ils n'étaient pas là pour discuter gastronomie. Le trafic de migrants, c'était l'avenir, non !, le présent, l'avait endoctriné Sayed. Les routes passent par l'Algérie, et puis montent vers la Méditerranée. Eux, ils pouvaient suivre une route complètement différente. Ils avaient les hommes, ils avaient les véhicules. Il y avait des tonnes de fric à se faire. Cinquante-cinquante avec ces animaux ? demandait Haile, faisant allusion aux Napolitains qu'ils avaient en face. Arrête, l'avait repris son ami, c'est pas le moment de faire la chochotte. Les affaires sont les affaires. *Guagliù, che cazze state a dicere ?*, Les gars, qu'est-ce que vous racontez, bordel ? demandait l'un d'eux, irrité, qui ne comprenait pas l'idiome utilisé par les deux compères. *Cu nnuie,* avec nous vous parlez italien, *va bbuono,* d'accord ? Haile sourit. L'italien, il pourrait le leur apprendre à ces bourrins, pensait-il. Mais laissons tomber, on le sait (c'est-à-dire, lui le savait, étant donné qu'il était allé aussi au lycée et qu'il avait étudié le latin) : *pecunia non olet.*

Haile s'emmitoufle dans son blouson et ferme les yeux, épuisé. La tiédeur du feu fait le reste.

Au même moment, sur un quai de service de la gare de Termini, un employé du nettoyage est en train de finir de décrasser et d'astiquer le dernier des wagons d'un interrégional arrivé avec presque deux heures de retard à Rome. Il est parti de la queue, maintenant qu'il est en tête, il veut seulement finir et aller se boire un blanc des Castelli. Il s'aperçoit que les toilettes sont fermées. Les clochards habituels qui se planquent, pense-t-il. Il frappe, d'abord. Puis il avertit qu'il a un passe-partout, qu'il est inutile de se cacher là, mais il n'obtient pas de réponse. C'est peut-être une blague, pense-t-il. Alors, il fouille dans ses poches, sort la clé et ouvre ; avec peine, parce que quelque chose bloque. Il jette un œil à l'intérieur pour comprendre ce que diable ça peut être. Il met bien cinq secondes à se rendre compte. Puis il vomit tout ce qu'il a dans l'estomac.

2

Ils trouvèrent un accord. Assez de club-sandwichs avalés n'importe où, il faut faire au moins un repas civilisé par jour. À la questure, on leur conseilla une trattoria du côté du port.

— C'est où, la forteresse du Priamar ? demanda Elena.

— Plus loin, vers le nouveau port touristique.

— Ok. Réserve pour cinq. Dis-leur de commencer à cuisiner, comme ça on perdra pas de temps.

Ah, l'appétit d'Elena ! Ça rendait heureux de la voir manger, tout le contraire de Francesca, toujours obsédée par son régime. Alors que, à bien y penser, Francesca aussi a toujours apprécié les plaisirs de la table. Sauf qu'elle le vivait mal, de manière contradictoire, toujours convaincue que le regard de Michele et des hommes en général, sur elle, était inquisiteur. Des années et des années à lui expliquer que peu lui importait si elle prenait quelques kilos, ça n'avait pas suffi. Ils réussissaient à se perdre là-dedans. Des broutilles pour lui, des monolithes pour elle.

En voiture, ils passèrent devant un géant de ciment.

— Qu'est-ce que c'est que ça ? demanda Pietrantoni.

— Le tribunal, répondit Fusco.

— Mais c'est horrible ! décréta Favalli.

— C'est pas si mal, au fond. Ce n'est pas laid, c'est… du brutalisme, observa Elena, sans que personne ne comprenne sa réponse.

Ils réussirent à discuter de ça jusqu'à l'arrivée à la trattoria, avec Favalli en défenseur des belles choses du passé, jouant les dédaigneux et les suffisants face à la commissaire, convaincu d'avoir affaire à quelqu'un qui ne comprenait pas grand-chose à l'art.

Ferraro, sur le conseil d'Elena, commanda un plat de *pansoti* en sauce aux noix, tandis que Favalli, dans un élan d'originalité, demanda au garçon des *trenette* au pesto.

Quand son plat arriva, il eut aussi à redire sur celui-ci, jouant les connaisseurs.

— Mais qu'est-ce qu'ils y ont mis, des pommes de terre et… des haricots verts ?

— Mon Dieu, Favalli, tu es sans espoir, dit Elena et avec cela, elle mit un point final au débat.

Ce fut à ce moment que le portable de Fusco sonna. Elle s'éloigna du groupe, pour ne pas déranger. Dix minutes plus tard, elle revint avec la tête de quelqu'un qui a eu une vision d'outre-tombe.

— Qu'est-ce qui se passe ? lui demanda Elena, tandis qu'elle dégustait son poulpe aux pommes de terre.

— C'était Tartaglia. On a trouvé un cadavre, égorgé, dans un train au dépôt de la gare de Termini.

Pietrantoni essaya de dire "mais nous, en quoi…" mais la fourchette en l'air de la commissaire le fit taire.

— Continue, dit Rinaldi à Fusco.

— Un travail de pro. Il y a des signes évidents de bagarre. Le cadavre est africain.

Il avait travaillé avec Tartaglia, à Rome, Ferraro. C'était un type qui connaissait son boulot.

— Mort depuis quand ?

— Pour le médecin légiste, trois heures.

— D'où venait le train ?

— Gênes. Un interrégional.

Elena laissa tomber sa fourchette dans l'assiette.

— Donc, tu veux dire que…

— Oui. Il est aussi passé à La Spezia. Les horaires coïncident.

— D'accord, dit-elle, péremptoire, en se levant. Allons-y.

Favalli qui, apparemment, ne snobait pas les haricots verts et les pommes de terre au pesto, dit, histoire de donner encore un peu de temps à la manducation :

— Vous croyez que c'est Haile ?

— Je ne sais pas, rétorqua-t-elle, pensive. Je ne sais plus rien, ajouta-t-elle puis, tournant son regard vers lui : Pietrantoni, conduis-nous à Gênes le plus vite que tu peux.

Le garçon se leva, pratiquement au garde-à-vous.

— Fusco, poursuivit la commissaire. Cherche-nous un vol de l'aéroport de Gênes. Le premier que tu trouves pour Rome.

Ferraro, ni assis ni debout, se remplit la bouche de *pansoti* de deux coups de fourchette rapides comme l'éclair. C'est bon, y'a pas à dire. Espérons qu'ils ne me restent pas sur l'estomac.

3

Pietrantoni semblait s'être préparé pour un test d'admission à l'école des pilotes Ferrari de Maranello.

— Si tu continues comme ça, on va arriver à Rome avant que l'avion parte de Gênes, dit Ferraro, vaguement coliqueux.

— Allez, Michele, pleurniche pas, lui dit Elena, assise à côté du chauffeur. On n'a pas de temps à perdre.

— La vie non plus, on n'a pas à la perdre. De toute façon, l'autre sur le train, il est mort, il va pas s'échapper.

— Va savoir si c'est lui, murmura la commissaire, en se mordant les lèvres.

Elle semblait presque regretter de ne pas l'avoir capturé à temps.

Au-dehors, le panorama à l'ouest était une longue constellation ininterrompue de lumières, de lampadaires, d'habitations secondaires, de ports touristiques, de constructions sauvages, de ruisseaux à sec, de coulées de ciment, d'usines abandonnées. Ferraro, de toute façon, ne s'intéressait pas aux beautés de l'environnement, Pietrantoni conduisait si vite que sa principale préoccupation était de digérer la sauce aux noix avant de la lui vomir sur la nuque.

Il se décida pour une diversion, histoire de casser les pieds à quelqu'un.

– Salut, Comaschi, marmonna-t-il dans son portable. Comment ça marche ?

– C'est quoi, ça, tu te fous de moi ?

Loin de l'appareil, on entendait la rumeur d'un téléviseur.

– Non. Je voulais savoir s'il y avait du neuf.

– Écoute, mon beau, toi, profite bien de tes vacances, moi, à cette heure, j'ai lâché le boulot, c'est juste bière et télé.

– Pas mal, le petit programme.

– T'es encore à Lodi ?

– Noon, je suis en train d'aller à Gênes.

Comaschi rota, évitant avec soin d'éloigner le téléphone de sa bouche.

– Visite de l'aquarium ? demanda-t-il, pas gêné.

– Avion pour Rome.

– Ah, voyez-vous ça ! Tu t'emmerdes pas, avec le fric des contribuables. Tu vas jeter des pièces dans la fontaine du triton ?

– Dans la fontaine de Trevi, ignorant.

– Ce serait trop banal, tu ne trouves pas ?

Elena tordit le cou, elle semblait sincèrement intéressée par l'inutilité du dialogue. Ferraro pressa plus fort le téléphone contre son oreille, pour étouffer le haut-parleur, pour le cas où ils entendraient les conneries de Comaschi, vu que ce type est imprévisible.

– Allez, parle-moi de l'enquête.

Juste histoire de paraître professionnel.

– Qu'est-ce que tu veux que je te dise, bordel ? Le type que nous avons arrêté… commença-t-il avant de hurler, excité : Sale couillon ! Mais passe, Vénitien de merde !

Ferraro n'aimait pas le foot. Il ne suivait pas les matchs, ne connaissait aucun des joueurs du championnat, ne discutait jamais ballon rond au commissariat, sautait systématiquement les pages de sport dans les quotidiens.

– Je vois que tu es pris par la lecture des Psaumes, dit-il au collègue. Mieux vaut qu'on s'appelle demain.

– Eh oh, pas la peine de faire le connard.

– Je ne voudrais pas te distraire.

— Laisse tomber, de toute façon, ce match est chiant à mourir. Je te disais…

Il rota de nouveau mais de manière plus contenue.

— L'alibi de l'ami de Niemen est un peu mou du genou, mais il a un avocat dur de dur, on a dû le laisser partir.

— Mais c'est l'homme que nous cherchons ?

— Mais qu'est-ce que j'en sais, putain ! De Matteis dit qu'il n'a pas envie de perdre trop de temps là-dessus, on a autre chose à faire.

— Putain ! Il s'agit d'un meurtre, pas d'un trouble à l'ordre public !

— Lui, son coupable, il l'a déjà, il est même mort. Donc, pas de procès. Justice est faite.

Maintenant, au bout de la route, on voyait l'aéroport de Gênes, éclairé *a giorno*.

— Et toi, qu'est-ce que tu en dis ?

— Je ne sais pas, ça ne me convainc pas. Pour moi, ce type n'a rien à y voir. Mais ça me ferait chier qu'on ne trouve pas le complice du gitan.

— Ce ne serait pas la première fois que nous ne résolvons pas une affaire. C'est une vie difficile, même toi tu le sais.

— Justement. De temps en temps, on peut avoir droit à quelques satisfactions personnelles, non ?

Pietrantoni freina brusquement. Les jurons prononcés par Ferraro étaient d'une telle facture que Comaschi, de son côté, le félicita avec admiration pour la complexité lexicologique de l'obscénité.

4

Le vol passa le temps d'un éclair, pratiquement tout le monde s'endormit d'un coup. Sauf Elena qui, à la sortie de l'appareil, en les regardant marcher comme un cortège de condamnés aux travaux forcés, décida de changer de programme. Elle ne pouvait pas trop tirer sur la corde avec eux, ils avaient besoin de se reposer vraiment, dans leur lit. Tartaglia, qui les avait rejoints à l'aéroport de Rome, leur fit un compte rendu exhaustif. Il jeta un coup d'œil à la photo de Haile que Fusco lui tendait et assura à ses collègues que le mort, ce n'était certainement pas lui. Et de toute façon, maintenant, le cadavre avait été emporté à la morgue.

— Du coup, nous n'avons pas besoin d'aller faire une reconnaissance, lui dit Rinaldi. Continuez vos investigations, on fait le point demain. S'il n'y a rien de neuf, vous nous trouverez au bureau, au SCO.

Tartaglia salua avec élégance et disparut de leur vue.

— *Dottoressa*, si vous voulez, je… je pourrais chercher… essaya de dire Fusco mais un bâillement imprévu lui fit exhiber tout l'arc dentaire supérieur. Oh mon Dieu, se reprit-elle, cachant sa bouche derrière sa main. Excusez-moi. Je ne voulais…

— Laissez tomber, Fusco. Nous sommes fatigués. Nous ne savons pas si Haile est à Rome ou bien Dieu sait où. Mais il doit bien dormir, lui aussi, non ? Dormons un peu de notre côté, comme ça on s'éclaircira peut-être les idées, conclut-elle avant de s'adresser aux autres : Demain matin, je vous veux tôt à mon bureau, vers les sept heures, sept heures et demie maximum.

— Mais, *dottoressa*, avec la circulation, c'est…

— Pietrantoni, prenez le métro. Aujourd'hui, vous avez assez conduit.

Ils s'approchèrent de la station de taxis.

— Comment on se répartit ?

— Favalli et moi, on va dans la même direction, dit Fusco. Tu viens avec nous ? demanda-t-elle à Pietrantoni. Si on fait un détour, on passe par chez toi, proposa-t-elle puis aux deux autres : Bonne nuit, à demain.

On aurait dit un intermédiaire en train d'organiser un rendez-vous galant entre deux célibataires d'âge mûr. Elle salua un groupe de chauffeurs de taxis. Le premier mit un certain temps à entrer dans son véhicule, il semblait qu'avant de retourner au travail, il devait faire à ses collègues un aveu impossible à renvoyer à plus tard. Il était probablement en train de commenter avec une abondance de détails techniques et une admirable compétence le match qui venait de se terminer.

Ferraro sentit, palpable, l'embarras d'Elena.

— Je vais chercher un hôtel, dit-il assez fort pour se faire entendre des trois autres en train de monter dans un véhicule. Puis il gesticula lui aussi pour attirer l'attention du taxi suivant.

— Inutile de prendre deux taxis, dit Elena. Il y en a aussi à côté de chez moi, des hôtels.

— D'accord, dit Ferraro, sèchement.

Le premier taxi n'était plus qu'un souvenir du passé. Le second une vague espérance dans l'avenir.

— Même si…

Allez, dis-le, dis-le, dis-le !

— Si ?

— Bon, il suffit d'arranger un peu le canapé, d'étendre un drap et…

— Non, allez, et Mauro ?

— Il n'est pas chez moi, ces jours-ci, répondit-elle puis changeant de ton : Mais ne te mets pas des idées dans la tête.

Le taxi arriva enfin, avec une lasse indolence.

— Mais qu'est-ce que tu crois, je suis trop fatigué même pour y penser. Je veux juste prendre une douche, assura-t-il puis, après un instant de réflexion : Je n'ai même pas de rechange avec moi.

— J'en ai, moi.

Ils montèrent dans la voiture.

— Les affaires de ton fils ne vont pas m'aller.

Elle sourit.

— Ce sont des affaires à toi. Tu les as laissées quand tu es parti et, entre une chose et l'autre, je ne te les ai jamais renvoyées.

Il sourit.

— Je suis toujours aussi distrait, dit-il pour dire quelque chose.

— 'Ndo annamo ?, Où qu'on va ? demanda le chauffeur en pur *international style*.

Il fait encore nuit quand Haile se réveille en sursaut dans son refuge de fortune. Le feu s'est éteint depuis un moment et la température est si basse qu'il a les lèvres gelées. Il dénude son épaule et essaie de jeter un coup d'œil à la blessure, il semble que le sang a cessé de couler. Il nettoie tout avec soin, comme il l'a fait des dizaines de fois, mais il sait qu'il a besoin d'un refuge plus adéquat, autrement, son bras va vite s'infecter. Il se rhabille rapidement et se pelotonne dans la grosse veste. Puis il sort du sac une tablette de chocolat et en mange un morceau, pour se donner de l'énergie. Inutile d'attendre encore, se dit-il. Mieux vaut bouger, comme ça tu te réchauffes un peu. Il se lève, ramasse tout et sort de la ruine. Il s'enfonce dans le noir.

Le travail ne finissait jamais. Ils venaient du Cameroun, du Nigéria, de République centrafricaine, du Soudan, de la Somalie même, quelques-uns aussi de l'Érythrée. Beaucoup de ces derniers les reconnaissaient, Sayed et lui. Ils les regardaient les uns avec mépris, les autres avec admiration. Haile ne demandait jamais des nouvelles d'Asmara, il faisait son travail, distribuait des ordres, communiquait à peine avec le troupeau des fugitifs. Moins encore avec les Érythréens. Malgré cela, les nouvelles lui arrivaient : le 18 septembre, l'arrestation des dissidents politiques, des journalistes, la fermeture des quotidiens, l'enrôlement forcé des étudiants. Son père, disparu ; certainement torturé et tué. Un héros de la nation. La corne de l'Afrique était un délire d'anarchie tribale, la folie sur terre. Il ne mérite rien, ce continent, continuait-il à se dire, de plus en plus rarement, se le répéter de jour en jour ressemblait à une fausse prière, idiote, désaccordée, à une justification complaisante et exagérée.

Cynique et déçu tant qu'on voulait, mais la vérité est qu'au fond, il pataugeait très bien dans ce chaos. Par tas, par troupeaux, il transportait des centaines de désespérés, leur prenait leur argent et les faisait voyager dans des conditions absurdes sur des camions délabrés vers la bande d'Aozou, autre décor d'une autre guerre inutile. Mais maintenant, la Libye est amie du Tchad, lui rappelait Sayed. On emmène le plus de monde possible à travers le désert ; ceux qui y arrivent, ceux qui peuvent payer, on les embarque, les autres restent à faire les esclaves dans les oasis ou les domestiques dans les villes libyennes. C'est la sélection naturelle, au fond, nous ne faisons rien d'autre que la solliciter.

Mais certaines fois, il avait des renvois de conscience, des lueurs de cohérence avec les principes éthiques qu'il s'était fixés quelques ères géologiques auparavant. Dans cet horizon désertique, fait de violences et d'espérance, ses gestes apparaissaient parfois comme ceux d'un fou, parfois comme ceux d'un saint.

C'est à peine plus qu'une baraque, construction abusive au croisement entre un ruban asphalté et une petite route sommaire. Un groupe de néons, une source lumineuse anormale et non naturelle dans le plomb du ciel, qui s'élargit à chaque pas. Haile sait qu'il n'y arrivera pas, son corps a besoin de chaleur, l'humidité de l'air ne pardonne pas. Sur la voûte céleste, pas une étoile, on dirait que les nuages le suivent depuis Lodi, comme si c'étaient eux qui voulaient le capturer. Il essaie de rassembler ses esprits, de se concentrer pour anesthésier son état fébrile : plus de trains, ce n'est plus sûr ; à présent, ils ont dû trouver Laurent, à Rome, il doit éviter la ville. Il a besoin d'un vrai lit, d'un bain, pas d'un autobus interurbain. Maintenant, il est à moins d'une centaine de mètres du petit bar improvisé, de ceux qui font un café aux paysans et aux camionneurs de passage. À pied, il ne peut plus continuer, c'est évident. Il doit faire plus vite, il doit risquer davantage. Un homme sort du bar, passe de la lumière à l'ombre, en disant au revoir à ceux qui sont restés au chaud à l'intérieur. Il émet des bouffées de vapeur. Marche vers un groupe de voitures en emportant son sourire du bar, rit tout seul, comme un idiot, peut-être pense-t-il à la blague racontée au comptoir, ou au commentaire sur le match. Il glisse la clé dans la serrure de la voiture. La lame d'un couteau à cran d'arrêt s'appuie soudain sur sa jugulaire.

— Ne bouge pas, lui dit Haile dans son dos. Ne souffle pas, ne dis rien.

L'homme tremble, et pas de froid. Il essaie de hocher la tête mais a peur que le mouvement se heurte à la pointe du poignard.

— L… l'argent est… essaie-t-il de dire dans un souffle.

— Où est ton portable ? demande, péremptoire, le tueur.

— Poche… droite.

— Ok. Sors-le et mets-le sur le capot, avec les clés de la voiture.

L'homme s'exécute.

— Le portefeuille est derrière, continue-t-il, zélé, au cas où le voleur l'oublierait.

Mais Haile ne semble pas intéressé par l'argent, il inflige à l'homme un coup sur la tête d'une telle violence qu'il s'effondre à terre. Puis l'Érythréen prend les clés et le portable et se glisse dans la voiture ; il allume le moteur et se dirige, tout doucement, vers la mer. Dans son dos, le soleil essaie de se ménager un espace, entre crêtes et nuages.

6

Il dormit vraiment sur le canapé. Via Padova, où d'une certaine façon, il ne s'était jamais acclimaté, l'idée de rester dans le même lit qu'Elena lui semblait quelque chose de volé, un truc d'ado, vaguement peccamineux, ici, non, ici, c'était différent. Cet appartement avait été le sien, pendant un moment de sa vie, même si le moment avait été bref. Ici, ils avaient essayé d'être une entité unique, un noyau familial. Baiser ici, aujourd'hui, aurait été comme violer la sacralité d'un temple, l'infecter avec la crasse de l'égoïsme. Et puis, il était mort de fatigue. En fait, il ronfla si fort que, de la chambre à coucher, on aurait cru qu'au séjour on avait inauguré le premier tournoi national de tronçonneuses à moteur endothermique.

Après sa douche, il trouva même le temps de se raser avec le rasoir de Mauro. Cette histoire avec Mauro était restée en suspens, cette nuit d'alcool, la colère d'Elena et tout le reste. Ils ne s'étaient plus parlé et lui, lâchement, avait tout renvoyé à plus tard, les explications, les excuses... Mais bon, laissons tomber cette fois encore, inutile d'exhumer ça, non ? Ce n'est pas le moment.

Ils optèrent pour un petit-déjeuner au bar. Ferraro fit d'abord asseoir Elena à une table puis alla commander au comptoir. (Rappelle-toi, se disait-il, se ré-accommodant vite à une ville qui fut peut-être la sienne aussi : laisse une piécette quand tu commandes le cappuccino, pour avoir des croissants demande des *cornetti*, pas des *brioches* comme à Milan, et le verre d'eau est compris dans le prix.) Elena lisait *Il Messaggero* au bar. Elle le feuilletait comme s'il était infecté. Son rapport avec la presse papier atteignait un degré de perversion incompréhensible : il ne se passait pas un jour sans qu'elle parle mal des quotidiens ou des hebdomadaires politiques mais elle ne pouvait s'empêcher de les lire, de la première à la dernière page, de manière compulsive et maladive. Même chez le dentiste, elle était la seule personne qui donnait sens à la présence des suppléments ou des revues, parfois vieux de plusieurs mois, abandonnés à leur destin muet, à leurs limbes éternels. Pour ensuite s'énerver, souffler, maudire la presse nationale. On aurait dit un héroïnomane qui à l'instant où il se balance sa dope dans les veines, se dit que c'est de la merde et que tôt ou tard, ça va le tuer. Cette femme lit trop, observait Ferraro en silence tandis qu'il s'asseyait à la table, elle aurait besoin d'un peu de télévision.

Ils arrivèrent en métro au siège de la via Tuscolona. Même plus tôt que d'habitude, prendre la voiture aurait été un suicide. À vrai dire, le métro aussi excitait ses instincts meurtriers. La fréquence dadaïste des passages de rames, qui pouvaient se succéder l'une derrière l'autre sans qu'une minute soit passée, ou le laisser attendre un bon quart d'heure, avec la cohue sur le quai qui poussait, le rendant claustrophobe (et toujours la main sur le portefeuille, on ne sait jamais), éveillait dans l'esprit de Ferraro les pires dérives padanes. Mais les visages dans les wagons étaient ceux de toujours, les mêmes qu'il rencontrait tôt le matin dans le métro milanais, les mêmes yeux chassieux, ensommeillés, avec le même air de défaite existentielle. Bref, des frères.

Comme ils arrivaient près de l'édifice, Elena envoya Michele en avant, en invoquant une excuse idiote. Il fit semblant de ne pas comprendre qu'elle ne voulait pas qu'on les voie arriver ensemble et monta les marches du SCO en solitaire.

Entre-temps, à 478,36 kilomètres de distance à vol d'oiseau, un réveil (offert par une fille adolescente, aujourd'hui – selon d'antiques conceptions de la biologie – déjà femme), sonnait d'un air joyeux une ritournelle de bon anniversaire à l'adresse de son propriétaire, incompréhensiblement absent de la maison depuis au moins vingt-quatre heures. Moitié parce qu'il était bon et avait un sens élevé du devoir, moitié parce que toute cette solitude – la chambre vide, les stores baissés – l'angoissait vraiment.

7

Arriver plus tôt au bureau n'avait pas beaucoup changé la situation. Aucune nouveauté importante, sur aucun front. Mais Tartaglia avait apporté quelques informations supplémentaires sur son enquête. Le contrôleur interrogé décrivait deux hommes de couleur, autour de la quarantaine, à un an près. La dernière fois qu'il les avait vus, assis l'un en face de l'autre, c'était après la gare de Viterbe. Courtois, bien élevés, surtout l'un d'eux, celui de la photo, qui parlait italien. L'autre, le mort, non. Français, peut-être.

— En somme, Haile n'est pas arrivé à Rome.

— Pourquoi ?

— Le contrôleur se rappelle parfaitement qu'il a fait la fin du trajet dans la première voiture.

— Il ne s'était aperçu de rien ?

— De quoi ?

Elena montra au collègue la photographie du siège lacéré au poignard.

— De ça.

258

— Tu parles ! Vous en avez déjà pris, des trains locaux ?
C'est un désastre. L'œil s'habitue à tout. Et puis, l'assassin a
été prévoyant. Il ne l'a pas tué là, en répandant du sang
partout.

— C'est clair. Il l'a fini dans les toilettes, pour prendre son
temps.

— Mais peut-être… tenta Pietrantoni. Peut-être que le
fuyard a fini par arriver en ville.

— Oui, et comment ? En auto-stop ? ironisa Ferraro.

— Nous ne savons pas où il va, rétorqua le jeune policier,
sur un ton orgueilleux, comme pour dire qu'il n'était pas le
dernier des cons. Mais ici, à Rome, il y a une communauté
érythréenne très importante.

— C'est bon, Pietrantoni, essayez d'enquêter, dit la
commissaire, augmentant son orgueil.

— *Dottoressa* ?

Fusco l'avait presque murmuré, assise devant son ordinateur portable. Mais par une autorité conquise sur le terrain,
elle avait réussi, avec le temps, à savoir attirer l'attention sur
elle chaque fois qu'elle proférait un mot. Rinaldi s'approcha
aussitôt.

— Qu'est-ce qui se passe ?

— Je ne sais pas, peut-être que c'est une bêtise…

Voilà, sa modestie de toujours. Sincère, jamais affectée.

— Quoi ?

— Je contrôlais sur l'intranet de la police les plaintes
déposées ces dernières heures. Bref, il y a celle-là…

Elle posa un doigt sur l'écran, comme si de le montrer
rendait vrai, objectif, ce qu'elle était en train de dire. La
commissaire se plia en avant, d'instinct. La position fit blêmir
le visage de Pietrantoni.

— Hum, dit-il, convaincu que le monde entier avait
remarqué son regard luxurieux. Alors, j'y vais à… bon, les
Érythréens… voilà…

— Oui, oui, allez, allez, dit Elena, sans détacher son regard
de l'ordinateur, agitant sa main comme si elle chassait une
mouche.

Il s'en fut, dans l'indifférence générale. Ferraro le surprit à la porte au moment où il se déboutonnait le col, échauffé.

Mais tu veux parier que… pensa-t-il, sachant que les mauvaises pensées ne sont jamais fausses.

— Et Favalli, où il est ? demanda-t-il à l'assistance.

— Il a envoyé un texto. Il dit qu'il a eu un contretemps mais qu'il arrive, l'informa Fusco sans détacher les yeux de l'écran, dans l'attente qu'Elena finisse sa lecture.

— Oui, bien sûr, évidemment. Il ne trouvait pas son zizi pour pisser !

— Ferraro ! le gronda avec lassitude la commissaire, utilisant la distance du nom de famille pour lui faire entendre le rappel à l'ordre officiel.

Tartaglia, pour une raison ou une autre, ricana dans sa barbe.

— Ça pourrait lui prendre du temps, en effet, dit-il à mi-voix à son collègue, avec cet humour de chambrée infantile typique des flics. Ou des mâles plus généralement.

— Il devrait se lever plus tôt le matin, comme ça il éviterait de chercher dans l'angoisse, répliqua Ferraro à voix basse.

— Vous savez, je vous entends, dit la maîtresse d'école avec un regard en biais. Alors, reprit-elle à l'adresse de Fusco. Nous disions…

— Je ne sais pas, *dottoressa*, on est peut-être juste en train de se planter…

La commissaire recommença à lire.

— En effet, ça pourrait coller, c'est sur la route et les horaires coïncident.

— Bien sûr… c'est dangereux de voler une voiture comme ça, en risquant d'être repéré.

— D'un autre côté, il n'a besoin de personne pour savoir qu'on le cherche partout. Il ne peut pas prendre le train.

— Un bus non plus, son visage est partout.

Elena continuait à lire.

— Le portable aussi… curieux.

— Ça, ça ressemble à une erreur.

— On peut s'y fier ?

— Eh là, les interrompit Ferraro. Si notre présence vous dérange, Tartaglia et moi, on va se prendre un café !

— Ça pourrait être une bonne idée, rétorqua la commissaire, lui tournant toujours le dos.

Il y a un temps pour plaisanter et un autre pour être sérieux. La tendance de Michele à faire le rigolo l'agaçait souvent. Bon, d'accord pour ne pas se prendre trop au sérieux, mais il ne faut pas non plus se comporter comme si le monde se résumait encore à la cour de l'immeuble où les gamins se foutaient sans arrêt de la poire des camarades les plus bêtes.

8

Il n'a besoin de personne pour savoir qu'il doit se débarrasser au plus vite de la voiture. Il a évité les nationales, s'est tenu à bonne distance du périphérique, il est allé au-delà des Castelli Romani, mais il ne faudra pas très longtemps avant qu'un policier municipal zélé repère la voiture volée. Il n'est pas très impressionné par les forces de l'ordre, il sait comment les abuser, mais il ne doit pas baisser la garde. Au fond, si Laurent a réussi à le trouver, les flics le peuvent aussi. Il a des élancements dans les oreilles, la tiédeur du chauffage de l'auto ne suffit pas, il sait qu'il doit s'arrêter pour se reposer vraiment, se remettre d'aplomb. Il lui faudrait un hôtel. Il jette un coup d'œil sur le siège, où il a répandu certains objets : une fausse carte d'identité, une épaisse liasse de billets tout neufs, le portable volé. À cette heure, Zahra devrait déjà être en France, pense-t-il. Il compose un numéro, attend, personne ne répond.

— Lui, il paie pas.

— *Guaglio'*, mon gars, tu te fous de ma gueule ?

— Il ne paie pas, insiste Haile, en montrant l'enfant. Tu connais les règles.

— Oh, eh, connard, *a mme*, à moi, tu donnes pas d'ordre, t'as compris ?

La file de déportés, prêts à sauter dans le camion qui était enfin arrivé derrière les dunes de la mer de sable, observait sans vraiment comprendre l'altercation entre les deux tortionnaires. Mais quelques-uns, d'après les gestes, d'après les mots qui résonnaient dans l'air brûlant, devinaient. Alors, c'était vrai. Un bruit courait, ça semblait une légende, un écho rebondissant depuis l'Europe le long des lignes téléphoniques, venu de ceux qui avaient réussi. Passez par la bande d'Aozou. Ce sont des criminels, de la même manière, ce sont des fauves affamés, ils vous cogneront, ils vous prendront tout, ils vous abandonneront pendant des jours dans le désert, vous mourrez comme des chiens errant au soleil. Mais il y en a un, un fou, un assassin aux yeux de possédé, un démon d'outre-tombe, glabre sur la poitrine, sur la tête, dépourvu même de sourcils, qui comme tous les autres, joue avec la vie des hommes et des femmes. Sauf les enfants.

Un démon. Un saint.

— Eh, oh, *Sayedde*, j'en ai plein le cul, *e chist'omm' e' mmerda !*, de cet homme de merde !

Il avait eu l'air de vouloir s'en prendre à Sayed, mais peut-être n'avait-il pas réussi à soutenir le regard démoniaque du fils d'Asmara. Lequel continuait comme si de rien n'était à faire monter les familles en file, refusant l'argent des enfants qui lui était quand même offert, comme on le ferait à une icône divine sur le seuil du sanctuaire.

— Allez, Tatonno, tu le connais…

— Moi, je vais le prendre *a cauci 'n culo*, à coups de pied dans le cul, répliqua l'autre, continuant en dialecte napolitain : Je lui balance la tronche par terre. Il veut le comprendre ou pas, qu'y commande que dalle, merde ?

Haile avait levé le regard vers l'ami de toute une vie. Comme s'il avait attendu de lui la bonne réaction, comme si en l'observant, il l'avait mis à l'épreuve, pour la première fois de sa vie.

Sayed lui avait rendu son regard, mais il ne l'avait pas soutenu longtemps. Alors, il s'était adressé à Tatonno :

— Attention à ce que tu dis, avait-il dit, articulant lentement. Fais très attention.

— *Ennò, bell' e' mamma toja*, eh non gentil fils à sa maman. C'est à toi de me faire plaisir. Là, on peut pas continuer comme ça, dit-il, toujours en napolitain. Plus qu'en colère, il paraissait profondément frustré. *Mo'*, maintenant, je me sens comme Don Dummi'*, voilà ce qu'il me fait sentir ! avait-il hurlé en s'éloignant du groupe.

Laurent avait regardé, incrédule, d'abord l'Italien, ensuite les deux Érythréens.

Il s'était approché de Sayed :

— *Qu'est-ce qui se passe ? T'es malade ou quoi ?**

— *Ça suffit, Laurent**, lui avait-il répondu, chuchotant son désappointement.

— *Tu as entendu ce qu'il a dit ?** avait insisté le Tchadien en lui agrippant le poignet, furieux.

Alors Sayed avait sorti le revolver de son étui et le lui avait placé sous les narines, le doigt sur la détente.

— *J'ai dit que ça suffit, d'accord ? J'en ai rien à branler de personne, ok ? C'est compris ?**

Là, une partie de Haile – la plus inconsciente – perçut que quelque chose s'était brisé. Il devait seulement comprendre quoi.

Le feu l'oblige à s'arrêter. Immobile au rouge, un triporteur attend, le clignotant gauche allumé. Il doit quitter la route principale, quitter le littoral, pour s'enfoncer dans les terres. Bien, pense Haile, tandis qu'il s'immobilise à droite du véhicule. Il tend le bras, prend le portable sur le siège. Puis, sans se faire remarquer du chauffeur, il jette le téléphone sur la plateforme arrière du triporteur. Le feu passe au vert. Le véhicule tourne, Haile continue tout droit. Bon voyage, pense-t-il. Ou plutôt, il le dit, s'étonnant au son de sa propre voix comme si c'était celle d'un inconnu.

---

* Don Domenico Soriano, dit aussi Don Mimì, personnage de mari abusé et qui accepte de le rester, dans la très populaire pièce napolitaine d'Eduardo de Filippo, *Filumena Marturano*.

1

Ils se le prirent vraiment, ce café, Tartaglia et lui, puisqu'il est inutile d'essayer de discuter avec Elena quand elle est en colère. Elle ne hurle pas, ne jette pas des objets à travers la pièce, ce serait beaucoup plus commode et facile s'il en était ainsi, mais quand elle est furieuse, elle dresse entre elle et le monde un mur de glace et il n'y a rien à faire, il faut attendre que ça lui passe.

— Bon, là, je te quitte, dit le collègue à Ferraro, en reposant sa tasse sur le comptoir. Le devoir m'appelle.

C'est bien, ces expressions toutes faites, elles sont si rassurantes : les hirondelles et le printemps, le doigt et la lune, la cruche à l'eau qui à la fin se brise, il doit y avoir une raison pour qu'on n'arrive pas à s'en passer, non ? Qui peut parler sans lieux communs ? Et puis, "lieux communs", si on y réfléchit, c'est une belle définition. Un lieu qui appartient à tous, commun dans le sens d'ordinaire, mais aussi de collectif. Est-ce que par hasard des "lieux privés", ce serait préférable ? Aphorismes, proverbes, tics de langage, métaphores usées, habitudes idiomatiques, certes, raccourcis du discours, mais aussi plateformes, points de départ pour une négociation verbale. Qui peut s'en passer ? Lanza. Voilà, lui oui. Lui, il ne les comprend même pas, les métaphores. Mais, disons-le, si c'est un génie, c'est aussi un inadapté. Qu'est-ce qui est mieux ?

Pris dans ses discours complaisants, Ferraro ne s'aperçut pas que Favalli s'était approché du comptoir, avec la tête d'enterrement de quelqu'un qui n'a pas fermé l'œil de la nuit ("je n'ai pas fermé l'œil de la nuit" : impossible, dirait Lanza.

Et pourtant, nous l'entendons, cette phrase et elle nous suffit à éviter des explications et des longueurs).

— Qu'est-ce que tu fais là ? demanda Favalli, en fronçant le sourcil.

— Pardon, c'est plutôt à toi qu'il faut le demander ! Tu sais quelle heure il est ?

— Ferraro, laisse-moi tranquille, je suis d'une humeur de chien.

(Impossible, dirait Lanza, et pourtant, etc.)

— Essaie de te la faire passer, alors.

Favalli le regarda tandis qu'il avalait son café.

— Rien de neuf ? s'enquit-il, regardant en haut, vers la rue. Elle est en colère ?

— Au point que je suis au bar.

— Je ne la supporte pas, cette femme, dit-il en reposant la tasse. Je le sais que tu la défends, bon, vous avez une histoire.

— J'ai que dalle, merde, avec la commissaire.

— Oui, bon ben…

— Écoute-moi, dit Ferraro, l'air mauvais, je t'ai dit que je n'ai d'histoire avec personne, merde, c'est bon ?

— Te fous pas de ma gueule, la moitié de la police d'État sait que tu te la baisais.

— Voilà, très bien. "Baisais", pas "baise". D'accord ? Tu as fait de la grammaire à l'école ? Tu connais la différence ?

Il ne voulait pas passer pour un pistonné, ça l'aurait mis mal à l'aise. Il n'était pas là, sur cette affaire, parce que son hypothétique maîtresse l'avait imposé, mais parce qu'il était un bon flic.

— Mais tu le vois comment elle nous traite ? Elle n'écoute que Fusco.

— Tu es parano. Finis ton croissant et montons, vu qu'elle a raison, après tout, d'être furieuse.

— Elle en a après tous les hommes, je te dis. C'est comme ça, les femmes sont comme ça, dès qu'elles font un peu carrière…

— Arrête avec ce ramassis de lieux communs.

(Aïe-aïe, tous les lieux communs ne sont donc pas tous commodes et gentils. Quelques-uns sont malhonnêtes, mauvais, pervers. Une belle théorie de bar aussitôt contredite par le théoricien lui-même !)

Favalli appuya ses coudes sur le comptoir et cacha son visage dans les paumes de ses mains.

— Vas-y, Ferraro, j'arrive tout de suite.

On aurait dit un loup qui montre sa gorge au chef de meute. Sans défense, prêt pour l'estocade finale. Ferraro en fut troublé :

— Mais qu'est-ce que… qu'est-ce que t'as, bordel ?

Favalli secoua la tête.

— Ma femme… c'est une sale histoire…

Puis il se découvrit le visage.

— Bon, allez, c'est pas le moment. Monte, je t'offre ton café.

2

Rinaldi ne dit rien à Favalli, à la fois par pragmatisme – discuter du retard n'était qu'une perte de temps et puis, au fond, on ne pouvait pas dire que son absence se soit fait sentir – et parce qu'elle remarqua l'attitude bienveillante de Michele à son égard. Il y avait quelque chose de personnel là-dessous, il suffisait de voir ses cernes. Elle n'avait pas envie d'enquêter, ni d'intérêt pour la question. Nous avons tous nos hauts et nos bas, c'est à ça aussi que sert une équipe : pour déplacer les responsabilités, de temps en temps, sur qui est plus réceptif et laisser le plus fatigué se reposer.

— Il a appelé en France.

— Qui ? demanda Favalli, dans une tentative pour se remettre dans le coup.

— Haile. Il a volé une voiture et un portable. Puis il a appelé en France.

— Où ?

— Un appartement dans une copropriété, à Nice.

— Une de ces résidences secondaires de Parisiens.

— Vous savez à qui il appartient ?

— J'essaie de faire une recherche au cadastre, dit Fusco.

— Mais on la sensation qu'il y a l'habituel système de poupées russes qui nous empêche de remonter aux propriétaires réels.

Ferraro regardait Fusco qui tapait sur l'ordinateur et se disait que peut-être, ils devraient se retirer. Tous. Tous les hommes. Nous avons fait et défait, tenu le monde en main, pendant des siècles, mais qu'avons-nous obtenu ? Remettons-le entre leurs mains, à elles, aux filles comme Fusco, peut-être que ce sera mieux.

— Cherchons à comprendre la situation, dit la commissaire.

D'instinct, les autres se disposèrent face à elle.

— Nous ne savons pas où se trouve Haile en ce moment. Mais d'après le coup de fil, nous savons qu'il a évité Rome… oh, mon Dieu ! s'interrompit-elle en se frappant le front, il faut rappeler Pietrantoni.

— Où il est, merde ? demanda Ferraro à Fusco.

— Il cherchait des contacts dans la communauté érythréenne. Au cas où Haile serait venu en ville.

Alors, Favalli :

— Je m'en occupe, dit-il en sortant son portable.

— Je peux dire un truc ? demanda Ferraro.

— Vas-y.

— Ce coup de fil… je ne sais pas… maintenant, on l'a compris, comment il est, ce Haile, il ne fait pas les choses au hasard. Pourquoi est-ce qu'il a appelé en France ?

— Pour communiquer avec Zahra, dit Favalli, le portable contre l'oreille. C'est évident.

Puis il tourna le dos à l'assistance.

— Pietrantoni, tu m'entends ?

— Oui, c'est vrai, concéda Ferraro, s'adressant aux femmes, mais j'ai l'impression que c'est plus compliqué. Il a un rendez-vous téléphonique avec elle, il veut vérifier qu'elle est arrivée saine et sauve. C'est bien ça ? dit-il à Fusco.

— Oui, c'est ça. Il n'y a pas eu de communication entre les téléphones. Personne n'a répondu.

— Pietrantoni arrive, annonça Favalli, comme si tout le monde avait attendu son oracle dans un silence sacré.

— Mais, continuait Ferraro, déjà voler une voiture me semble hasardeux, un acte non programmé. Et en plus le portable… qu'est-ce qu'il fait, il croit que nous marchons encore dans ces trucs ?

— Peut-être qu'il a une très mauvaise opinion de la police italienne, dit Favalli en souriant.

— Il n'aurait pas complètement tort, tu ne trouves pas ? lui répondit Ferraro sur un ton de copain.

Favalli le remercia du regard. Il pouvait me mordre à la gorge, au lieu de quoi il a soigné ma blessure.

— Et en fait, il aurait tort, dit la commissaire, pour bloquer la dérive déconnante. Continuons.

— Avec ce coup de fil, Haile a fait plusieurs choses : il a su avec certitude que Zahra a été découverte. Et que donc nous connaissons son jeu.

— Bon, il y a aussi le mort dans le train.

— Si nous n'avions pas capturé sa complice, il n'est pas dit que nous l'aurions associé, lui, avec ce meurtre.

— En bref, dit-elle, impatientée, qu'est-ce que tu veux dire ?

— Ce coup de fil nous était adressé à nous aussi. Si Zahra ne répond pas, ça veut dire que maintenant, ils savent que je suis dans le Latium, répondit Ferraro, s'identifiant au tueur. Donc, chers flics, j'ai avec moi un portable volé, venez me cueillir.

— Le cynodrome, dit Favalli, comme s'il avait compris seulement maintenant la métaphore énoncée le jour précédent par la commissaire.

— Quoi ?

— Le téléphone est l'hameçon. Nous le suivons, mais à la fin, nous ne trouvons personne.

Silence.

— Tout cela est vrai, dit Elena. Mais… nous, pour l'instant, nous n'avons que deux choses : la voiture et le portable. Et ce que nous pouvons faire, c'est les chercher. La voiture, pour l'instant, ne laisse pas de traces, mais le portable, oui.

Il passe le long d'un cimetière militaire, dans les environs de Minturno. Un souvenir ancien remonte à la surface, celui de son grand-père et de lui au sanctuaire italien de Dogali. Il y avait un vieil *ascaro* qui entretenait la pelouse et nettoyait les plaques, qui sait s'il est encore là. L'Érythrée réapparaissait par intermittences, en dépit de ses tentatives pour la refouler. C'était son éternel panorama intérieur, celui qui s'était déposé dans ses yeux depuis l'enfance, celui qui ne vous abandonne jamais, où que vous soyez. Celui auquel vous vous confrontez, un bain révélateur qui fait apparaître les assonances ou les dissonances du monde. Même le viaduc sur le fleuve qu'il est en train de franchir lui rappelle celui de Dogali. CA CUSTA LON CA CUSTA*, disait l'inscription sculptée sur l'arche, dans un improbable piémontais. Pour Haile, c'est l'Italie qui ressemble à l'Érythrée, pas l'inverse.

— C'est la dernière fournée, Haile, après on change de business. J'en ai marre de cette vie.
— Tes amis de Caserte ne seront pas d'accord, Sayed.
— Moi, je n'ai pas d'amis, Haile. Compris ? Je n'ai qu'un frère.

Il s'arrête à une fontaine sur la route. Boit abondamment. L'eau pétille. Il est pris d'hilarité : une fontaine avec de l'eau naturellement effervescente, où je suis tombé, au paradis ? Je suis mort et je ne le savais pas ? Il remplit les bouteilles vides. Peu probable. Si j'étais mort, je serais en enfer.

L'enfer, c'était le désert, les migrants déchiquetés par les chiens sauvages, ceux qui étaient emprisonnés et frappés jusqu'au sang par les militaires libyens ; c'étaient les femmes mortes de soif, dans l'attente pendant des jours d'un tout-terrain qui les embarque ; c'était le camion renversé à terre par l'excès de poids, qui avait enterré sous lui des vies nues ; c'était

* Coûte que coûte.

lui qui sniffait la coke, toujours plus enragé, pour rester fort, et aussi pour s'occuper de cette dernière fournée. Haile et Laurent à la frontière tchadienne, au tri du bétail humain. Les Italiens à Tripoli, pour le réseau des pots-de-vin et de la corruption, Sayed au port pour les embarquements nocturnes. De là, en Italie, Zahra, la femme de l'Implacable, pour un nouveau tri : qui reste, qui part, les uns en Italie, les autres en Europe. Ceux que prend la camorra, ceux que prend la police. Une organisation éprouvée au millimètre près que les rumeurs murmurées dans les couloirs de la politique étaient sur le point de balayer. De nouveaux accords entre les deux rives, de nouvelles amitiés entre gouvernements. L'Italie déverserait de l'argent en Libye, celle-ci en échange ferait le sale boulot chez elle. Fin du libre marché criminel. Plus d'entreprises privées, rien que le monopole d'État. Ce n'étaient que des rumeurs, donc c'était vrai. Mieux vaut changer de business, avant que le business nous change nous, tu ne trouves pas, Haile ?

Sessa Aurunca lui apparaît de loin, sur sa colline. Il doit trouver un moyen de se débarrasser de la voiture, changer de véhicule, il l'utilise depuis trop longtemps. Et il doit s'arrêter, se reposer vraiment. Il doit faire trop de choses, souvent en contradiction entre elles. Quelle est la priorité ? Se reposer. Mais sans la voiture : loin d'ici, donc. Voilà, on y revient, c'est un serpent qui se mord la queue. Il prend la direction de Baia Domizia, sous une double file monumentale de pins parasols. La mer resurgit, plombée. On dirait du pétrole. La zone est une succession d'immeubles décomposés, sans logique, sans permis de construire, obsessionnels, lugubres. On se croirait dans une localité de la côte tunisienne, pense-t-il. Il remarque quelque chose du coin de l'œil, sur la gauche, un groupe de personnes, Africains désœuvrés, journaliers sans travail, qui boivent des bières, accroupis sur le trottoir. Il lui vient une idée.

– Alatri ?

Elle tournicotait sur son siège, en avant et en arrière, dans un mouvement rythmique, récurrent, hypnotique.

– Oui, Alatri. Il est à l'arrêt, stationnaire, depuis un quart d'heure.

Elena sourit.

– Je ne crois pas qu'il soit allé en pèlerinage à Santa Maria Maggiore.

– J'ai fait intervenir les collègues de Frosinone.

– Favalli, dit-elle, quasi rêveuse, vous êtes déjà allé à Alatri ?

– Non, *dottoressa*. Je suis de la province de Vérone.

Putain, quel rapport ? pensait Ferraro. Il y a une ordonnance de la région qui interdit aux Vénètes de visiter une commune de la Ciociara ?

– D'où ?

On aurait dit que la commissaire s'intéressait peu à la question du traçage du portable.

– Villafranca de Vérone, je ne sais pas si vous connaissez.

– Ah, bien sûr. Qui ne connaît pas ? demanda-t-elle en regardant Ferraro.

Bien sûr, évidemment. Il n'y a que toi qui connais !

– La paix de Villafranca, glosa Fusco, en bonne élève.

Je suis entouré de premiers de la classe, pensa l'inspecteur.

– Moi, j'aime beaucoup les fortifications médiévales… avec le double crénelage, celui des guelfes et celui des gibelins… curieux, tu ne trouves pas ?

Favalli la contemplait avec un mélange d'admiration, d'orgueil de clocher et de panique, conscient qu'il était de ne savoir absolument pas de quoi elle parlait.

– J'ai demandé aux collègues de Frosinone d'identifier la position du portable et de son éventuel porteur, dit-il, pour sortir de l'impasse.

– Vous avez bien fait, Favalli… De toute façon, pour ce que ça sert…

La pauvrette, elle était complètement déçue. Fusco essaya de revenir à nos moutons.

— Alors, essayons de comprendre : il a téléphoné en France au moment où il était plus ou moins là, dit-elle en mettant un doigt du côté de Latina. Maintenant, le portable est ici. Alatri.

— Tu as déjà été à Alatri ? demanda de nouveau Elena, sans aucune envie de travailler.

La jeune femme regarda sa chef avec compassion :

— Non, *dottoressa.*

— Il y a une sculpture sur bois, dans la collégiale, à gauche si je ne me trompe pas, tu sais, ça fait tant d'années que…

Le téléphone de Favalli sonna.

— Me voilà, répondit-il mais Elena n'y prêta même pas attention.

— … que je n'y suis pas allée. Je devrais y retourner, en fait. Au fond, ce n'est pas loin d'ici. En somme, il y a cette sculpture, en bois. Polychrome. La Madone de Constantinople. Mon Dieu, Fusco, tu devrais voir ce qu'elle est belle.

Quand Elena parle d'art médiéval, ou bien elle renonce, ou bien elle est en train de remettre de l'ordre dans ses idées, pensait Ferraro. Espérons que c'est la deuxième des hypothèses.

Favalli réapparut.

— C'étaient les collègues. Ils ont trouvé le portable. Il sonnait à vide sur le plateau d'un triporteur appartenant à un certain Giuseppe Zeppieri, un agriculteur. Il était au bar, il ne s'en était même pas aperçu. Il revenait de Latina, après une livraison. Il n'a rencontré personne, il ne sait pas comment diable ce portable s'est retrouvé dans son véhicule.

— Ils sont bons, les brocolis dans ce coin, dit Elena, comme si Favalli venait de demander des informations touristiques au syndicat d'initiative d'Alatri.

Il y eut un échange de regards entre subordonnés. Elle avait perdu la boule ? était la question implicite. Pietrantoni fit irruption dans le bureau, haletant. Il a dû monter les marches quatre à quatre. Bienheureuse jeunesse.

— Excusez-moi, j'ai fait le plus vite possible, dit-il et il ajouta, sans attendre de répliques : J'ai parlé avec quelques informateurs de la communauté érythréenne. Bouches cousues. Mais…

— Assieds-toi tranquillement, Pietrantoni, il n'y a pas le feu, dit Rinaldi, séraphique.

Une ride expressive tailla pour la première fois de sa vie le front du garçon. Au cours des années, le sillon se creuserait, lui conférant une autorité qu'aujourd'hui, il n'imaginait même pas. Puis il adressa la même expression à l'assistance. Tout le monde haussait les épaules. Qu'est-ce qu'on en sait, nous, de ce qu'elle a ? On dirait qu'elle s'est fait un pétard de pakistanais, un bien fort, du genre qui t'éclate la tête à la première taffe.

— Mais ? essaya Fusco, juste pour rompre le silence assourdissant de la pièce.

— La femme d'une de mes… connaissances… bon, je vais manger chez eux, ils ont un restaurant…

— J'adore la cuisine érythréenne.

Pas de remise en ordre des idées, ruminait Ferraro, celle-là, elle s'est rendue.

— Qu'est-ce qu'elle a dit ? demanda le flic au jeune collègue, essayant de garder le fil.

— Un truc étrange : "Le démon est revenu. Le saint est revenu."

— C'est un saint ou un démon ?

— Elle n'a pas arrêté de prier dans sa langue, de se signer. "Haile l'Implacable est revenu chercher sa paix, sa vengeance."

— Et puis ils ont égorgé une chèvre et se sont marqué le visage avec le sang ? C'est quand, le moment du vaudou ?

Favalli rit. Vraiment, de bon cœur. Il rit. Pietrantoni se transforma en piment calabrais, de ceux qui sont rouge feu.

La commissaire donna une grande claque sur le bureau, le bruit s'entendit jusqu'à l'étage du dessus.

— Absurde ! hurla-t-elle. Absurde, absurde, absurde !

Maintenant, elle était debout. Des années de carrière dans la police et personne ne l'avait jamais vue aussi altérée.

— Elena… murmura Ferraro, incrédule.

— Mais tu te rends compte ? Il se joue de nous. C'est un homme seul et il est en train de tenir en échec tout un corps de police !

— Très bien, Elena. Mais calme-toi.

— Me calmer ? Tu veux lui parler toi, au *dottor* Silva ? lança-t-elle en prenant le combiné du poste fixe et en le lui tendant, théâtrale. Qu'est-ce que tu lui dis, que nous ne savons absolument pas où il se trouve ?

— C'est pas le premier individu recherché en Italie.

— J'en ai rien à cirer des autres. Ça, c'est *mon* fugitif, d'accord ?

Trop de passion, trop de transports, trop d'engagement. Cette femme est au bord de la crise de nerfs.

5

C'est un homme d'une quarantaine d'années, cheveux crépus et devenus blancs. Haile l'a tout de suite repéré comme le chef de la bande.

— Qu'est-ce que tu veux, frère ? lui demande-t-il avec l'accent nigérian. Tu veux te boire une bière ?

C'est une invite, mais elle sonne comme une menace. Haile est encore dans l'habitacle. Il sourit.

— Je veux te proposer une affaire, très rentable, lui dit-il.

Ils le regardent d'un air suspicieux.

— Tu parles bien italien, toi. Trop bien.

Ils lui tournent le dos. L'italien bien parlé étant la langue de la répression, ils l'ont probablement pris pour un policier. Il y en a des noirs, maintenant, ce n'est pas une nouveauté. Haile ne cesse pas de sourire. S'ils savaient, pense-t-il.

— *I'm not a cop*, dit-il, séraphique.

— *Shit, man. Why d'u say that ?* lui répond instinctivement le Nigérian. *I don't ask u nothin'.*

Haile descend lentement de la voiture, les mains bien en vue.

— *Ok, well…* dit-il sur un ton pacificateur. *No problem… I'm nobody and u are nobody, all right ? I wanna talk to u, yeah ?*

U drink your beer with your friends, all right ? insiste-t-il en montrant les autres, comme pour dire qu'il est seul et qu'ils sont quatre, pas de quoi avoir peur, non ? *And u listen' wotta I say. After u goes free like a bird. Me too.*

– Mmh…

Il réfléchit.

– *What d'u fuckin' wanna to me, bro' ?*

Bien, il s'est tranquillisé.

Il lui explique son idée. Lui, il lui donne la voiture, eux lui donnent la moto, il la montre du doigt, celle sur laquelle est assis un des gars, le plus jeune. Il y a quelques secondes de silence. Le discours tacite est que tout le monde sait que les deux véhicules sont volés. Le problème est de comprendre qui y gagne vraiment. La voiture vaut évidemment plus. Mais il faut la démonter et la revendre en pièces de rechange. Il faut le faire vite, parce que si ce type qui parle si bien l'italien veut s'en débarrasser, ça veut dire que la caisse est pas claire. Cramée. Mais ils peuvent y arriver. La période est molle, beaucoup n'ont rien à glander. Mais eux, ils savent chez qui aller, il y a un carrossier juste à la sortie de Baia qui fait receleur toute l'année. Avec les Nigérians, il impose des prix d'usurier, bien sûr, mais ils réussiraient en tout cas à gagner beaucoup plus qu'en se cassant le dos un mois dans les champs. Tous les quatre. Bières comprises.

Ils se crachent dans la paume de la main, le Nigérian et l'Érythréen ; ils se la serrent. Quinze minutes plus tard, la moto de Haile gronde sur la nationale depuis au moins un quart d'heure.

6

– Excusez-moi… pour la perte de sang-froid. Excusez-moi, ça ne se reproduira pas.

Elle était sincère et c'est pour cela aussi qu'elle avait de l'autorité.

– Bah, *dottoressa*, ça peut arriver à tout le monde, voulut la réconforter Fusco.

– À moi, ça ne doit pas arriver, pas au travail.

Elle s'approcha de la carte, comme pour dire que le sujet était clos.

– Alors, continuons. Où en étions-nous, Fusco ?

– Le dernier endroit où il a été localisé, c'est Latina.

– Eh oui, fit-elle en regardant la carte puis se tournant vers les autres : Des hypothèses, des propositions ?

Silence. On aurait dit qu'elle avait demandé à la classe qui se portait volontaire pour l'interrogation orale. Jamais personne qui lève la main, qui se sacrifie pour les camarades. Nous nous trimbalons notre lâcheté depuis les bancs d'école. Allez, fais un *beau geste**, se dit Ferraro. Fais le bonheur de la prof. Au fond, tu l'as même baisée, la plus hardie des perversions adolescentes, elle se le mérite.

– Il va à Naples.

La femme le transperça du regard. On ne comprenait pas si c'était pour lui faire sentir que toute cette arrogance est typique des petits voyous qui se baisent les jeunes profs en chaleur ou si c'était, plus simplement, en dehors du misérable imaginaire ferrarais, pour l'inciter à ne pas lancer le caillou et cacher sa main ensuite.

– Comment tu peux dire ça ? demanda Favalli. Il peut aussi aller dans les Pouilles, qu'est-ce que t'en sais ?

T'as peut-être des problèmes avec ta femme, tu as toute ma solidarité, mais tu restes un couillon, permets-moi de te dire.

– Ça n'a pas de sens. De Lodi, il aurait dû prendre la voie émilienne et puis longer l'Adriatique. Là, ça fait un tour trop tortueux.

– Tu oublies Zahra. Elle devait aller en France.

– Réfléchis… Ils ont fait en tout cas un bout de route ensemble, même si le petit jeu de la séparation, il fallait le faire tout de suite, après le vol de la carte de crédit.

– Ils ne pouvaient pas retirer plus d'une certaine somme.

– Allez, t'y crois encore ? Haile n'avait pas besoin de cet argent, c'est possible que tu ne comprennes pas ? Zahra a dû casser la tirelire avant de sortir de chez elle.

La commissaire écoutait, silencieuse et très attentive. C'était un de ses dons, savoir écouter.

– Pourquoi Naples ? demanda-t-elle ensuite.

Eh oui, pourquoi ?

– Je ne sais pas. Sincèrement, je ne sais pas. Ça me semble sensé. Tout le monde dit qu'il veut se venger, même ton amie, dit-il à l'adresse de Pietrantoni.

– C'est pas une amie à moi, se justifia ce dernier. Je ne la connais que parce que…

– Oui, oui, c'est bon…

Et on s'en fout, on le dit ?

– Il doit se venger, non ? insista-t-il, tourné vers la commissaire. Tu me dis que trois types de la pègre de Campanie veulent le dézinguer. Qu'est-ce que je dois en conclure ?

– Naples est un monde, dit la femme à mi-voix. Ce n'est pas facile, pas facile, ajouta-t-elle en secouant la tête. Fusco, on a des informations sur l'appartenance des trois du commando ?

– Pas d'affiliation directe.

– Bon, mais ils sont du ressort de qui ? Pour le clan comme au niveau territorial.

– Casal di Principe.

– Peut-être qu'il va là. Mais ça me semble hasardeux. Ces gens-là savent se défendre.

Favalli n'était pas preneur.

– Non, non, excusez-moi. Ce ne sont que des suppositions. Pour ce qu'on en sait, il pourrait aussi bien se diriger vers la Calabre, la Sicile, peut-être qu'il va à Malte.

Rinaldi le regarda, très sérieuse.

– C'est trop peu. Ce que nous avons est vraiment trop peu. Des suppositions. Il nous faudrait quelque chose de plus concret, des preuves, des indices, des pistes à suivre.

– Il faudrait aussi un numéro gagnant au loto. Ça me résoudrait une bonne partie des problèmes de ma vie, pas seulement sur le plan professionnel.

– Au lieu de nous balancer des blagues éculées, pourquoi tu ne restes pas concentré ? demanda-t-elle à Ferraro. Tu étais bien parti.

— Pas besoin de faire la maîtresse d'école avec moi, siffla-t-il, piqué au vif.

— Tu as des problèmes avec l'autorité. Moi, je ne fais pas la maîtresse d'école, je fais mon travail.

Touché. Mets-toi ça dans la poche avec ton mouchoir par-dessus.

— Ok. Bon. Où on en était…

— Il faudrait que tu nous en sortes une autre, dit-elle, pensive. Genre celle du ticket de caisse.

— Qu'est-ce que tu racontes ?

— Une de tes intuitions hors des schémas préétablis… Comme quand tu as compris qu'avec le ticket de caisse des achats on pouvait trouver une trace.

— Tu devrais demander à Lanza, alors, pas à moi.

— Quel rapport, Lanza ?

— Moi, je n'avais rien deviné du tout, simplement j'ai posé une de ces questions qu'il aurait posées, lui. Absurdes. Sauf que lui sait où il va, moi je ne le savais pas.

Elena resta cinq secondes, figée et muette, à le regarder. Disons six.

— Qu'est-ce qu'il t'a demandé ?

— Comment ?

— Quand vous vous êtes parlé, l'autre jour. Qu'est-ce qu'il t'a demandé ?

— Mais rien, je lui ai raconté l'affaire, je lui ai parlé de toi, les trucs habituels.

— Oui, fit-elle, très sérieuse. Mais lui, au bout de quelques heures, il avait déjà un nom. Donc, je t'en prie, rassemble tes esprits. Qu'est-ce qu'il t'a demandé, exactement ? Qu'est-ce que c'est qui a allumé l'ampoule ?

— Ben, pardon, si tu veux, on l'appelle et…

— On l'a déjà fait ! l'interrompit-elle, malheureuse.

— Il n'est pas à l'agence de Bruxelles, expliqua Fusco. Il est en mission, personne ne sait rien. Son téléphone est muet.

— Merde.

Histoire de remplir un trou avec une vulgarité.

– Donc, réfléchis bien, reprit Elena. Concentre-toi. Qu'est-ce qu'il t'a demandé, ou bien : qu'est-ce que tu lui as dit ?

– Mais je ne peux pas tout me rappeler, enfin, maugréa-t-il, en essayant de se souvenir de l'échange vidéo. Je lui ai raconté l'arrestation, il m'a demandé les traits physiques de Haile… et puis…

– Et puis ?

– Et puis, je t'ai dit, je ne sais pas. Nous avons parlé du faux nom et… non, attends. Il m'a bien posé une question absurde.

– Ah, voilà. Dis-nous.

– Il m'a interrogé sur le match.

– Quel match ?

– Le match qui passait à la télé quand on l'a arrêté. Il voulait savoir lequel c'était.

Elena sourit de bon cœur et balança légèrement la tête. Celle-là, même elle ne s'y attendait pas.

– Mais qu'est-ce que c'est, cette question ? demanda Favalli.

– Si tu connaissais Augusto Lanza, ça ne t'étonnerait pas tant que ça.

– Et toi ? demanda Elena.

– Moi quoi ?

– C'était quoi ? Quel match on retransmettait ?

– Mais bordel qu'est-ce que tu veux que j'en sache ? Tu m'as déjà vu regarder un match à la télévision ?

7

Il arrive à Mondragone sans même le savoir. La côte est tartinée de temples néo-baroques, d'huisseries en aluminium anodisé, d'enseignes au néon cassé, de concessionnaires de voitures de luxe, de baraques, de vilaines villettes et villas, de panneaux routiers rouillés, de pâtisseries à la Vieille Naples, de copropriétés édifiées sans permis, de ruines de ciment armé, d'hôtels Bellevue. Tout ce qu'il voit pue la dissolution, le gaspillage, la mort. L'air qui s'infiltre dans la grosse veste le tient éveillé, le casque le dissimule aux yeux des curieux. Il doit s'arrêter, c'est clair, il n'en peut plus. Il se dirige vers Castel Volturno, en transe. Tout à coup, il vire à droite, abandonne la via Domiziana et cherche la mer huileuse. Le ciel est un manteau de laine trempé et fétide. Il sait ce qu'il doit faire. C'est un risque mais il n'a pas le choix.

Les camions de la Libye n'étaient pas arrivés, on respirait alentour un air de démission. Les regards étaient ceux de la détresse, une centaine de migrants, en un point de l'espace, sans histoire, sans avenir. Vous nous abandonnez dans le désert, hurlaient-ils, désespérés, pourquoi on devrait vous donner notre argent ?

Laurent leur disait de se calmer, dans quelques heures, on viendrait les prendre. Il fallait payer et patienter.

Haile aussi se demandait où étaient les camions, mais Laurent le traitait avec suffisance. Qu'est-ce que t'en as à foutre, où ils sont ? lui disait-il, méprisant. Ce n'est pas la première fois qu'on les laisse seuls dans le désert. Sur la dune, le tout-terrain klaxonnait, insolent et énervé. Les Italiens voulaient rentrer chez eux, ils ne savaient pas quoi faire de cette dernière cargaison. Si ça continuait, ils allaient rater l'avion pour Paris et il leur faudrait attendre deux jours dans cette ville *dimmerda*, où on mange *dimmerda*.

Du groupe des migrants, une sorte de délégation d'hommes s'était approchée des deux Africains en train de discuter avec animation. Le reste des réfugiés se tenait à distance, les uns les yeux fixés sur l'horizon, les autres accroupis en cercle, de leurs voiles, les femmes protégeaient du soleil la tête des enfants. Laurent était agacé par cette délégation improvisée. Qu'est-ce que vous voulez ? demandait-il, furibond.

Je vous en prie, disait un homme qui était l'incarnation de la dignité. Agrippée à sa main, il y avait celle d'un enfant, son portrait craché. Ne nous abandonnez pas, insistait-il. Mais Laurent tergiversait. Il continuait à dire d'attendre, qu'on viendrait les chercher de la Libye, que les camions qui les avaient transportés jusque-là étaient déjà repartis pour Aozou. Mais l'homme n'en démordait pas. Il demandait qu'on les ramène en arrière, il disait qu'ils n'arriveraient jamais à traverser le désert à pied.

— *Vous y êtes déjà, dans le désert !** ricana Laurent, méprisant. *Allez, allez, vite, vite !** ordonna-t-il en agitant les mains et en lançant des coups de pied dans le vide, faisant pleuvoir du sable partout.

La lèvre inférieure de l'enfant caché sous l'aisselle de son père commença à trembler. Une chandelle de morve lui coulait de la narine gauche. Le père regarda son fils avec une expression qui était l'image de la défaite, de l'impuissance, de la frustration. Allons-y, lui dit-il en se tournant vers le dernier groupe. Alors Laurent, comme ça, sans aucune raison, donna un coup de pied à l'enfant, juste par méchanceté, en riant à gorge déployée. Allez, allez, hurlait-il, dégagez.

Haile se plaça devant lui.

— *Arrête, tu exagères !**

— *Tu m'emmerdes**, siffla Laurent entre ses dents, les yeux injectés de venin. *T'as fini de me donner des ordres ?**

Haile ne perçut pas tout de suite la lame qui s'enfonçait dans son abdomen. Il sentit comme une déchirure, tandis qu'il fixait Laurent dans les yeux. Puis il baissa un regard incrédule sur le poignard et vit dégorger lentement le noir dense du sang. D'instinct, il plaqua les mains sur son ventre, juste comme Laurent retirait l'arme avec facilité et sans s'en rendre compte, il se retrouva à genoux devant son bourreau.

— *Crève, bâtard !** lui dit le Tchadien.

Puis il lui arracha du cou le gri-gri. À ce moment seulement, Haile sentit, aiguë, la douleur. Il se plia en avant, visage sur le sable et mains au ventre. Il entendait les hurlements des migrants, le klaxon du tout-terrain, les sanglots des enfants. Il sentait la saveur du sable, l'odeur du sang, la pulsation de ses tempes.

— *Amucènne, guagliù*, allons-y mon gars, que sinon on arrive plus à N'Djaména, entendit-il au loin.

Puis le bruit du moteur. Et le noir.

C'est déjà la troisième villa qu'il reluque. Il erre sur une série de routes illégales, en terre battue. Tout aussi illégales sont les résidences secondaires et tertiaires de Napolitains indolents ou de paresseux habitants de Caserte qui, à la recherche de fraîcheur en été, ont mis debout ces horreurs sans aucun permis de construire. L'hiver, ce n'est qu'un tas de crépis lépreux abandonnés à la solitude. Quelques-unes de ces maisons ont des systèmes d'alarme dernier cri, d'autres des murs d'enceinte si hauts qu'on dirait des prisons. À la fin, il trouve la maison qu'il lui faut. Il viole l'enceinte, se glisse sur l'arrière, force un volet. Le coup du casque sur le verre est sec et décidé.

Il fait un tour de la maison. Il y a une odeur de renfermé, mais ça ne le dérange pas particulièrement ; il trouve le compteur, l'active, allume la lumière de la chambre à coucher. Ouvre l'armoire : draps, couvertures, coussins… bien, il a trouvé où se reposer. Deux paracétamols et au lit. Mais avant, il inspecte aussi la réserve – pâtes, conserves de tomates, ail, et même quelques anchois à l'huile. Assez pour se cuisiner quelques spaghettis vite fait. Installe-toi tranquillement, personne ne viendra ici avant Pâques, pense-t-il. Il prend la casserole sur l'étagère, ouvre le robinet et commence à cuisiner.

1

La réticence de Ferraro à se laisser transporter fidéistiquement par la passion nationale pour le toujours bien-aimé jeu du foot, qui n'a jamais connu de bas mais seulement des hauts dans l'indice du bonheur populaire – jeu élevé au rang de sport, sport élevé au rang de divertissement, mais aussi rempart ultime et certain de l'amour pour la patrie et en même temps humus où faire pousser la passion pour l'ombre de notre clocher à nous (vu qu'aucun n'est aussi beau que celui de chez moi) –, n'est pas, comme il pourrait sembler à une distraite première vue, une espèce de régurgitation snob de la dernière heure, un choix délibéré du camp adverse, rationnel et orgueilleux, un défi aux us et coutumes de la patrie de la part d'un inguérissable utopiste cosmopolite, ou, pire, le mépris mal caché pour le peuple italique dans son entier, ses primitives habitudes de bouseux, de la part d'un intellectuel raffiné qui attend seulement d'être accueilli dans les salons qui comptent vraiment, là où l'on rit de tant de bassesse, mais toujours avec une juste indulgence, remplie de noble compassion. Rien de tout cela.

Ferraro ne suivait pas le foot parce qu'il était un inadapté. Mais même cette explication est insuffisante pour comprendre son idiosyncrasie. Il convient de revenir à la source, à la fracture première, l'inguérissable, celle qui a ouvert de manière définitive et irréversible une crevasse entre lui et le reste du monde connu. Qui, étant donné son jeune âge à l'époque, n'était pas grand-chose, c'est vrai. Mais le monde de notre adolescence est celui dont nous ne parvenons jamais à nous débarrasser, malgré la douche froide de la vie adulte.

Tout arriva durant l'été 1982, l'année du mythique *mundial* espagnol ! Comment l'oublier ? Quand il lui arrive d'y repenser, quand quelqu'un évoque le bon vieux temps, qui n'était pas si bon sinon qu'on était jeune et plein d'hormones, Ferraro réveille le plus édulcoré des souvenirs, le plus facile à évoquer, le plus consolatoire.

Il se revoit encore un tambour à la main, la nuit du 3 à 1 contre l'Allemagne, en train de faire la fête à l'unisson du quartier tout entier, parcourant les rues au milieu des rires et des embrassades. Il se rappelle être monté chez son parrain de confirmation, un de ces Milanais de la septième génération, tout gonflé de son importance, depuis toujours convaincu que l'Italie sortirait au premier tour, que c'était une petite équipe rien de plus, et qui à chaque victoire, secouait la tête, ce n'était que de la chance, dès qu'elle rencontrerait une équipe un peu solide, elle serait taillée en pièces. Il y avait en cet homme un goût pour la défaite qui avait un avant-goût de Ligue du Nord, chez lui le très Milanais qui avait accepté, peut-être avant tout pour faire plaisir à sa femme (amie d'autobus de la mère de Ferraro, elles se voyaient chaque matin, quand elles allaient travailler, et bavardaient jusqu'au terminus), de faire les parrain et marraine pour la confirmation du petit bouseux du Sud né à Quarto, comme des aristocrates s'offrant au *vulgus pecum*, par magnanimité ; il y avait cette suffisance qui, de match en match, de victoire en victoire, se transformait en agacement, en rigide et évidente défaite de sa propre position idéologique, et Ferraro se rappelle maintenant à la perfection, en se consolant, le visage vaguement nauséeux de cet homme, la lèvre supérieure retroussée comme un très ennuyé lord anglais qui ne voulait pas admettre l'évidence, qui supportait à grand-peine la plèbe en fête en bas de chez lui, comme si c'était une espèce de château, et qui était, en fait, un misérable deux-pièces au deuxième étage de via Lopez, Quarto Oggiaro, Milan. Et Michelino, Clou désormais pour les amis de la bande, qui frappait sur la peau du tambour, irrationnel, vulgaire, national-populaire. Et qui riait et plaisantait. Qui a vécu ce Mondial, qui en a le souvenir ne peut l'oublier. Nous le savons tous, nous nous rappelons chaque match, chaque but. Et nous savons tous, au fond, quelle a été la vraie partie, *la mère de toutes les parties* de ce Mondial de foot.

Italie-Brésil 3-2.

C'est là que Ferraro voudrait glisser, oublier, tomber dans l'oubli, dormir, mourir, rêver peut-être.

Ferraro ne veut pas se souvenir vraiment de cette journée. Quand il y repense, seul, dans le secret de sa chambre, il lui revient un souvenir nébuleux, pour être sincère, comme s'il était immergé dans un rêve absurde, un cauchemar en réalité, fait de choses fugitives, de temps dilatés, de lumières éblouissantes et d'obscurités soudaines. Un fragment de mémoire opaque et aigu en même temps, comme si ces heures lui revenaient tel un flash-back, comme s'il les avait vécues sous l'effet d'un acide très puissant.

La première personne à laquelle il pense, ou plutôt, la seule – et il se la rappelle avec haine, mépris, colère, et quand ça lui arrive, il ne s'y résigne pas, étant donné l'affection profonde qu'il ressent encore maintenant pour lui –, c'est Don Ciccio.

Cet après-midi de chien, le marchand de fruits et légumes lui avait demandé de lui donner un coup de main, il devait transporter des tomates. Demande nullement inattendue, cela faisait déjà quelques étés que Clou, sa journée d'école terminée, lui donnait souvent un coup de main sur les marchés. L'homme ne le payait pas, mais il lui permettait de vendre ses citrons. C'était Don Ciccio qui les lui achetait au marché de gros (il avait un œil extraordinaire, ne se trompait jamais sur un lot de fruits) et Michelino faisait son business en accompagnant le marchand.

À l'époque, Clou avait une nature de bouffon et Don Ciccio aimait sa manière éhontée de séduire la clientèle, de l'arrêter au milieu du marché, de la conduire jusqu'à leur stand, de leur faire acheter les citrons et, au point où ils en étaient, le reste de fruits et de légumes. Ses collègues des autres stands, celui des vêtements et celui des poulets rôtis, l'enviaient. "Si j'avais un petit-fils pareil, j'en ferais des affaires, tu sais", et lui jubilait, heureux comme un pape, même si Michelino n'était pas son petit-fils, mais il l'aimait tout autant, et il se félicitait à son propos comme s'il était son agent, comme s'il l'avait découvert Dieu sait où et que maintenant, il lui faisait faire carrière sur les places de la Lombardie, avant le grand saut sur les marchés du monde. "Ah, si tu avais eu un garçon à la place de ta fille…" lui disait M. Giovanni, un de ses amis marchand de fruits. Et Don Ciccio se rembrunissait un peu, en pensant à son épouse, une sainte femme, incapable de lui donner le fils qu'ils méritaient… pauvre homme, avait-on envie de dire. Personne n'hériterait de sa science légumofruitière (parce que la jeune fille, là, elle ne devait pas se retrouver au milieu de tous ces bouseux. Elle devait étudier et épouser un type bien). Clou n'y songeait même pas, à l'héritage. Il se faisait un, deux mois maximum puis ça le gavait, ça le rendait dingue, fou à lier, il voulait fuir à toutes jambes. Juste le temps de se faire un peu d'argent et puis il fuyait à la mer pour retrouver les amis et bonsoir chez vous ! Alors, rester là-dedans une année entière…

En tout cas : ce jour-là, celui de la mère de toutes les parties, il y avait un lot de tomates à aller chercher. Ils allaient se dépêcher, faire très vite. On charge, on décharge à l'entrepôt (une baraque abusive montée par Don Ciccio, tout seul, au milieu d'un potager tout aussi abusif, sur un terrain domanial où les militaires faisaient des exercices avec des chars d'assaut), on fonce à la maison et, tout le monde à se tourner les pouces, ils savoureraient la partie. "Parce qu'on va la regarder, pas vrai, Don Ciccio ?" C'étaient des questions à poser, enfin ? Est-ce que quelqu'un voudrait ne pas voir cette partie ? Comment mettre en doute sa volonté ?

Milan était frénétique. Tout le monde devait rentrer à la maison, la circulation était nerveuse.

On charge et on décharge, continuait à se répéter le marmot. Dépêchons-nous, marmonnait-il à mi-voix, comme s'il s'injectait un tranquillisant.

Au début, il ne pensait même pas à regarder l'heure. Il était confiant dans la parole donnée par le sage vieil homme d'une autre époque, non, plus encore, il était tout à fait certain que lui, le premier, il tenait à ne pas louper le match du siècle. Ils chargèrent non sans précautions (c'est une lourde tâche de charger un camion de tomates : il y a des règles de compositions géométriques qui doivent être respectées, des finesses structurelles, des notions de statique des solides, de dynamique des corps soumis à des forces axiales, mais surtout, il faut deux bras et de l'huile de coude). Puis ils se dépêchèrent de rejoindre le potager, l'abusif, où se trouvait la baraque-entrepôt. Potager, soit dit *inter nos*, qu'aujourd'hui encore le vieux patriarche conserve : il y arrose ses bégonias et ses tomates, il a même construit un four pour y cuire le pain et le lundi de Pâques, il y passe la journée entre grillades et verres de vin, comme s'il était en pleine campagne, alors qu'il se trouve au milieu de la ville, entre un hôpital, une caserne et quelques immeubles un peu plus loin.

Le déchargement fut aussi mené avec soin.

À ce moment seulement, le garçon vérifia l'heure sur le tableau de bord. Il était tard, mais pas trop. Ils sortirent avec le camion du jardin et prirent la route goudronnée. Il n'y avait personne. Et ce n'est pas une façon de parler : dans toute la ville, il n'y avait absolument personne. La rhétorique exige, dans ces cas-là, de dire que ce que Clou avait devant les yeux était un panorama fantomatique, lunaire, post-atomique. Eh bien, ça paraissait *vraiment* fantomatique, *vraiment* lunaire, on aurait *vraiment* dit qu'une bombe à hydrogène avait explosé, non, plus encore : c'était comme si quelque divinité furieuse, là-haut dans l'hyperuranie, avait bloqué les aiguilles du monde, paralysé l'air, les feux de circulation, les maisons, fait disparaître tous les êtres vivants. Tous, chiens, chats et rats d'égout compris. Depuis toujours des colonies très actives de gaspards fouissaient dans la boue aux alentours du potager : si au moins, il en avait vu un seul, Michelino, s'il en avait entendu le cri crissant… rien, pas même un chien dans le lointain, ni même une mouche bourdonnante. Le garçon avait presque du mal à respirer, effrayé à l'idée que l'air lui-même ait été volé, remplacé par un très puissant narcotique, par Dieu sait quelle colonie de Martiens prêts à envahir la ville.

Don Ciccio s'en désintéressait éperdument.

– Attends, Clou, au point où on en est, je fais une livraison avant de rentrer, un truc rapide, ne t'inquiète pas.

Combien malheureux fut son passager...

Ferraro ne voudrait pas aller plus loin, il ne voudrait pas se rappeler le moment où il se rendit compte que la pendule du tableau de bord était cassée, il ne voudrait pas revivre l'angoisse ressentie quand il comprit que la partie avait déjà commencé, il ne se sent pas de ranimer la nervosité qui montait en lui, qui lui mettait des pulsations dans ses oreilles rougies, il ne veut pas s'obséder sur l'explosion qui secoua la ville entière, sur le hurlement collectif qui fit trembler les maisons, l'unisson qui signifiait seulement que le premier but, quel que soit celui qui l'avait tiré, avait été tiré, que l'Italie perdait ou bien gagnait et que lui, lui, pauvre petit, lui, malheureux, lui, misérable, lui, il ne le savait pas.

Pourquoi cet homme juste et sage agit-il ainsi ? Pourquoi, soudain, oublia-t-il la promesse faite ? Pourquoi lui-même perdit-il tout intérêt pour le match ? Cela, Ferraro ne l'a jamais su, cela, Don Ciccio l'emportera dans la tombe, le flic n'osera jamais le lui demander. Tout ce qu'il sait, tout ce qu'il essaie d'oublier, c'est que ce jour-là, cet après-midi de chien, il l'implora de bouger, de rentrer, parce que la partie avait commencé depuis un moment, que quelqu'un avait même marqué.

Puis ils s'arrêtèrent dans un bar pour un café. Le garçon se catapulta à l'intérieur. Tous les clients étaient collés devant le petit téléviseur posé sur le comptoir : Comment ça va ? Qui gagne ? Qu'est-ce qui se passe ? Comment ils jouent ?

Il ne réussit pas à voir une seule image, derrière le mur humain qui masquait l'écran.

– On y va, Clou ? On bouge ?

Ils ne pouvaient pas rester là ? Ils ne pouvaient pas partager la joie, la souffrance ? Quel besoin de s'aventurer dans cette ville ensoleillée et morte ?

Ils sortirent. Le temps de monter dans le camion, de repartir et hop, une autre explosion. Un autre but. Il aurait suffi d'attendre une minute au bar, une seule minute et Michele aurait été le frère de quelqu'un. Au lieu de quoi, il errait dans le désert de l'âme, dans le vide pneumatique de l'être, dans le néant urbain, avec le plus cruel des nochers. Qui ne se troubla pas un instant : tant qu'il y était, il voulait profiter de cette ville vide pour faire une autre chose. Et puis une autre. Et une autre encore. "Après, je te jure qu'on rentre, tu verras la deuxième mi-temps." Est-ce qu'on en était à la première mi-temps, à la deuxième, à la douzième mi-temps ? Qu'est-ce qu'il en savait ? C'était quoi, le temps, de toute manière ? Une absurde convention. Le temps n'existait plus pour Clou, il était hors de lui, il était hors du monde. Le temps s'écoulait seulement dans l'écran, le temps était partagé par le monde entier des supporteurs, par tous ceux qui regardaient vraiment le match. Lui, il n'en était pas digne, lui, il y pense encore aujourd'hui, il était hors de l'époque qu'il vivait, mort peut-être, et son enfer était cette absurde errance avec son Charon domestique dans une ville absolument illogique, vide jusqu'à l'évanouissement.

Encore une explosion. Et puis une autre encore. Quoi qu'il en fût du match, qu'il fût gagné ou perdu, c'était certainement un match extraordinaire, plein de renversements de front, de buts, d'émotions, de jeu. Voilà ce qu'il se disait, anéanti sur le siège, le visage contre le rebord de la fenêtre ouverte, la joue droite marquée par la portière. Peut-être s'endormit-il. Il ne se rappelle pas bien. Peut-être s'évanouit-il, peut-être était-ce la chaleur, la honteuse frustrante sensation de défaite intérieure… inutile d'insister sur ce calvaire, rumine Ferraro quand il y repense. À la fin, ils y rentrèrent, à la maison. Le rendez-vous était pour une soirée en groupe chez Mimmo qui habitait (et habite encore) au septième étage. Jamais ascenseur ne fut plus lent à monter. Mais enfin, ils y arrivèrent. Michele ouvrit la porte à la volée, il se précipita dans le séjour, où des dizaines de personnes (amis, familiers, voisins attirés par l'énorme téléviseur récupéré par Mimmo dans Dieu sait quelle négociation illicite) semblaient un unique corps collectif. Clou entra dans la pièce et juste à cet instant, il entendit un sifflet et la voix du commentateur qui disait : "C'est fini, c'est fini. L'Italie bat le Brésil 3 à 2." Mimmo le vit entrer et avec enthousiasme, avec générosité, il l'embrassa en continuant à répéter : "Ça a été merveilleux, le plus beau match que j'aie jamais vu. L'Italie a joué d'une manière, d'une manière…"

Il voulait pleurer. Peut-être pleura-t-il. Maintenant, rien que d'y repenser, il a envie de pleurer.

Ferraro n'a jamais voulu voir ce match. La vidéo a circulé pendant un certain temps, chez lui aussi, mais il s'est toujours refusé à la regarder. Ce match ne lui appartient pas, il n'a pas vécu cette expérience à l'unisson de la nation entière. Cela le marqua vraiment. Il cessa d'être italien, de la manière où nous l'entendons nous, précisément ce jour-là. Il cessa de faire partie d'une collectivité, s'enferma dans son univers intime halluciné, rêvé, où Italie-Brésil, le match absolu, n'a jamais existé. Et de là, en cascade, tout le reste : jamais un épisode de *Drive In*, de *Striscia la notizia*, du *Grande Fratello*, ou de *Isola dei Famosi**.

Un inadapté, sans identité. Identité que seule la télévision a su, ces dernières décennies, donner aux Italiens. Telle fut, à la fin, son adolescence, profondément marquée par un vieux sage, juste, et aux dires de toute la collectivité, qui n'avait jamais été une seule fois mauvais, égoïste ou méchant. Mais certainement capricieux, comme seules certaines divinités de son antique terre sicilienne savaient l'être avec les êtres humains. Un caprice qui ruina l'avenir d'un garçon. Ou peut-être le lui sauva pour toujours.

2

Les employées des bureaux alentour commandaient des salades fades et des mozzarellas light. Elena était aux prises avec un cornet d'olives à la mode d'Ascoli, en attendant les *pappardelle* en sauce au sanglier. Rien que pour ça, Ferraro, en

---

* Les plus populaires émissions de la télé italienne : la première de variété, la deuxième de parodie des informations, la troisième et la quatrième de téléréalité.

d'autres temps, l'aurait dévorée de baisers, maintenant il se contentait de lui tenir compagnie pour le déjeuner.

— Voyons ce qu'on réussira à tirer de cette information, lui disait-elle en picorant avec gourmandise. Mmh, que c'est bon. Dès que je peux, je viens ici. Prends-en une.

Avec une délicatesse chirurgicale, elle saisit une petite boule frite et la lui porta à la hauteur des lèvres. Michele ouvrit la bouche et captura la perle de saveur, de manière à ne pas la toucher des doigts, pour éviter que le contact laisse au monde des messages d'interprétation douteuse. Il savait qu'il n'y avait pas de malice dans le geste de la femme, rien que le plaisir de partager un bonheur du palais. Mais en lui, la malice ne connaissait pas de trêve, il devait la tenir continuellement en respect. Car le sexe, chez les hommes, est tout dans la tête, et dans l'acte d'imaginer avant même de faire vraiment.

— Très bonne… dit-il, mâchonnant. Vraiment bonne.

En réalité, ça brûlait un peu et il n'arrivait pas à en apprécier pleinement la qualité, mais il avait une confiance aveugle dans l'opinion d'Elena. À Rome, Michele avait eu du mal, les premiers temps, à trouver des endroits où l'on mangeait bien. Tout était soit trop ordinaire, grossier, lourd à digérer, ou trop cher, avec une prétention qu'il connaissait déjà dans les restaurants de Milan, qu'il avait fuis à toutes jambes des années auparavant. C'était Elena qui l'avait accompagné dans les bons endroits, qui l'avait fait entrer dans les méandres du goût capitolin. Peut-être que dans une autre vie, avec une autre histoire derrière elle, elle aurait été critique gastronomique pour une grande revue internationale, elle en aurait eu le talent et l'enthousiasme.

Son portable sonna.

— Oh là là… jamais un peu de paix.

Elle s'essuya les doigts sur la table et répondit :

— Allô.

Ferraro, tant qu'il y était, prit une autre olive. Grosse, charnue, croquante. Bonne, il n'y avait pas à dire.

La commissaire hochait la tête, très sérieuse.

— D'accord, dit-elle seulement. Tenez-moi au courant. À bientôt.

Et elle mit fin à la communication.

— Qu'est-ce qui se passe ? Pietrantoni ?

— Non, non…

Elle saisit une olive, mais ne la mordit pas.

— Ils me mettaient au courant depuis Savone. Ils sont en train de transférer Zahra à la prison pour femmes de Gênes.

— J'ai compris.

Elena mordilla l'ovule couleur de bronze, pensive.

— C'est fou, murmura-t-elle.

— Quoi ?

— Ça fait presque dix ans, tu y penses ?

Ne jamais mentionner Gênes entre flics, la pensée dérive automatiquement vers ces journées de l'été 2001.

— Je ne crois pas qu'on fera une fête pour le dixième anniversaire. Du moins, pas moi.

La femme but un peu de rouge dans son verre.

— Tu y étais ? demanda-t-elle à brûle-pourpoint.

— Non, dit-il en pinçant les lèvres et il garda le silence pendant quelques secondes. Francesca y était, dit-il ensuite dans un souffle.

— Quoi ?

— Elle était allée à la manifestation, avec Giulia.

— Pardon, mais quel âge elle avait ?

— Deux ans et demi, presque trois. En manifestation avec les poussettes, dans un comité de mères de l'école maternelle.

Il but lui aussi, pour remettre de l'ordre dans ses idées.

— Elle ne me l'a jamais pardonné.

— Je peux la comprendre. On n'a pas fait bonne figure.

— Moi, je n'y étais pas, tu comprends ?

Il s'énervait.

— En quoi je suis coupable ?

— Je me suis toujours demandé comment je me serais comportée, moi. En somme…

Elle avala une autre olive, ce qui détendit son visage.

— … moi… de l'extérieur, c'est plus facile, tu te dis que tu ne serais pas descendu si bas, que certains ordres ne doivent pas être exécutés, qu'il y a une conscience individuelle. Même si après, au final, ce n'est qu'à l'épreuve des faits que tu sais si...

— De Matteis était très content de cogner dur. Il ne s'est jamais senti autant flic que durant ces journées.

— On ne nous a jamais aimés dans ce pays, Michele. Et au fond, comment leur donner tort ? Nous avions un appareil qui était encore celui du fascisme, répressif, fanatique, rural. Mais après, nous avons commencé à mourir d'abord de la main des brigadistes et puis des mafieux. Quand je suis entrée dans la police, il y avait eu Capaci*, les Italiens nous aimaient bien, ils se fiaient à nous, ils nous traitaient comme des fils, des frères. Nous avons gaspillé toute cette confiance en deux jours.

— Moi, je n'y étais pas. Point final. Je ne prends pas sur moi la responsabilité de quelqu'un d'autre.

— Tu n'y étais pas, c'est vrai, mais tu es resté quand même dans le corps, même après Gênes. Tu pouvais donner ta démission et tu ne l'as pas fait.

Qu'est-ce que tu lui réponds ? Que tu avais de la famille ? Les *pappardelle* arrivèrent. C'était mieux ainsi, mieux valait plonger les sentiments de culpabilité dans une bonne assiette de pâtes fumantes. Très italien, au fond.

3

La policière du corps pénitentiaire te traite bien, avec politesse. Avant de monter dans le fourgon blindé pour le transfert, tu jettes un coup d'œil au ciel. On dirait que les nuages veulent s'en aller, mais sans grande conviction. Tu sais qu'ils te tiendront compagnie pendant tout le voyage, qu'ils ne t'abandonneront pas ; au moins, il ne pleut pas. Tu entres dans le véhicule avec peine, à cause des menottes, et tu t'installes comme tu peux, devant toi une des deux policières

---

* Le 23 mai 1992, la mafia tuait dans un attentat spectaculaire, sur la route de Palerme, dans la commune de Capaci, le juge antimafia Giovanni Falcone, sa femme et trois agents de son escorte.

te demande quelque chose, tu lui réponds avec la même politesse. Puis les portières se referment, au-dehors, quelqu'un frappe sur la carrosserie, on fait de même de l'intérieur. On part.

Tu n'as rien à espérer et tu n'as besoin de personne pour le savoir. Tu es coupable de tant de chefs d'accusation que le soleil, quand tu le reverras enfin, ce sera seulement à l'heure de la promenade. C'est comme d'être morte. Enterrée. Quel âge tu as ? te demande la policière, pour t'épargner la solitude du voyage. Tu lui réponds. Tu es encore jeune, elle te dit. On dirait qu'elle veut te consoler, et dans ses yeux, il y a de la compassion. Une vie entière en prison. Mais cela ne t'effraie pas du tout. Tu as assez vécu pour que ça te suffise le restant de tes jours. Tu as connu la mort tant de fois que celle-là ne sera que l'énième.

Comme cette fois où tout, mais vraiment tout, semblait perdu. Tu t'es sentie mourir.

De la Libye arrivaient des nouvelles épouvantables : Haile mort dans le désert, Sayed tué dans une fusillade à Tripoli, la mutinerie de leurs subordonnés passés aux ordres de Laurent, homme nouveau sur lequel le Système a misé. Et toi, perdue en Italie, avec un peu d'argent mis de côté et quelques fidèles de Haile de la première heure, prêts à t'aider à fuir au nord, avant que quelqu'un t'élimine à ton tour. Ils ont fait table rase, balayé d'un seul coup toutes les affaires, les connexions, les liens. Mieux valait disparaître.

Tu étais morte, intérieurement. Et comme d'habitude, tu as recommencé à vivre. Tu avais ton circuit, tu t'es mise à gérer un bordel d'escorts. Des prostituées de haut niveau, des accompagnatrices élégantes, y compris des étudiantes désargentées et des ménagères disposées à arrondir les fins de mois (avec peut-être des mères et des filles inconscientes d'être aussi putains l'une que l'autre, quand, à la maison, tout en bavardant de futilités, elles servaient le chef de famille de retour du bureau, où il passait son temps à surfer sur les sites de rendez-vous érotiques). Prostituées blanches, noires, asiatiques. Et toi, qui tisses la toile. Qui cherches des protections chez les politiciens locaux, ceux qui de jour se déchaînent contre les mauvaises mœurs répandues par les immigrés et qui t'appelaient ensuite au cœur de la nuit pour procurer à leurs hôtes putains et cocaïne. Mais élégantes, je t'en prie, pas de ces Nigérianes d'autoroute. Des négresses de classe, vu que je veux faire bonne figure. Ta toile s'étendait jusqu'à Brescia, Bergame, et même Milan, dans cette boîte de nuit du côté du corso Como – pleine de belles personnes, toutes mortes depuis des années sans le savoir, alors que toi, la mort, tu savais la reconnaître au premier regard –, où travaillait cet énergumène, le seul vraiment vivant, le seul qui n'a jamais cherché à te tripoter, avec une tête de méchant et une âme candide. Mimmo, il s'appelait.

Telle était ta vie, depuis des années, et ça pouvait durer toujours. Et pourtant tu le sais, l'existence revient non pas à défier le sort, mais à être sans cesse défié par lui. Tu étais arrivée en retard pour un petit-déjeuner avec une des filles, un matin de printemps au bar, et tu avais remarqué qu'elle lisait, passionnée, une liasse de photocopies, écrites très serré. Voilà, ça s'est passé comme ça : lis-le, c'est marrant, c'est d'un ami à moi, il est dedans pour recel, mais c'est un brave garçon, un peu bègue, mais au lit, c'est une machine de guerre.

Voilà, voilà, voilà. Haile était vivant, perdu dans son sentiment de culpabilité, maintenant il ne tenait qu'à toi de le faire sortir de là. Vous communiquiez à travers la correspondance du bibliothécaire de la prison, jamais directement entre vous. Pénible mais sage. Haile l'Implacable était revenu de son enfer, il avait payé son dû à sa conscience, maintenant, il avait un plan et rien ni personne ne devait l'arrêter.

Le fourgon entre dans la cour de la prison. Bienvenue dans ta nouvelle vie, Zahra. Ça en valait la peine ? te demande la gardienne. Tu ne sais pas à quel point, tu lui réponds, en souriant.

4

Ils en étaient au café. Pas de deuxième plat, parce que après il aurait fallu l'après-midi pour le digérer. D'accord pour les plaisirs gourmands mais l'âge commençait à se faire sentir. À vingt ans, Clou disputait des concours à qui finirait le premier d'énormes marmites de pâtes en sauce. Il perdait, systématiquement (il faut dire que celui qui le défaisait s'appelait 'O Animalo, pas par hasard), mais en tout cas, il ingurgitait plus que ce qui aurait paru licite à n'importe quel être humain doté de bon sens. Et pourtant, jamais une lourdeur, jamais un malaise. Son corps brûlait tout, c'était un bûcher toujours ardent offert au dieu exigeant de la jeunesse. Aujourd'hui, il savait déjà que les *pappardelle* lui tiendraient compagnie plus que nécessaire. Forme évidente d'offrande pérenne, mais au dieu de l'âge mûr. Moins volontaire, moins romantique.

— Et Giulia, comment va-t-elle ? demanda Elena à la fin d'une longue réflexion non partagée.

— Bah… bof… bien… c'est-à-dire, elle a la, la… la chose, comment on dit…

— Qu'est-ce qu'elle a ?

— En somme, *ses choses*, ses premières menstruations.

— La ménarche.

— Voilà. Bravo.

— Mais voyez-vous ça, dit Elena avec un sourire de vieille tante qui ne voit plus sa petite nièce depuis trop longtemps. Comme le temps passe.

— À qui le dis-tu.

— Pourquoi tu fais cette tête ? Elle n'est pas malade !

Les mêmes mots que Francesca. Se pouvait-il qu'un homme soit si prévisible ?

— Mais non, c'est pas ça…

Il tournait la petite cuillère dans le café, plus qu'il n'était nécessaire.

— Tu sais, c'est un truc bizarre pour moi…

— Imagine pour elle. Moi, j'avais des règles terribles quand j'étais petite, j'étais mal à chaque fois. Tu imagines ? Ma mère me gardait à la maison, par solidarité.

— Carrément ?

Il s'inquiétait. Fais comme tu veux, avec toute la bonne volonté du monde, mais lui, il ne comprendrait jamais *vraiment* ce que ça signifiait, les menstruations. Il pouvait s'identifier à l'enfance de sa fille, à ses attentes pré-adolescentes, il pouvait reconnaître la manière dont elle dormait ou bâillait, héritage génétique de la famille Ferraro, mais ça, cette différence qui se trouvait avant, en amont, dans le corps, cette irréductibilité constitutionnelle, de genre, ça l'effrayait.

– Bon, allez.

Elena continuait à sourire, pleine de compassion.

– On y est toutes passées, c'est normal, dit-elle, puis elle but avec calme son expresso. Tu lui as téléphoné ? lui demanda-t-elle, la tasse à mi-chemin.

– N… non… c'est-à-dire, je ne crois pas que…

Il continuait à tourner la cuillère, inutilement, comme un mécanisme cassé.

– Et pourquoi pas ? Appelle-la, non ? Mais pas parce qu'elle a la ménarche, pour lui parler, comme ça, juste pour le plaisir…

Il la regarda.

– En effet, dit-il. Mais je ne sais pas si maintenant… peut-être qu'elle est à l'école et…

Ça puait l'excuse pathétique.

– À cette heure ? Maintenant, elle doit être à la maison, non ?

Voilà. Instantanément contré.

– C'est vrai, répondit-il, dos au mur.

Il but en une gorgée le nectar devenu tiède et composa le numéro de sa fille. Il n'y eut même pas deux sonneries.

– Qu'est-ce qu'il y a, papa, il est arrivé quelque chose ?

La voix est toujours la même. Une fillette, pas une femme.

5

Haile dort nu, sous les couvertures. La douche chaude lui a fait baisser la pression artérielle, il a gagné la chambre avec peine. Il s'est étendu sur le matelas : trop mou pour ses habitudes mais confortable. Maintenant, il dort. Ce ne sont pas des rêves qui le hantent. Ce ne sont pas des cauchemars. Ce sont des voix du passé. Des délires.

Laissons-le il est des leurs Notre Seigneur nous a dit de ne pas juger Je suis infirmier je sais comment faire Maman j'ai sommeil Enlève-lui la chemise fais-en des bandes Il n'a pas touché d'organes vitaux Serre serre Moi j'ai un antibiotique Ne le lui donne pas ça peut nous servir à nous Passe-moi l'eau Et à nous tu n'y penses pas ? Il a passé la nuit C'est un démon On doit s'en aller d'ici Personne ne va venir Nous devons nous sauver J'ai peur papa Il gémit il souffre C'est un homme comme nous Nous devons partir Notre Seigneur miséricordieux sait que nous avons fait tout ce qui était possible Il mourra si nous le laissons là Il est fort et sain et bien nourri il peut s'en sortir On lui enverra quelqu'un dès que possible Que Dieu te bénisse frère

Haile se réveille, transpirant et assoiffé. Au pied du lit, il y a le sac à dos, à demi vidé. Les vêtements, il les a laissés étendus sur la chaise avant d'aller se doucher. Il contrôle sa température, elle est élevée. Il prend un autre antipyrétique et boit à la régalade à la bouteille. Les volets sont fermés, au-dehors il pourrait faire encore jour ou ça pourrait être la nuit profonde. Il ne sait pas, ne veut pas savoir. C'est le réveil sur la table de nuit qui s'occupera de l'avertir quand ce sera l'heure d'y aller. Il se remet en boule dans la forme imprimée sur le drap, en se couvrant jusqu'aux yeux. Je peux y arriver, se dit-il, je peux y arriver.

Comme ça le ciel se brise et pendant ce temps il grandit. Comme ça il part en cris opposés ce même soleil qui ne tombe jamais. Je passe du désert au désert et seulement ces deux-là. Je marche dans le désert qu'est la nuit d'hier, il faisait nuit hier, il, faisait, nuit, hier, maintenant je marche dans le désert et ce sable brûle les talons, jusqu'au genou, agresse les cuisses. Frit la peau pendant que je la regarde. Comme ça j'en passe maintenant, sans eau pour boire ou pour pleurer, tomber. Cette eau pour pleurer, ce sable à tomber. Il en part des masses de chaleur, à presser dessus, qui pressent la peau comme ça jusqu'à la gonfler, maintenant elle noircit, elle était noire hier, elle est noire maintenant, je suis une masse sombre sur le blanc de la plaine. Et ce sable. C'est ce sable contre le blanc profond du désert salin, de loin. Tu approches ensuite le regard et tu vois des incrustations rubis, émeraude, transparentes, des intérieurs d'huître, de nacre exposés au soleil, comprimés, poussés ensemble.

Il urine, dense et jaunâtre presque paille, la main appuyée aux carreaux de la salle de bains. Je vais mieux, s'oblige-t-il à penser, mieux. L'urètre lui fait mal, les articulations craquent, les muscles du dos frémissent. Il retourne au lit.

Puis il les vit, toujours plus près, tacher le blanc sableux, outrager sa vastitude. L'un recroquevillé comme un fœtus, un autre sur le dos, tourné vers le Seigneur, un autre desséché et ulcéreux. Haile poursuivait dans son enfer, déchiré par la douleur, sans but, illogique. Il vola la chemise d'un cadavre, se couvrit le visage, poursuivit. Une mère étreignant un enfant, fusionnés par le soleil, défaits par la mort. Le délire, l'anxiété, la divagation, plus loin encore, je peux y arriver. Enfin les chiens, squelettes de peau qui se traînaient en cercle, lents et funestes, au centre la forme froissée d'un homme et son fils à genoux, épouvantail vivant, morve au nez, qui agitait d'un geste las le bâton dans l'air enflammé. Haile entra dans le cercle de chiens, s'agenouilla devant l'enfance profanée. Allons-y, lui dit-il, allons-nous-en d'ici. Nous pouvons y arriver. Nous le devons.

6

L'instinct le poussait, pour faire vite, à traverser aussitôt sorti de la trattoria, mais Elena, raisonnable comme toujours, s'était déjà avancée vers le feu rouge. Le front nuageux se déplaçait vers le sud, laissant des portions de ciel limpides, où le soleil de l'après-midi s'insinuait, tiédissant la peau. Mais presque aussitôt, la faille se remplissait de gris, dissolvant l'illusion. C'était l'automne à Rome et dans l'Italie entière. Presque l'hiver. Il semblait ne jamais devoir finir.

Le trafic, dans la rue, taillait le bon sens en pièces. Elena attendait le vert en toute simplicité, son éducation de classe la maintenant bien loin de l'impatience plébéienne de Ferraro.

— Voyons un peu ce qu'ils ont trouvé, dit-elle, en pensant aux jeunes restés au bureau.

— Tu t'es entourée de stakhanovistes.

— Bah, Favalli, en réalité, avec son retard de ce matin, on ne peut pas dire…

— Il a ses problèmes. Chez lui, je veux dire.

Le feu passa au vert.

— Qui n'en a pas, Michele ?

Elle commença à traverser. Et le feu passa aussitôt à l'orange. Ferraro avait l'impression que les feux romains avaient une suprême antipathie pour les piétons.

— En tout cas, continua la femme, indifférente aux sollicitations tricolores, j'avais proposé aux jeunes de venir avec nous, mais non. Ils ont préféré un sandwich.

— Tu sais comment ils sont à cet âge. Ils mangent ce qui leur tombe sous la main.

— Moi, à leur âge, je ne mangeais pas si mal !

Ils étaient sur l'autre rive du fleuve de goudron. Maintenant, il s'agissait de faire le tour du pâté de maisons.

Ferraro sourit :

— Quelle conversation ! On dirait deux vieux gagas.

— Parle pour toi. Nous sommes dans la fleur de l'âge !

Ils se querellaient pour rire.

— Toi, peut-être. Moi, je me sens bon pour la casse.

— Arrête ça. C'est une pose.

S'il n'avait pas arrêté de fumer, ça aurait été le moment idéal pour en allumer une et la partager avec elle. À condition qu'Elena eût jamais fumé dans sa vie.

— Tu as une belle équipe.

— Oui, je le pense aussi. Très différents entre eux.

Une pensée lui traversa les synapses.

— Voyons ce que m'a trouvé Pietrantoni. Dans les recherches d'archives, il est très bon et rapide.

Ils tournèrent au coin de l'immeuble. Encore quelques mètres et ils seraient à l'intérieur.

– Dis donc… commença-t-il avec un clin d'œil malicieux. Il n'y a que moi qui l'ai remarqué ou bien… avança-t-il, lourd de sous-entendus.

– Je n'ai pas compris ce que tu veux dire et je ne veux pas le comprendre, intima-t-elle.

– Allez, quoi, ne le prends pas de haut. Au fond, c'est un beau garçon.

Elena se bloqua, d'un coup, à quelques pas de l'entrée.

– Ne te permets pas ce genre d'insinuations, d'accord ?

Ferraro en fut presque blessé :

– Mais t'es dingue ou quoi ? Je plaisantais, c'est tout.

– C'est une manière de plaisanter qui ne me plaît pas, rétorqua-t-elle, l'air mauvais.

– Mais quel mal y a-t-il, si tu permets ? *Le cœur a ses raisons…*

– Arrête de te moquer de moi. Pietrantoni est fasciné par le pouvoir que j'incarne, tu comprends ? Pour vous autres, les hommes, c'est peut-être incompréhensible, vous y êtes tellement habitués, vous… Le directeur de banque qui couche avec sa secrétaire de vingt ans est convaincu d'être séduisant et en fait c'est seulement sa position de pouvoir qui le lui permet. Et pareil pour l'interne avec l'infirmière, le professeur avec l'étudiante. Vous êtes tellement remplis de votre ego que vous ne voyez pas la violence, l'abus.

Ferarro en eut plein le cul.

– Mais ça va pas, la tête ? Comment tu te permets ? *Vous*, les hommes ? Je n'en sais rien, bordel, comment sont faits les hommes ou les femmes. Moi, je sais qu'il existe des personnes. Et toi, tu es une belle personne, bordel. Moi, je le comprends, Pietrantoni, d'accord ? Que tu plaises, c'est naturel. Mais, bon Dieu de merde, dépose les armes, abaisse les défenses. Profite un peu de la vie, de temps en temps.

Il entra furieux, la laissant ruminer sur ses obsessions privées, sous un ciel lèche-bottes.

301

Télévisions nationales, publiques, privées, généralistes, thématiques, en clair, en digital terrestre, par câble, satellitaire, en ligne, italiennes, européennes, mondiales ; des émissions de sport toutes les semaines, tous les jours, toutes les heures, des émissions d'approfondissement, d'interviews, de débats, de procès, des rediffusions ; des dizaines, des centaines, des milliers de chaînes gratuites ou payantes de seulement et uniquement seulement et rien d'autre que du foot. Du foot, du foot, du foot. Si on avait programmé, cette bon Dieu de soirée, un tournoi de *curling*, il aurait été beaucoup plus facile de remonter à l'émission. D'un autre côté, combien de gens peuvent s'intéresser à la vision d'un type qui pousse des marmites de granit sur la glace ? Soit dit entre nous, en recourant au plus trivial des lieux communs, plus chiant que ça tu meurs. Qui donc, bordel, irait se bagarrer jusqu'au sang dans un bar de Lambrate pour un sport si profondément ennuyeux ?

En somme, Pietrantoni, Fusco et Favalli se donnaient du mal mais le travail était gigantesque. Rien que pour recueillir et cataloguer tout ce qui avait été diffusé le soir de l'arrestation de Haile, ils avaient perdu pratiquement tout l'après-midi. Et puis, de toute façon, qu'en faire ? Trop d'informations veut dire aucune information. On ne pouvait penser tout visionner, il aurait fallu des semaines. Ferraro était perversement fasciné par tant de gaspillage. Des centaines, des milliers d'heures d'émissions de foot par jour. On pourrait vivre rien qu'en regardant des émissions footballistiques à la télé, avec une perfusion au bras pour se nourrir, sans jamais dormir, sans jamais se distraire, avec une sonde enfilée dans le cul, pour éviter de perdre du temps en déjections et pourtant, malgré ça, on ne réussirait pas à tout voir. Tout, tout, tout, d'un tout en fait vide, un bavardage continu sur rien : intentions, hypothèses, marché des joueurs, tactiques, ménisques fracturés, doping, amours, design du maillot, supporteurs, ultras, horoscopes, formations, cancans, pronostics. Des heures et des heures d'émissions où il ne se passe rien, un rien néanmoins continuellement représenté, des émissions qui pourraient absurdement continuer à exister, à être diffusées dans l'éther, même si les matchs n'étaient pas disputés, au point que la partie éventuelle deviendrait minoritaire, accessoire, inutile. Une sorte d'hypertrophique Critique de la Littérature sans l'aide de la Littérature, sans les écrivains, les livres, les poésies, les romans. Un mouvement giratoire continu autour du vide, vertigineux, qui finit par le rendre solide, grâce à une mutation alchimique du réel complètement incompréhensible par la science, par la physique, par la raison même.

Rien à voir avec les silences hebdomadaires de ses souvenirs infantiles en noir et blanc, où l'on commençait tout juste à parler de foot le samedi après-midi et où l'on terminait le lundi matin au bar, avant d'aller travailler. Puis plus rien. Dans l'attente de la nouvelle liturgie dominicale, où le monde masculin tout entier (le monde restreint d'un enfant qui en fait ne connaissait rien du monde) retenait son souffle pendant deux heures, l'après-midi, qui au stade, qui la radio collée à l'oreille droite, en se promenant main dans la main avec la fiancée au parc Sempione, exultait et souffrait et puis, quand, plus rien, après il y avait la pizza avec les amis ou le cinéma en famille. C'était mettre au centre la messe sportive, comme les bigotes le dimanche matin, la rendre sacrée et puis s'en foutre pour le reste de la semaine. Aujourd'hui, Ferraro, cet homme à la barbe blanchie et donc soumis à la plus usée des nostalgies, Ferraro avait l'impression que le rite s'était désacralisé, appauvri, par excès de redondance, mais créant, comme une conséquence hallucinée, une prière ininterrompue qui absorbait la journée entière des gens, des, disons mieux, spectateurs (nouvelle catégorie de citoyenneté bien supérieure à celle garantie par la constitution nationale) : un peuple plongé dans un rosaire collectif, infini et émoussé. Une bande de cons, pour le dire de manière moins noble, dont l'obsession maladive était en train de donner un ulcère à ses collègues et à lui-même, lui qui ne pouvait quand même pas rester là à ruminer et à geindre, pendant que les autres travaillaient infatigablement.

Il s'assit à côté de Pietrantoni et demanda ce qu'il pouvait faire, concrètement.

— Y perdre toute la nuit, fut la réponse du garçon, pris par une espèce d'orgasme d'esclavagisme.

La commissaire n'était pas d'accord. Bon, quelques heures supplémentaires, ça va, mais tout le monde doit dormir. Manque de sommeil équivaut ensuite à faible concentration.

— Ne t'inquiète pas, lui dit Ferraro. Toi, rentre à la maison et élabore une stratégie pour demain. À une certaine heure, je les fais partir, bon gré mal gré.

Ce n'était pas une mauvaise idée, inutile de le nier. Un peu de paix, de solitude, un bain relaxant, le temps de mettre de l'ordre dans ses idées. Rinaldi prit un trousseau de clés et le lui posa dans la main :

— Tu connais le chemin, lui dit-elle. Ne sonne pas avant d'entrer.

Par la fenêtre, le flic la regarda attendre au feu, raisonnable, et puis disparaître rapidement dans les plis de la ville. Ensuite il s'assit devant le terminal que lui avait assigné Fusco.

Bien. Faisons-la passer, cette nuit.

La battue

1

Et s'il était mort ? Lui, et le monde entier, morts sans le savoir. Ça lui donnait de la force, de l'espoir. Elle n'avait pas été abandonnée, non. Et peut-être même qu'elle était morte, peut-être que la mort était cette trille, ce sifflement d'un signal de reconnaissance ultra-terrestre. Elle insistait, la pauvrette, elle modulait son chant dans l'espoir d'être reconnue. Ce qui compte, ce n'est pas de l'avoir aimé, mais de l'aimer. Elle ne voulait pas vivre d'un amour consumé, mais croire que les interminables silences étaient momentanés. Dans l'attente du retour, elle, petite vigie lombarde.

D'une tout autre humeur était le réveil qui à l'aube jeta Haile au bas du lit. Il faisait son métier mais sans enthousiasme, comme une prostituée sans talent, sans le feu sacré de la mission. La juste émission sonore, des fréquences hautes et irritantes, le temps nécessaire pour remplir ses fonctions et puis bonsoir messieurs : il s'en retournait, revêche, dans son mutisme hautain. Si tu veux te lever, tu te lèves, moi j'ai bien autre chose à faire que de me préoccuper de toi.

Haile, après un après-midi de rêves délirants, avait dormi toute la nuit d'un sommeil absolu, sans malaises, reposant et tiède. Se lever lui déplut un peu, pour la première fois de la semaine, il se sentait bien, sans fièvre, sans douleurs, anxiétés, troubles. Il se sentait presque en vacances, oublieux de sa mission, oisif comme un élève qui fait l'école buissonnière. Ou peut-être cherchait-il à tergiverser sous les couvertures pour capturer les derniers moments de banalité que la vie sait accorder sans préavis, ceux dont vous sentez qu'ils vous manqueront plus d'une fois quand vous n'aurez plus la possibilité de les reproduire. Quand vous avez pleine conscience, et

Haile l'avait plus que quiconque au monde, que ce que vous allez entamer est, selon toute probabilité, le dernier jour de votre vie.

2

Il avait une jambe sur le dossier du petit canapé de la salle d'attente et l'autre pendante, dans une pose obscène et ridicule, le cou plié par le dossier donnait l'impression que la tête avait été coupée puis appuyée sur la poitrine, un filet de salive coulait au coin de la bouche à peine entrouverte. Tu parles de les renvoyer chez eux ! Ils avaient passé la nuit à sélectionner, visionner, éliminer. Chacun son tour, ils faisaient une petite heure de sommeil, pour ne pas s'abrutir complètement. Quand ce fut son tour, la petite heure se transforma en une aube prolongée. Qui sait, peut-être était-ce une manière bien à eux de manifester du respect pour l'ancienneté dans le service.

Ferraro, les yeux encore clos, entendit un murmure vague et diffus se répandre depuis les vitres de la porte. Où suis-je ? pensa-t-il, la main droite sur la poitrine et la gauche fourrée dans le dos. Il ouvrit les yeux et tenta de s'asseoir. Le bras gauche commença à vibrer comme un fou furieux : des millions de fourmis argentines commencèrent à banqueter avec son système artériel. L'engourdissement était tel qu'il ne parvenait même pas à soulever le membre.

Pour Ferraro, il n'y avait pas de réveil qui ne fût tragique. Il vivait l'arrachement au sommeil comme une cruauté de l'existence, s'il avait pu, s'il avait gagné un de ces euromillions ultra-millionnaires, il serait resté le restant de sa vie à ne rien faire. Absolument rien. Affalé sur le canapé, bière sur le sol, chips et téléviseur allumé. Comme cela, élémentaire, comme une larve qui ne mendie que la satisfaction des exigences primaires. C'était l'état de paupérisme chronique qui l'obligeait à une vie civilisée et à la stimulation intellectuelle, sa nature était différente, elle était indolente. Et le matin, plus encore, elle était égarée. Peut-être était-ce une question de

306

biorythmes. Les siens étaient réglés sur le fuseau horaire de Bangkok, peut-être devrait-il y déménager. À Milan, c'était sûr, il réussissait à se coucher tard sans problème, mais le matin, il était *off limits*. Le système connectif des neurones perdait coup sur coup, sans cesse, il comprenait la moitié de ce qu'il entendait, il avait même du mal à répondre de manière cohérente. Bref, il avait de l'hypotension.

Après un long ruminement, il se leva. La colonne vertébrale eut comme un effondrement structurel, puis il décida de ne pas s'effondrer, pas aujourd'hui du moins. L'homme bougea avec la grâce et l'agilité d'un mort-vivant vers le bureau, il marchait avec les pieds évasés, en canard, en s'appuyant sur tout ce qu'il trouvait le long du parcours. Avant d'ouvrir la bouche, il ravala un rot acide.

À l'intérieur, Elena distribuait des ordres. Elle semblait irradier de lumière, de grandeur, d'exemplarité. Jamais eu d'hypotension le matin, elle. Comme ça, c'est pas du jeu !

– Que… quoi… je…

La langue se débattait avec cette sorte de pâte salivaire qui pendant la nuit avait fermenté de manière démesurée dans la cavité buccale. Sa voix sortait caverneuse, chtonienne.

– Bonjour, Ferraro, gazouilla Fusco, d'une voix argentine.

Une bombe explosa dans le cerveau de Ferraro. Il leva la main droite comme s'il voulait en faire un bouclier contre les ondes sonores, tandis que de l'autre main, il tenait sa tête douloureuse.

La jeune fille souleva les bras, en signe de reddition.

– Ok, ok, murmura-t-elle, j'ai compris.

Le flic s'effondra sur le premier siège à sa disposition.

– Je… quoi… c'est-à-dire… quelle heure… est-il ?

Rinaldi, les yeux sur le portable, ne l'écoutait même pas :

– Favalli, trouve-moi toutes les données sensibles de la zone, je veux une carte des mouvements hypothétiques, Pietrantoni, cherche-moi d'autres informations sur notre homme.

– Mais… que… quoi…

Ferraro essayait mais les neurones semblaient nécrosés.

– Tu veux bien m'expli… c'est-à-dire, je…

Elena le regarda, compatissante.

– Michele, il est inutile d'essayer de t'expliquer, de toute façon tu ne comprendrais pas.

Elle avait appris à le connaître, y a pas à dire.

– Va te laver le visage et prends-toi un café. D'ici peu, on part.

– C'était pas Naples, lui dit au passage Favalli. Mais tu n'es pas tombé loin.

– Et… où… toussa-t-il. C'est-à-dire, où on v…

Rien, il n'y arrivait pas. Trop difficile.

Il en prit acte. Il se leva et se dirigea vers les toilettes. Dix minutes plus tard, tandis qu'il tenait son visage dans un lavabo rempli d'eau glacée, une voix l'appela du dehors, péremptoire.

– Allez, Michele, bougeons-nous, la voiture est prête. Le café, on le prendra sur l'autoroute.

3

Il prend l'itinéraire bis avec l'obscurité encore dans le dos, et devant lui, déjà, un ciel orange livide. Il fait vraiment froid mais Haile est bien protégé, il porte des vêtements secs, propres, parfumés, neufs, les derniers qu'il avait à sa disposition, il a fait un petit-déjeuner abondant et nourrissant. Sa moto dépasse les champs infinis et nus dans l'attente de la semence des tomates, près de Villa Literno, et poursuit sans s'arrêter. Il sait où il va. Il a les idées claires et pour cela il se sent bien, ça le maintient vif, en alerte, dans une sorte d'orgasme survolté. Il entre sur le territoire de Casal di Principe.

Il resta quatre mois dans l'oasis des caravaniers touaregs. Ils les recueillirent, l'enfant et lui, à bout de forces. Je peux payer, et bien, dit-il simplement. Après l'avoir remis d'aplomb, ils lui mirent un téléphone satellitaire dans les mains : démontre-le, lui dirent-ils. Et ça voulait dire : nous sommes maîtres de ta vie, paie-nous ou on te tranche la gorge. Durant ses années de razzias, Haile avait rassemblé un petit capital – sous de faux noms, des identités volées – déposé sur différentes banques européennes : deux suisses, une italienne aussi, par respect pour son grand-père Ghebreab qui lui disait toujours que les banques italiennes sont sûres, qu'elles ne font jamais faillite. Il solda sa dette et laissa assez d'argent pour que l'enfant trouvé dans le désert puisse grandir avec eux sans subir la honte de l'esclavage.

Entre-temps, en suivant les traces sur internet, il découvrit l'amère vérité. Il était seul, éperdument seul, infiniment seul. Pire : il était mort, dans le désert. Comme était mort Sayed, tué lors d'une fusillade dans les rues de Tripoli. À l'évidence, Laurent avait mené le coup de main, en se mutinant et en emmenant avec lui les hommes qui avaient été leurs compagnons d'armes pendant des années. C'était l'homme nouveau sur lequel misaient les Italiens. L'Implacable et l'Âme noire étaient trop indépendants, des têtes brûlées indisciplinées qui osaient mettre en cause l'autorité des chefs camorristes. Tant qu'il s'agissait de faire les *ascari* des fascistes, ça allait, mais qu'ils ne se permettent pas de se croire dignes d'être libres. L'Histoire se répète, identique, et n'apprend rien, jamais. Seul. Qui sait à présent où était Zahra. Selon toute probabilité, elle s'était cachée, plus au nord, loin des clans de la camorra ; peut-être en Lombardie, pensait Haile, terre de 'ndrangheta, sinon carrément à l'étranger. Qui sait s'ils se reverraient jamais. Seul et sans patrie. Rester au cœur du désert ne l'intéressait pas, retourner en Érythrée encore moins. Ce continent est sans espoir, se répétait-il. Il ne restait plus qu'à partir, utiliser une des identités volées à prix d'or, chercher un lieu où survivre, en silence, un endroit où aller se coucher tôt le soir, où lécher ses blessures. Il ne devait pas recommencer, il avait perdu toute velléité, toute ambition, il voulait seulement finir, s'éteindre, disparaître. Il décida que l'Italie pouvait être son Sam'suffit, au fond, c'était ce qui ressemblait le plus à l'Érythrée, pour lui. Rome. Il y resta peu de temps, juste ce qu'il fallait pour s'acclimater, parce que la communauté érythréenne était un peu trop nombreuse, beaucoup de ceux qu'il croisait au marché ou dans le métro pouvaient le reconnaître. Peut-être même le reconnaissaient-ils. Ils le regardaient comme on regarde un démon, un homme revenu de la mort. Il se décida pour Milan. Feignit d'oublier que cette ville aussi hébergeait des gens de la corne de l'Afrique, il aurait dû admettre en lui-même que ce qu'il faisait, ce n'était pas oublier le monde, mais le suivre. Chercher Zahra, la retrouver, donner un sens à tout, une explication. C'est le monde, en tout cas, qui s'occupa de le retrouver. Ce soir-là, dans ce bar de Lambrate, devant ce téléviseur, Haile perdit la tête. Il connut la saveur rance de la trahison.

Il laisse aussi derrière lui Casal di Principe, un gros bourg de maisons basses, abusives, de tuf et de sable avec peu de ciment, de carrelages de marque et de ferronnerie à découvert, d'huisseries en aluminium anodisé et de griffons de pierre, de murs en ciment armés et de clochers, d'asphalte et de boyaux souterrains, il poursuit, s'enfonce dans la ville infinie, sans règles, sans ordre, identifiée par des panneaux de signalisation criblés de trous, CASALUCE, lit-il, tandis qu'il vrombit sur la provinciale, puis des étendues de toiles étalées pour couvrir les feuilles de tabac à sécher, l'air devient aromatique et malade, il croise l'autoroute et on ne comprend plus ce qui finit et ce qui commence, quand c'est un champ et quand c'est du ciment, quand c'est un tas d'ordures et quand c'est un entrepôt, il prend la via Napoli, sautille avec les pneus de la motocyclette sur les dalles de basalte et les bouts de bitume, se dirige vers Maddaloni, voit les tours ducales tombées en ruine, observe les carrières de ciment qui dévorent les montagnes, comme pour contester les limites orographiques de la plaine, effacer les plis, annuler la nature. Il s'émerveille à la vue de l'aqueduc de Vanvitelli, corde tendue, tunnel de brique, œuvre démesurée. Il grimpe vers San Michele, de l'ermitage, il domine la vallée. Là, en bas, il y a Caserte.

4

Le cappuccino du restoroute faisait de la peine et le croissant (le *cornetto*, pas la *brioche*) était industriel – toujours mieux que rien en tout cas, le cerveau commençait à se connecter. L'autoroute était vide et Pietrantoni semblait avoir une paralysie aux muscles du pied, il gardait l'accélérateur au plancher comme s'il était au grand prix d'Indianapolis.

L'excitation d'Elena était palpable, on aurait dit un prédateur qui a flairé dans l'air les traces de sa proie.

– Je veux des tireurs d'élite ! disait-elle dans son portable. J'en ai rien à cirer ! hurlait-elle à celui qui lui disait que ça ne se trouvait pas au marché du quartier le jeudi. Au plus vite, dans deux heures maximum !

– Red Lions, dit Ferraro, incrédule.

– Red Lions contre le Kulul football club, confirma Favalli. Un match de qualification pour une coupe africaine.

Ferraro grimaça de nouveau pour manifester son incrédulité.

– Mais putain ! On a vu des centaines de matchs, pourquoi justement celui-là ? C'est qui, les Red Lions, bordel ?

– Équipe semi-professionnelle de division mineure. Achetée depuis environ un an par un magnat africain. Jabr Nurhussien.

– Ce type-là, dit Fusco en lui tendant une photographie.

Cheveux crépus poivre et sel, barbe blanchie et bien soignée, veste d'excellente coupe et cravate assortie. Il avait l'air d'un brave homme.

– Et qu'est-ce qu'il fait, ce type ?

– Nous n'avons pas d'informations précises. Il est comme sorti du néant. Il s'occupe d'import-export et a des relations avec la Chine concernant les concessions pétrolifères dans le continent africain. Il a quelques sociétés de transport dans le Maghreb. La charge de président de l'équipe de football est son péché mignon. C'est un philanthrope, très attentif à son image publique : il inaugure des écoles, s'occupe du social. Le foot, a-t-il dit dans une interview, est la carte de visite de la nouvelle Afrique. Le championnat mondial l'a démontré : le futur est noir. À travers les activités sportives, il veut transmettre un message de pacification et d'émancipation du continent.

— Et qu'est-ce qu'on en a à cirer, nous ? Je répète la question : pourquoi, justement, *ce* match ?

— Ben, c'est un match africain, nous avons cru qu'il pouvait attirer l'attention de Haile… et puis…

— Quelle connerie ! Youssef, mon barman, est égyptien et il soutient l'Inter. Qui vous dit que dans ce bar, ils diffusaient justement ce match ? À moi, ça me paraît curieux, en fait.

— Personne ne nous le dit.

— Voilà. C'est quoi, ça ? Ce type se grille un faux passeport parce que son équipe préférée perd ?

— Ben… fit Favalli, cherchant une réponse délirante à la question. On ne sait pas qui des deux il soutenait…

— On ne cogne pas son voisin quand l'équipe qu'on soutient gagne.

Elena tourna le regard vers Ferraro, l'air sombre :

— Tu vas arrêter ? Qu'est-ce qu'il y a, t'as mal dormi ?

En effet, il avait dormi comme une merde.

— Non… c'est que… qu'est-ce qui vous a fait écarter les autres hypothèses ?

— Les Red Lions vont jouer aujourd'hui, à Caserte, l'informa Fusco.

— Quoi ?

— Nurhussien est en Italie. Officiellement, pour le déplacement de son équipe qui va participer à un tournoi à quatre qui s'appelle "Paix entre les peuples"…

Fusco parlait et lisait ses notes, écrites avec une application adolescente sur son agenda à couverture lilas.

— … Après la partie, Nurhussien interviendra à une conférence : "Méditerranée, mer commune." D'après ce que nous avons rassemblé comme informations, il vient en effet aussi pour conclure quelques affaires avec des entreprises du territoire. Bref, il entre en affaires avec nous.

— Maintenant, tu admettras que ça ne peut pas être un hasard, dit la commissaire. Haile reste bien sage pendant des mois puis il voit un match et perd la boule. En prison, pareil : excellente conduite, comportement irréprochable…

C'est-à-dire, à part l'émasculation dans la prison de Monza, mais ça, c'est un détail à ne pas considérer dans le champ des hypothèses.

– … puis, quand on entend reparler de cette équipe, il met en scène une évasion spectaculaire.

– Le vrai supporteur tuerait sa maman pour ne pas rater un match de son équipe.

Favalli ricana dans sa barbe tandis qu'Elena regardait Ferraro dans un silence qui sentait le mépris.

– Peut-être pas sa maman, reprit-elle. Mais il est très probable qu'il veuille tuer quelqu'un. Il est maintenant évident que Haile ne fuit pas. C'est un tueur qui a une mission. Et si c'était justement de tuer Nurhussien ?

– Mais ça te semble possible ? Comme si on manquait chez nous de tueurs prêts à descendre quelqu'un ! C'est un des rares produits que nous exportons dans le monde.

Bref, qu'est-ce qu'y font, c'tes nègres, y viennent ici voler le travail de nos criminels ?

– Tartaglia m'a signalé que l'homme que Haile a tué, Laurent *Machin*, d'après son enquête, faisait partie d'une société de sécurité privée.

– Celle-là même, poursuivit Fusco, qui s'occupe de la sécurité personnelle de Nurhussien, ici, en Italie.

– Trop de coïncidences, dit la commissaire.

Oui, vraiment trop.

5

Il débouche de la dernière des rampes, se hisse sur les marches vissées sur la tourelle et rejoint le belvédère. Son cœur pompe calmement, entraîné. Il était en avance sur le programme, il a voulu agir tranquillement, se cacher à l'endroit le moins prévisible. De là, il observe la route parcourue. La fontaine de Diane et Actéon, au pied de la colline, et l'une après l'autre les autres fontaines, l'axe qui les relie, les vasques, l'énorme quadrangulaire herbeux au fond qui, d'ici, semble un jardin domestique, le cube du bâtiment qui ferme la vue. Le Palais royal. Et au-delà encore, le réseau goudronné, le dispositif de perspectives qui se perd sur l'horizon, vers Naples. Un projet grandiose, absolu, signe rationnel et ordonnateur de l'espace, sur un territoire gaspillé et illogique qui paraît le refuser, le contracter, l'exclure. Il a la sensation de pouvoir toucher le ciel bas, pesant. Il fait froid, plus que la normale, plus que l'acceptable, mais Haile ne le perçoit pas. Il a autre chose à penser. Il reste comme ça, pendant une heure au moins, immobile, en attente, comme un fauve prêt au déchaînement musculaire. Puis il observe le ciel : le moment est arrivé, se dit-il. La chasse a commencé.

Silva demanda un peu de prudence, mieux valait laisser tomber les tireurs d'élite et la militarisation de la zone. Nurhussien était un gros bonnet, ils risquaient le scandale international. Agir dans l'ombre, éviter les actions éclatantes. Au fond, ils intervenaient en se basant sur un faible soupçon, rien de concret, pour ce qu'ils en savaient, Haile pouvait être à mille kilomètres de là. La commissaire tenta de faire réfléchir le proc. Dans cette histoire, il y a trop de dangers, des points de contact avec la pègre organisée, des meurtres cruels, la prudence, d'accord, mais à prévoir le pire, on ne se trompe jamais. Personne ne dit que Nurhussien est directement impliqué, peut-être que lui-même ignore qu'il est dans le collimateur de quelqu'un, à plus forte raison, il convient de le protéger, même à son insu. À moins qu'au-delà de lui, ce soit la partie elle-même, le match de l'après-midi, qui soit le véritable objectif du tueur. Peut-être quelque invité important, un homme politique national ou un entrepreneur local à la tribune… un meurtre spectaculaire, de gros titres, dans ce cas, ne pas avoir à disposition des tireurs d'élite pourrait être une erreur retentissante. Le *dottor* Silva en eut des sueurs froides. Quel travail impossible il faisait. Se prendre la responsabilité de tout. Tout. Décider de faire quelque chose et se tromper. Décider de ne pas le faire et se tromper encore. Avec dans la main, comme unique bouclier, le Code pénal. Trop peu. Il

avala deux cachets de Maalox. Va pour les tireurs d'élite
Mais, j'insiste : prudence.

Ils savaient dans quel hôtel il logeait, connaissaient ses
rendez-vous de l'après-midi, avaient calculé les parcours
possibles carte en main, s'étaient mêlés à la population du
centre, se répartissant dans les rues autour du cours principal,
toujours en contact visuel, portable allumé et pistolet
d'ordonnance chargé. Maintenant, pour tous, il s'agissait
d'attendre, les sens en alerte, comme à une battue.

6

Jusqu'à ce qu'arrive le char d'assaut réglementaire, une de
ces bagnoles de film hollywoodien, ou de camorriste bling-
bling, énorme, bleu cobalt, verres fumés, funèbre. Elle se gara
devant le siège de la banque, à l'emplacement réservé aux
handicapés.
— Le voilà, dit Elena à Michele.
Ils sortirent du bar, avec calme, continuant de jouer les
touristes qui ne trouvent pas les indications pour aller au
Palais royal.
De la portière avant sortit vivement le *chauffeur**, un noir
en uniforme. Ferraro songea à Gionni. Plus le travail que tu
fais est subordonné et plus on te gratifie de brandebourgs
dorés, pensait-il. Un général de corps d'armée a pratiquement
l'air d'un domestique. Le chauffeur ouvrit la portière arrière,
même de là où ils étaient, on percevait l'énormité de l'habitacle, grand à peu près comme le séjour de Ferraro. Il y avait
même une vitre séparatrice entre le chauffeur et le passager de
l'arrière, histoire de maintenir un minimum d'intimité, au cas
où il désirerait embarquer une pute et lui offrir du cham-
pagne, au nez et à la barbe des crève-la-faim qui traînaient
alentour.
— Où sont les gardes du corps ? demanda Elena à mi-voix,
feignant de consulter le guide touristique.

315

Ferraro jeta un regard indifférent à 195 degrés, typique de ceux qui vivent en Norvège et ne reconnaissent aucune logique spatiale dans les rues du Sud sauvage.

— À quatre heures. Deux hommes appuyés au coin de la rue qui bavardent. Le troisième fume.

Trois têtes à claques, inutilement endimanchées. Dans la salle de billard de Porta Genova, ils auraient tranquillement été assortis au mobilier.

De la voiture sortit un homme. Blanc, en complet anthracite à fines rayures, chaussures couleur café, cheveux pommadés comme un mafieux d'opérette. Juste après, Nurhussien. Grand, imposant, avec un sourire bienveillant et conciliant. À l'entrée de la banque, comme le maître de céans encore en pantoufles qui attend les invités pour le dîner, un homme en costume bleu et mocassins noirs (même Ferraro savait que les deux ensemble, ça faisait minable) attendait, débordant de zèle. Le directeur, probablement. Les hommes s'approchèrent de l'entrée, il y eut tout un échange de compliments, de poignées de main, de claques sur l'épaule. Faux comme Judas.

— C'est qui celui-là, merde ? murmura le flic.

— De qui tu parles ? répondit Elena, en faisant quelques pas, histoire de ne pas jouer les jolies petites statues.

— À onze heures, près du passage piétons. Ou il a une otite fulminante, ou il est en train de parler avec quelqu'un dans un micro-cravate.

— Garde du corps ?

— Non. Il ne semble pas venir de la même infecte couvée.

Les hommes entrèrent dans la banque. À ce moment seulement, la grosse bagnole de plouc enrichi démarra et partit à la recherche d'un emplacement mieux adapté. Les trois hommes de l'escorte bougèrent eux aussi, vers le bar. Ils passèrent à la hauteur des deux policiers, sur l'autre trottoir. Celui qui fumait commença à se gratter le pubis de manière répugnante, sous la veste on entrevoyait le revolver glissé dans la ceinture. Peu professionnel et très mafieux.

Celui du fond bougea lui aussi, toujours à se tapoter les fuites de pus auriculaire.

— Attends, dit la commissaire.

Elle s'approcha brusquement de l'homme, carte touristique en main, avec une petite tête de bébé phoque juste avant le coup de massue mortel qui l'écraserait sur la calotte arctique.

— Excusez-moi, demanda-t-elle à l'homme qui la regarda, ahuri. Vous pouvez me dire où nous devons aller, pour Caserta Vecchia ?

— Non, écoutez, je ne...

— Vous savez, on n'est pas du coin et on s'est perdus.

— Je suis désolé, mais je ne peux vraiment pas...

— Pour nos dix ans de mariage, on a voulu se faire un cadeau, vous comprenez ?

Réussir à ne pas rire fut le plus dur. L'homme s'esquiva en inventant les excuses les plus improbables, ce mec était pas clair, ça se voyait à un kilomètre.

— Il ne fait pas partie de l'escorte, dit Ferraro. Les gardes du corps te prennent toujours de haut. Celui-là, il avait la merde au cul.

— Tu as entendu son accent ? On aurait dit Peter Sellers dans *La Panthère rose*.

Il n'y avait qu'Elena pour avoir l'idée d'une comparaison pareille.

— Qu'est-ce que fabrique un Français dans le sillage d'un magnat africain ?

La commissaire ne répondit pas mais composa vivement un numéro sur son portable.

— Il est en train de venir vers toi. Un mètre quatre-vingts environ, nez aquilin, blond. Ne le perds pas de vue.

Elle coupa.

— On ne sait jamais, dit-elle à Ferraro approbateur.

7

Puis sur le corso Trieste, sur le Palais royal, sur tout Caserte, descendit un froid glacial, irréel. Comme ça, n'importe comment. La couche nuageuse s'était faite épaisse et hostile, une plaque de glace indifférente aux habitudes météorologiques millénaires de la *Campania felix* qui depuis toujours ont égayé la plaine d'hivers doux (mais de chaleurs estivales torrides, que Ferraro, pour des raisons généalogico-touristiques, connaissait très bien). On aurait dit que le temps voulait se mettre au niveau de la tendance nationale : une terre congelée, une patrie sombre, immobile, des Alpes au Mezzo-giorno, sans affects, sans horizon.

Plus que des pensées, c'étaient des sensations impercep-tibles, ça, qui ainsi apparaissaient de temps en temps, avant de disparaître aussitôt de l'esprit de Ferraro, pris par une tâche intellectuelle bien plus élevée et contingente.

— Ils sortent, dit la commissaire.

En effet, les trois de l'escorte sortaient du bar. L'un d'eux ouvrit vivement un nouveau paquet en forme de polyèdre composé de six parallélogrammes rectangles et laissa tomber à terre avec indifférence la pellicule protectrice de polypropy-lène transparent. Aussitôt après, il apposa contre ses lèvres un cylindre de papier contenant des feuilles à forte teneur de nicotine finement tranchées et grâce à un dispositif dispensa-teur de gaz, produisit du feu qu'il appliqua sur la pointe du cylindre, en aspirant, en même temps, assez d'air pour en provoquer l'immédiat allumage. Tout cela pour compenser au niveau neurologique l'absence du composant actif présent dans les feuilles qui, comme on sait, crée dépendance et consé-quences néfastes sur l'organisme entier.

Un café et une petite cigarette, en bref.

Un autre répondit dans son portable, l'air vaguement surpris, puis regarda l'heure, dit quelque chose aux deux compères, les faisant bouger comme un seul homme.

— Où vont-ils ? demanda la commissaire.

— Peut-être que Nurhussien va faire durer le plaisir.

Elena avait déjà le téléphone à la main.

— Du neuf du côté de la banque ?

Ferraro entendit couiner la voix de Fusco :

— Rien. Ils sont dans la salle de réunions et ils ne sortent pas.

— Combien sont-ils ?

— Nurhussien, le directeur, le député Domenico Russo, deux autres personnes que je ne reconnais pas et quelques secrétaires.

— D'accord, dit Elena qui coupa puis appela quelqu'un d'autre : Tu le suis ?

— Il est en train de parler avec un homme, répondit Pietrantoni, que Ferraro entendait clairement.

— Et qui c'est celui-là, bordel ? dit le flic. Qu'est-ce qu'il y a aujourd'hui, à Caserte, une réunion de famille ?

— C'est un type petit, avec des moustaches, tenue ordinaire, cheveux bien coiffés… Puis, à quelqu'un d'autre : Qu'est-ce qu'ils font ?

On n'entendit pas bien, juste un chuchotement lointain.

— Favalli dit qu'ils sont en train de se séparer.

Elena regarda Michele. Que faire ?

— Peut-être une fausse piste, peut-être que c'est seulement de la parano.

— Non, Elena. Ces types sont dans le coup. Je ne sais pas comment, mais ils y sont.

— D'accord, reprit la commissaire dans son portable. Séparez-vous. Favalli suit l'autre.

Elle coupa. Émit un soupir théâtral.

— Qu'est-ce qui se passe ? demanda Ferraro.

— On est en train de mal travailler. On n'a pas d'hommes, on n'a pas de personnel, les tireurs d'élite, on me les envoie dans deux heures, quand ils me ne serviront peut-être plus à rien. Je… je…

— Ok, ok, du calme. Il ne s'est rien passé, au fond, non ? Peut-être que c'est comme tu dis, qu'on est seulement paranoïaques.

— Et Haile ? Où diable se trouve-t-il maintenant ?

Bonne question.

8

Deux heures de cette attente sans fin, énervante.

— Ils ont terminé, dit ensuite Fusco à la commissaire.

319

La femme prit Ferraro par le bras et ils recommencèrent à jouer les touristes perdus. La grosse bagnole arriva, tranquillement, et se remit sur l'emplacement réservé aux handicapés.

— Ils sortent, dit Fusco.

— Ok, sors toi aussi, avec indifférence, garde ton portable allumé, voyons ce qu'ils disent.

Cinq minutes plus tard, les trois caïds étaient sur le seuil de la banque. Ils riaient comme de vieux camarades de classe. Le *chauffeur** sortit de la voiture et attendit, main sur la portière. Apparut aussi Fusco qui, à un pas des trois autres, exécuta toute une comédie, elle faisait celle qui doit se rajuster le manteau en regardant le ciel, et quel temps horrible, ce froid me tue, il me faudrait un week-end de cure thermale.

— Don Domenico, disait la voix capturée par le portable. Je vous verrai au match ?

— Désolé, je ne reste que pour la première mi-temps.

— Dommage, vous ne savez pas ce que vous perdez, ils jouent bien mes gars, vous savez ?

— On me l'a dit…

— Je vous raccompagne quelque part ?

— Non, ne vous inquiétez pas, j'ai mon bureau à deux pas. Allez à l'hôtel vous reposer, vous avez fait un long voyage, dit-il, puis, s'adressant au directeur : Ça a été un plaisir.

— Je considère cela comme le début d'un voyage. Nous devons le fêter. Cela et les futures affaires que nous ferons ensemble.

Elena s'aperçut, de l'autre côté de la rue, que le directeur observait Fusco avec curiosité : la jeune femme comprit qu'elle ne pouvait pas rester là à jouer les installations contemporaines et se mit en marche, le col relevé.

De leur poste de guet, ils virent les trois hommes se dire au revoir, et à la fin Nurhussien qui se dirigeait vers la voiture. Le chauffeur toucha d'abord sa visière en signe de révérence puis ouvrit vivement la portière arrière, fit entrer l'entrepreneur et d'un mouvement agile se plaça au volant. Quelques secondes plus tard, la voiture roulait déjà.

Le portable de la commissaire vibra, impatient.

— *Dottoressa*, une urgence. Je suis à la gare de marchandises. D'ici, il me semble que l'homme est penché sur… sur… ce sont des personnes attachées, assises par terre.

— Pietrantoni, du calme.

— D'ici, on dirait… je vois du sang.

— Nom de Dieu !

Si elle en était arrivée à tant de trivialité, c'est qu'elle était vraiment bouleversée.

— Très bien, ne le perds jamais de vue, d'accord ? On te rejoint.

Puis, à Ferraro :

— Avertis Favalli : converger vers la gare de marchandises.

Entre-temps, Fusco s'était approchée avec l'air de quelqu'un qui va demander une cigarette à un inconnu, mais elle comprit tout de suite que la comédie était inutile.

— Qu'est-ce que… ?

— Favalli, lança Elena au téléphone, sans prendre garde à la fille. Lâche ton homme.

— Si je savais où il est ! Il a disparu.

Excellent limier, Favalli !

— Bon, bon, converge vers la gare de marchandises. Pietrantoni a besoin d'aide.

Ils commencèrent à marcher d'un pas décidé. À Fusco :

— C'est loin d'ici ? demanda la commisaire.

— Dix minutes à pied.

— C'est trop, répliqua Elena. Tu vas à l'hôtel de Nurhussien, on s'appelle après.

Fusco hocha la tête et quitta les deux autres.

— *Dottoressa*, grésilla le téléphone, il s'est levé, on dirait qu'il…

— Pietrantoni, ne le laisse pas s'échapper, dit la commisaire, que l'allure soutenue faisait de plus en plus haleter. À tout prix, compris ?

Ferraro, pendant ce temps, toujours en contact avec Favalli, demandait :

— Combien tu vas mettre ?

— Pas longtemps, je suis à deux pas.

— Ça vaut mieux, je ne veux pas trop laisser le gamin tout seul.

9

Nurhussien s'assied dans la voiture. Le *chauffeur** se met au volant, bloque les portes, ajuste le rétroviseur, attache sa ceinture de sécurité et enfin part. Nurhussien aurait envie de retirer ses chaussures mais tout ce qu'il fait, en fait, c'est desserrer sa cravate. Derrière sa vitre, le chauffeur conduit lentement dans la circulation urbaine. Nurhussien incline sur la droite sa colonne vertébrale et libère suffisamment le siège pour qu'une flatulence asphyxiante trouve sa route dans le monde. Il sourit. Appuie sur le bouton de l'interphone.

— Emmène-moi à l'hôtel, dit-il au chauffeur.

Puis il ouvre le minibar, cherche quelque chose de fort à boire mais à la fin, ne prend rien, s'attarde sur la pensée de ce qui s'est dit à la banque, sur ces affaires qui brassent des millions, sur son avenir radieux. Il glisse sa main sous le col de sa chemise et touche son cou nu, on dirait qu'il cherche quelque chose.

D'instinct, il regarde dans son dos, à travers la glace arrière.

— Mais où sont les gars ? demande-t-il.

Il y a quelque chose qui ne va pas, perçoit-il, avant même de le deviner.

10

Quand Favalli arriva, il vit parfaitement derrière un wagon de marchandises la main tendue à l'horizontale de cet homme que Pietrantoni suivait et ce dernier, les mains levées. Il s'était fait prendre les doigts dans la confiture, en somme. Qu'est-ce qu'il devait faire ? Tirer, lui intimer de lâcher son arme, attendre l'arrivée des autres ? Il choisit l'enveloppe numéro 2. Il apparut avec son revolver de service dégainé et sa main gauche comme tenant un verre sous le poing droit qui tenait la crosse.

– Stop ! Ne tire pas, t'as compris ? Baisse ton arme !

Pour toute réponse, l'homme fit apparaître un deuxième pistolet dans l'autre main, les tenant tous deux en joue.

– Baisse-le toi, le pistolet, dit-il, séraphique.

Favalli vit derrière l'homme le tas de corps couchés l'un sur l'autre. Ça, c'est un type qui rigole pas, pensa-t-il.

– Ne faisons pas de conneries, d'accord ? Tu es seul, on est deux.

– Moi, j'ai deux revolvers, vous un.

Ses r étaient si durs qu'on avait envie de l'envoyer chez un orthophoniste pour une consultation immédiate.

On entendit le classique bruit de la culasse d'un automatique qui fait monter la balle dans le canon. Nous ne sommes pas seuls dans l'univers, médita Pietrantoni, avec soulagement.

– Écoute un peu, homme à la logique écrasante..

C'était Ferraro qui parlait.

– ... Maintenant, nous sommes à trois pistolets contre deux, comment on fait ?

Le flic et sa collègue brandissaient leurs armes, exhibitionnistes, devant le Français.

– Pose cette arme, tu n'as pas le choix, conclut la commissaire.

Le Français regarda dans leur dos, pratiquement au-dessus de leurs têtes, fit un signe d'acquiescement à peine perceptible. Bordel, il regarde qui, celui-là ? pensa Ferraro. Il se tourna à peine, vit une petite tache rouge éclairer sa propre épaule gauche et puis bouger, méchante, vers sa tempe.

– Posez vos armes, clama un mégaphone, vous êtes tous dans nos viseurs.

Ohmerdemerdemerde ! Qu'est-ce que je déteste ces trucs. Qui c'est, ces gens, bordel ?

– Je suis la commissaire Rinaldi ! hurla Elena, brandissant toujours son arme. Service central opérationnel. Vous êtes des collègues, non ? continuait-elle à hurler, masquant le tremblement de la voix. Ne faisons pas de bêtises, ce n'est pas le moment !

L'intuition était bonne, au fond. Si ça avait été des tueurs, ils les auraient déjà descendus. Non ?

— Bon, bon, dit une autre voix dans le dos de Ferraro. La commissaire a raison, pas de feu ami. Baissez toutes vos armes, maintenant.

Ferraro avait du mal à se décider à y croire. Il se tourna vers la voix.

— Lanza ? Bordel, qu'est-ce que tu fais ici ?

— Je te sauve la vie, je dirais.

1

Voilà pourquoi ils faisaient les radins et n'accordaient pas de tireurs d'élite. C'est parce qu'ils étaient déjà réservés par Lanza !

— Bordel, c'est quoi cette histoire ? Tu voulais nous faire mourir d'infarctus ? Pourquoi tu ne nous l'as pas dit, que tu étais sur l'affaire ?

Ferraro avait tellement les glandes qu'elles étaient au bord de l'explosion.

— Calme-toi, nous sommes en mission secrète, répondit son collègue pendant qu'il s'approchait des corps dans le dos du Français.

— Secrète mon cul, j'en ai marre d'avoir l'air d'un couillon ! jacassait-il tandis qu'il s'approchait du plus surréel de ses collègues.

— Mais pour qui vous prenez-vous ? intervint, très offensé, le Français. Vous n'avez pas idée de ce…

— Écoute, toi, l'inspecteur Clouseau, rétorqua Ferraro sans même se retourner, occupe-toi d'aller te faire mettre !

Le *flic** fut frappé de stupeur. Lanza, entre-temps, s'était penché sur les cadavres.

— Tu le connais ? demanda-t-il à Ferraro.

— Qui, le Français ?

— L'inspecteur Clouseau.

Ferraro le fixa deux secondes. C'était l'incarnation de l'incrédulité.

— Tu te fous de ma poire ?

— Non, pourquoi je devrais ?

— Tu veux dire qu'il s'appelle vraiment…

— Eh oui… on se moque de lui pour ça, en tout cas, il n'est pas français, il est belge, wallon.

Ferraro regarda les cadavres.

— Eh là, mais ces types…

— C'est l'escorte de Nurhussien, dit la commissaire Rinaldi.

On entendit murmurer quelque chose. Lanza toucha de l'index son oreille gauche.

— *Qu'est-ce qu'il y a ?** demanda-t-il, puis il écarquilla les yeux.

Il se tourna vers la commissaire, debout devant lui.

— On a trouvé le corps du chauffeur. Trauma crânien.

Il y eut un incessant échange de regards, comme si tout le monde suivait les rebonds d'une balle de tennis invisible. La question était implicite : mais si le chauffeur a été assommé, qui conduit la voiture de Nurhussien ?

2

L'homme est nerveux. Il appuie sur la touche de l'interphone.

— Bon, alors, on peut savoir où est l'escorte ? demande-t-il, impérieux.

Le chauffeur ne répond pas, il retire son chapeau et le lance sur le siège d'à côté. Puis il passe une main sur sa tête rasée. Enfin, il se retourne.

— Bonjour, Sayed. Ça fait si longtemps ! dit-il, moqueur. D'un autre côté, les vivants finissent toujours par se revoir, pas vrai ?

Tu pouvais te travestir en magnat, en homme d'affaires, tu pouvais jouer au généreux philanthrope, te faire pousser la barbe, tu pouvais te montrer impunément en public, avec tes lunettes miroir et ton sourire candide, tu pouvais tous les tromper, tu pouvais embrouiller le monde entier. Mais pas moi, Sayed, mon frère de sang, Âme noire. Durant cette soirée alcoolisée, dans un bar milanais, j'ai eu un instant le soupçon d'être fou, d'avoir vu un spectre, un double, un démon. Mais les fantômes ne portent pas sur eux d'amulettes magiques, ils n'en n'ont pas besoin. C'était toi, j'en étais certain, c'était toi, mon compagnon d'armes, avec mon gri-gri au cou et ma vie dans la poche. Tu m'avais tué une deuxième fois cette nuit-là, Sayed. Et maintenant, je suis là, pour toi. J'ai déboulé du trou du cul du monde, frère, je suis venu solder les comptes. Maintenant, tu dois payer. Cash.

Le cœur de l'homme assis sur le siège arrière s'arrête le temps d'un battement. D'instinct, il porte la main à sa poitrine, cherche quelque chose qui le rassure. Puis tente d'ouvrir la portière, mais elle est bloquée. Enfin, il frappe sur la vitre, frappe jusqu'à se faire saigner les phalanges et hurle comme un forcené.

À l'extérieur, personne ne l'entend.

Haile conduit, indifférent, les yeux remplis de haine.

3

— Qu'est-ce que ça veut dire, qu'il n'est jamais arrivé ? hurlait le *flic** dans son micro. *Mais vous êtes fous** ?

Le Peter Sellers des pauvres faisait une très sale gueule. Ils avaient placé une balise sur le parechoc de la limousine, mais Haile l'avait probablement débusquée et éliminée. Tout comme le portable du magnat, retrouvé abandonné dans une poubelle. Bref, on ne savait plus rien de Nurhussien.

Qui de toute manière ne s'appelait même pas comme ça. Son vrai nom était Sayed Osman Beshir.

Pendant qu'il distribuait des ordres et essayait de calmer son collègue belge, Lanza trouvait aussi le temps de fournir à Ferraro quelques explications. Ça faisait des années qu'ils étaient sur les traces de Beshir. Enquêtes sur ses biens, analyses des flux monétaires, sociétés configurées comme des poupées russes. On disait de lui qu'il était mort, mais Lanza n'y avait pas vraiment cru. Il avait très probablement organisé sa disparition officielle, un coup d'éponge sur son passé de seigneur de la guerre qui avait accumulé une fortune avec ses trafics illicites à travers le continent noir, pour réapparaître plus propre qu'un sou neuf, avec la fausse virginité d'une adolescente en lycée de bonnes sœurs, prêt à se présenter en Europe comme interlocuteur pour recycler d'énormes capitaux dans des activités licites, légales, qui faisaient saliver ses référents historiques – la pègre de la région de Caserte – depuis toujours attentifs à quand et où investir. Ils avaient été les premiers en Europe à faire des affaires avec la Chine, et maintenant que la Chine s'achetait l'Afrique, eux aussi voulaient une part de gâteau. Ils avaient Beshir comme tête de pont, il fallait seulement lui donner les bonnes accointances, ici, en Italie et le tour était joué.

À Bruxelles, ils étaient au courant de son voyage italien et avaient agi en secret parce qu'ils ne voulaient pas qu'il ait le moindre soupçon, ils voulaient donc qu'il soit convaincu que tout le monde le croyait mort. Bref, Sayed Osman Beshir devenait, inconsciemment, l'appât que l'Agence européenne laissait gigoter dans l'aquarium en attendant de pêcher au chalut les poissons plus gros, au niveau plus élevé, celui des politiques. Sauf qu'entre-temps avait surgi du néant une anomalie. Haile.

Non que Lanza fût convaincu de sa mort. Mais il ne l'était pas plus de sa survie. Il suspendait son jugement, le mettait entre parenthèses. Dans le schéma logique du policier, Haile, jusqu'à quelques jours auparavant, était un non-problème mais depuis son évasion, il pouvait devenir l'inconnue qui rendrait l'équation impossible à résoudre. Parce que sur le fait que c'était bien lui, et qu'il était donc encore vivant, il n'avait désormais plus de doutes.

– Mais j'ai pensé qu'avec la commissaire Rinaldi et toi à sa poursuite, j'aurais une préoccupation de moins.

– Mais qu'est-ce que tu racontes ? Je n'étais même pas dans l'affaire.

– J'étais certain que la commissaire t'enrôlerait, c'est une femme très intelligente.

– Arrête ça, tu balances des conneries par rafales ! Moi, j'étais déjà sur une autre affaire… et si De Matteis ne m'avait pas laissé partir ?

– Impossible.

– Et pourquoi donc, si tu permets ?

– Je l'avais appelé. Je lui avais demandé *gentiment* de te retirer la mission et de t'attribuer à la commissaire Rinaldi.

Le fils de pute ! Voilà pourquoi il n'avait pas opposé de résistance quand Elena lui avait téléphoné. Tu parles de synergies et de collaboration entre les départements de police. L'Agence européenne appelle et il exécute, servile et trouillard.

Elena, pendant ce temps, était au téléphone avec Fusco.

– *Dottoressa*, Nurhussien n'a toujours pas mis les pieds à l'hôtel, lui disait la fille. En plus, il circule de ces tronches, ici…

– Dans quel sens ?

– Je ne voudrais pas avoir l'air parano, mais à bien les regarder, on dirait soit des camorristes, soit des policiers, je me fais comprendre ? On dirait qu'il va y avoir une rafle d'un moment à l'autre. Peut-être que Nurhussien s'est enfui…

Elena apprécia l'esprit d'observation de sa subordonnée et lui expliqua ce qu'il en était exactement : Lanza, Haile, et tout le reste.

– T'es où, là ? ajouta-t-elle.

– Je fais un tour avec la voiture, au hasard… peut-être, qui sait… peut-être que je vais trouver quelque chose.

Nous n'avons pas de plan. Nous l'avions pris, nous étions sur lui et lui, il s'est caché de la manière la plus spectaculaire : en s'exposant à nos regards à tous. Il lui a suffi d'un uniforme de chauffeur pour nous tromper. Il ne suffit pas de regarder, il faut voir, pour de bon.

– *Rien** ? demandait Lanza au collègue qui allait et venait, hurlant dans son micro-cravate.

Clouseau grimaça au nez de Lanza, autant que le lui permettaient ses galons d'arrogant francophone, pour ensuite recommencer à vociférer avec des absents, comme un fou qui hurle seul à la lune.

– Peut-être que vous avez mal calculé, rumina Ferraro.

– Qu'est-ce que tu veux dire ?

— En somme, Haile, on te l'a pas pris. À quoi ça a servi ? Qui sait où il est maintenant.

— C'est un type mélodramatique, j'ai l'impression. Il suffit de voir son évasion.

— À propos, là-dessus j'ai encore des doutes…

Mais Lanza ne l'écoutait pas :

— Où je l'emmènerais, si j'étais lui ?

— Moi, je l'aurais déjà tué. J'ai fait tout ce chemin et puis quoi ?

— Il n'est pas dit qu'il veuille le tuer, pas tout de suite, je veux dire. Avant, peut-être qu'il veut lui parler, ou le punir. Quelque chose de ce genre… Où… recommença-t-il à ruminer. Où je l'emmènerais ? Un endroit qui ait une valeur symbolique forte, un lieu digne d'un sacrifice rituel…

Ouais, bon, celui-là, il a décollé, maintenant, qui va l'arrêter ?

Le portable d'Elena sonna.

— Je t'écoute, Fusco.

— Quelque chose qui soit la fin d'un parcours, continuait Lanza en plein solipsisme. Au fond, quand s'est-il rendu compte qu'on l'avait trompé ?

— Je l'ai peut-être trouvée, dit Fusco au téléphone.

— Quoi ?

— La voiture. Il m'a semblé la voir.

— Où ? Où se trouve-t-elle ?

Lanza se frappa le front. Eurêka.

— Le stade ! hurla-t-il.

— Devant le stade, répondit la jeune femme à Elena Rinaldi.

— Ok, ne bouge pas de là, ordonna la commissaire. Ne t'approche pas trop, reste à couvert, on te rejoint tout de suite.

Quelque chose mouilla les lèvres de Ferraro. Il leva les yeux, incrédule. Le ciel de glace semblait enfin se craqueler sur leurs têtes.

— Elena, dit-il à la commissaire. Mais…

La femme sourit :

— Oui, Michele. Il neige.

L'Âme noire a une ossature puissante, il doit peser au moins cent kilos. Haile le porte sur l'épaule droite, comme font les manœuvres avec les sacs de ciment. Il s'est évanoui, il a les poignets attachés et la bouche scellée par du ruban adhésif industriel.

L'Implacable arrive au centre du terrain et jette au sol son sac inerte. Puis il glisse l'automatique dans sa ceinture et commence à se déshabiller. Il enlève sa veste, sa chemise, ses chaussures, ses chaussettes. Il reste pieds et poitrine nus, sous une chute de neige irréelle. Sur son ventre, ses côtes, ses épaules, son dos, se dessine une géographie de douleur, de violences, de guerre. Le dernier tatouage féroce sommeille sous le pansement sur l'épaule gauche ; le corps noir rend encore plus blanc le blanc d'ivoire de la bande, il apparaît immaculé sur lui, comme la neige qui tombe sur le terrain de foot, incrédule, ici, sous cette latitude, et qui de fait, se dissout aussitôt sur les rares touffes d'herbe du pré boueux.

Haile s'assied sur ses talons et observe le corps de Sayed. D'une tempe coule un ruisselet de sang qui imprègne la barbe fournie, la souille. Après un examen attentif du corps, il sort d'une poche le couteau à cran d'arrêt de Laurent et lui libère les poignets. Puis il se lève à peine, tend une main et d'un geste rapide arrache violemment le ruban adhésif qui bâillonnait Sayed. L'homme a un sursaut, la douleur qui l'a fait s'évanouir le réveille maintenant. Il ouvre des yeux ahuris, comme si le cauchemar dans lequel il était plongé s'était transformé en un autre cauchemar encore plus halluciné, comme s'il était dans une onirique enveloppe sombre et irréelle où il se retrouvait effondré à terre sous une neige absurde, avec devant lui son frère, l'homme qu'il avait fait tuer parce qu'il se comportait toujours plus comme un chien sans collier, fou, anarchique, absolument pas fiable pour réaliser ses projets futurs. Cet homme maintenant est torse nu, sous la neige, complètement glabre, et il lui pointe un automatique sur le front. Voilà le cauchemar. Et ce qui est pire, c'est que tout est réel.

Haile fait deux pas en arrière, le pistolet toujours pointé sur Sayed.

— Lève-toi, lui ordonne-t-il.

Sayed tâte ses poignets douloureux, puis sa tempe.

— Haile, tente-t-il.

— Lève-toi. Tout de suite.

L'homme se met à quatre pattes, s'agenouille, enfin, trouve le moyen de se lever. Il a au moins une paume de plus que celui qui pointe sur lui un pistolet, il est plus gros, plus imposant.

— Déshabille-toi, dit Haile.

— Quoi ?

— Retire ta veste et tout le reste.

Il a un geste instinctif, presque gentil, comme pour lui dire : mets-toi à l'aise comme moi, je ne veux pas que tu sois gêné dans tes mouvements.

Sayed commence par les chaussures, il retire la première et jette un regard alentour. Le stade est parfaitement vide, habité seulement par un public de fantômes, un chœur muet qui a le goût de toute la souffrance produite par leurs scélératesses. L'absence comme une présence plus aiguë, plus douloureuse.

Il retire aussi son autre chaussure et ses chaussettes. Théâtral, il reste là avec sa chemise à moitié ôtée ; il regarde autour de lui comme s'il cherchait un portemanteau.

— Tu sais combien il coûte, ce complet ? On me l'a fait sur mesure chez un tailleur de Rome.

Mais Haile lui adresse un signe avec son pistolet : il n'est pas intéressé par le sort du costume.

— Allez, la chemise aussi.

Sayed soupire, mais s'exécute. Il fait tout avec calme, il essaie de récupérer les données de la situation. Il jette la veste à terre, après une seconde d'hésitation, puis retire sa chemise.

Son torse aussi raconte une géographie de la cruauté. Ils sont frères aussi là-dessus, ils sont un miroir l'un de l'autre. Ils pourraient remonter des marques, des blessures, aux endroits où ils étaient, et quand, à ce qu'ils faisaient, qui ou quelle arme les avait touchés ou enfin qui les avait sauvés, et où ils avaient trouvé refuge en attendant que cette entaille cicatrise sur leur corps, les marquant pour toujours.

D'instinct, d'un mouvement involontaire, Sayed touche le gri-gri qu'il porte au cou. La preuve de sa culpabilité, de sa trahison.

— Haile, écoute…

— Ne dis rien.

— Il y a beaucoup d'argent en jeu. Nous pouvons…

— Je t'ai dit de ne pas parler.

Il n'y a rien à dire, rien à expliquer. Ce qui devait être fait a été fait, il n'y a pas d'éclaircissement, pas de justification. Le moment du jugement est arrivé.

L'Implacable lâche la crosse de l'automatique qui, sous l'effet de la gravité, tourne sur l'index passé dans le pontet. L'arme semble baisser la tête et s'endormir, inoffensive. Haile la prend par le canon et la lance loin, vers la limite du centre. Le pli sur le front de Sayed raconte son incrédulité plus que n'importe quelle parole.

— Mais que… murmure-t-il.

Haile sort le couteau de sa poche, fait jaillir la lame, quelques flocons cristallins se laissent aller sur elle. Il montre l'arme à Sayed, son miroir, et en même temps l'observe, admiratif. Puis, d'un geste rapide et décidé, il la lance au centre, où elle s'enfonce dans le terrain trempé de neige fondue.

— Bien. Et maintenant, commençons.

5

L'Âme noire se jette instinctivement vers le poignard enfoncé dans la terre. Erreur stratégique. Haile le frappe d'un coup de genou au menton. Une paire de molaires craque et les gencives remplissent de sang la bouche de Sayed. L'Implacable prend son adversaire par les cheveux et lui donne un autre coup de genou, l'homme tombe maladroitement sur le dos ; on dirait un chiot qui montre son ventre, abandonné. L'autre s'approche, leste, et lui donne un coup de pied dans le flanc gauche, puis lève le pied dans l'intention de le lui enfoncer dans l'estomac. Sayed réussit à rouler sur le terrain et à envoyer un coup à vide puis il revient en arrière et depuis le sol agrippe les chevilles de Haile, le faisant vaciller. Encore une poussée et il tombe. Sayed fait deux enjambées de jaguar vers l'arme, en se traînant dans la boue. Mais avant il plante un genou en terre et lance un coup de pied contre l'adversaire qui se précipitait sur lui, le cueillant au bas-ventre, un coup misérable et lâche. Il est presque sur le poignard quand Haile, d'un bond, est sur lui. Il lui agrippe les épaules et l'éloigne du centre du terrain. Lève-toi, lui dit-il, lève-toi, je ne combats pas comme un serpent, je suis un homme, moi.

Les deux hommes maintenant se font face, comme deux guerriers. Sayed expédie un direct du droit. Haile le pare de l'avant-bras gauche, mais le coup lui réveille la douleur à l'épaule blessée. Voilà son point faible, pense Sayed, qui d'abord frappe de la gauche et juste après expédie un crochet du droit juste sur la blessure. La douleur est démesurée. Idiot, pense Haile tandis qu'il se tient l'épaule souffrante, idiot ! Nous avons combattu ensemble, nous nous sommes préparés ensemble pour la guerre, tu devrais savoir comment on bouge. Mais il ne pense pas davantage. Entre-temps Sayed lui a expédié un direct au visage. Les cartilages du nez s'écrasent et les vaisseaux explosent dans une copieuse éruption de sang. À l'instant où son adversaire lui envoie un autre coup, Haile plie son corps sur le côté et lui balance un coup de pied latéral à l'estomac. Il s'est ramolli, le complice de toute une vie, les muscles abdominaux n'absorbent pas le coup ; quelque chose se passe dans les organes internes, l'homme se plie en deux, mains sur les viscères. C'est là que Haile expédie un crochet du droit qui brise la mâchoire de l'adversaire.

Sayed tousse des dents et du sang collant, à genoux, mains à terre. Mais ensuite, avec une agilité inattendue, il fait levier sur ses jambes et, à quatre pattes, se lance comme un fauve furieux vers le poignard, l'agrippant avant que Haile trouve moyen de le chasser loin de lui d'un coup de pied. Un instant plus tard, il le lui enfonce dans le quadriceps. Le hurlement de Haile retentit dans toute l'arène. Les fantômes sur les gradins souffrent de sa douleur, ils pleurent son supplice, ils observent en silence son destin qui s'accomplit. L'Implacable fait un pas en arrière. Il voit l'Âme noire tenter de se lever et retomber de nouveau, glissant dans la boue. Il n'essaie même pas de retirer la lame. Il avance en boitant vers le traître, qui rampe comme un ver, en direction du pistolet automatique. La neige tombe, innocente. C'est une pensée pure, une idée céleste, une poésie divine qui touche la terre des hommes et la transforme en fange.

La main de Sayed a presque rejoint l'arme qu'elle va agripper quand le pied nu de Haile lui bloque le poignet. Puis il lui décoche un coup de pied au visage avec une telle violence que des giclures de sang dessinent une parabole dans l'air, rougissant les pâles flocons qui tombent.

— Tu ne sais pas te battre sans arme, lui dit-il avec mépris. Tu ne sais pas mourir à mains nues.

Ce sont deux estropiés, deux masques difformes, létaux, deux démons qui arrosent la terre stérile de sang. Les morts, tous les morts, toutes les âmes qui depuis les gradins observent leurs bourreaux, n'éprouvent aucune satisfaction, aucune sensation de rachat.

— Attends... balbutie Sayed. Écoute... nous pouvons...

Haile se penche avec peine et ramasse le pistolet.

— Ne dis rien... lève-toi.

Sayed trouve la force de s'agenouiller.

— Non, je t'en prie...

C'est ainsi que le monde doit finir, par un gémissement ? Haile le trouve dégoûtant.

— Ne me prie pas, ne dis rien. Lève-toi si tu es un homme.

Il pointe le pistolet sur lui.

— Meurs debout.

Sayed essaie de repousser ses cheveux, de se nettoyer le visage de la boue et du sang.

— Haile, je t'en prie, pardonne-moi... lui dit-il sans même essayer de se lever. Tu es mon frère...

L'Implacable lui crache au visage des caillots de sang et de rage.

— Et alors, meurs à genoux, lui dit-il, en faisant monter la balle dans le canon.

— Haile ! hurla une voix depuis les gradins. Haile, jette le pistolet, tu es en joue.

C'était Lanza qui avait mis le mégaphone dans les mains de la commissaire Rinaldi. Il pariait sur la surprise provoquée par une voix féminine. Ces secondes d'incertitude pendant lesquelles le cerveau du criminel, tellement accoutumé à la virilité du mal, essaie de placer dans le panorama étroit de sa vision du monde quelque chose qui lui apparaît rhétoriquement étranger.

Haile, en effet, tourna le regard, incrédule et en même temps content. Finalement, vous m'avez trouvé, pensait-il. Mais admettez-le, je vous ai fait tourner en bourrique, inutile de le nier.

Il leva le pistolet, comme pour le montrer aux flics.

— Juste un instant, et j'arrive, dit-il, ironique.

Il bougea à peine vers Sayed ; une seconde plus tard, deux pointeurs lasers lui tachaient la cuisse et le thorax.

— Jette ton arme, tout de suite. Jette-la ou nous tirons !

La voix de la commissaire n'admettait pas de réplique.

Haile resta une seconde immobile, d'instinct, comme une proie qui fait semblant d'être morte pour tromper son prédateur. Puis il tendit le bras et le pointa vers le traître.

— Nurhussien, à terre ! hurla la commissaire. Tire, ordonna-t-elle ensuite, dans un faible chuchotement.

L'espace d'un instant, le tireur évalua le vent, la neige, la distance, l'angle balistique, retint sa respiration, et pressa la détente.

Dans l'épaule droite de Haile explosa une rose vermillon. Le pistolet s'envola de ses mains. Sayed, au lieu de se mettre à l'abri, se jeta à la recherche de l'arme.

— Mais qu'est-ce qu'il fabrique, celui-là, se demandait-on en bord de terrain. Il est devenu fou ?

Leurs comptes, il fallait qu'ils se les règlent entre eux, sans interférences. La collision est brutale et disgracieuse, les deux guerriers semblent s'embrasser, dans un ballet ridicule et infantile, ils hurlent pour se donner une dernière charge d'adrénaline, avant de s'effondrer évanouis et épuisés. Puis la détonation, sèche et métallique. L'écho se réverbère dans toute l'arène du stade. Sayed perd ses forces, il défait l'étreinte et glisse sur le corps ensanglanté de son compagnon d'armes. Enfin, il tombe à terre. Haile vacille sur ses jambes, il tente de rester debout. À l'instant où les policiers courent vers le centre du terrain, sous la neige toujours plus épaisse, il se retrouve à genoux, devant le corps inanimé de celui qui fut son frère.

Il ferme les yeux. Il rêve.

Sur la barque, le petit Haile vérifiait que la canne à pêche était bien fixée et le fil de nylon tendu. À la surface, Sayed, à grosses poignées, lui jetait de l'eau salée, avec un rire joyeux. Saute, saute, viens-là, trouillard ! lui hurlait-il par défi. Alors Haile se plia sur le bord, répliquant de sa place avec d'autres brassées d'eau. Juste à ce moment passa un poisson, on aurait dit qu'il dansait, la queue à fleur d'eau. Un éclair vif, peut-être à la recherche d'insectes, peut-être en fuite. Ça émerveillait et ça faisait rire. C'est à ce moment que ça arriva. L'hameçon tirait, de la profondeur du bleu. Ça mord, hurlait Sayed, ça mord ! Tiens bien la canne, tiens-la, j'arrive. Haile avança à la proue et s'efforça de bloquer le moulinet. Sayed sauta à l'intérieur pour lui donner un coup de main. Il est gros, sens comme il tire, disaient-ils, l'un d'abord, puis l'autre. À quatre mains, ils combattaient avec le poisson, unis, solidaires. Ce fut là, quand tout devait encore s'accomplir, quand tout était encore dans les limbes, ce fut là que Haile se sentit vraiment, pour la première fois et pour toujours, innocent et heureux.

1

À Fiumicino, il y avait une atmosphère de démission. Ils se disaient tous au revoir, à voix basse, fatigués. Certains restaient à Rome, d'autres devaient partir. À Milan, à Bruxelles.

Ferraro salua Pietrantoni, professionnel. Fusco, elle, se jeta dans ses bras, comme une fille putative, et lui claqua un baiser sonore sur la joue.

— Sois bien sage, dit-il, paternel.

— Comme toujours.

— N'accepte pas des bonbons d'un inconnu, attention.

Elle rit.

— Dis bonjour à tous ceux de Quarto.

— À De Matteis aussi ?

— À *presque* tous.

Favalli, lui, Ferraro se le prit par le bras pour s'éloigner de quelques pas de la troupe des rescapés.

— Prends ça, lui dit-il en lui tendant une carte de visite.

— Je l'ai déjà, ton numéro, dit Favalli, qui comme d'habitude, ne comprenait que dalle à ce qui lui arrivait. Luca Monti, lut-il. Et qui est-ce ?

— C'est un ami à moi, qui peut te donner un coup de main pour le problème avec ta femme.

— Je n'ai pas de problème.

— Oui, bien sûr, tu n'as aucun problème. Mais appelle-le quand même, on ne sait jamais.

Il restait Elena à qui dire au revoir. Qu'est-ce que je fais ? Je lui fourre ma langue dans la bouche, je l'emmène aux toilettes pour tirer un petit coup vite fait, je lui achète une boîte de chocolats et un bouquet de fleurs ?

Elle lui tendit la main, avec style.

— Ciao, Michele. Merci pour tout.

— Nous avons fait ce que nous pouvions.

— Nous l'avons fait de la meilleure manière possible. Entre autres, grâce à toi.

Il s'approcha d'elle, tenant toujours sa main serrée.

— Rappelle-toi ce que je t'ai dit, lui murmura-t-il.

— Quoi ?

D'un mouvement imperceptible du menton, il lui montra Pietrantoni.

— T'en as rien à faire de ce que racontent les gens. Emmène-le manger une pizza. Amuse-toi toi aussi, bon Dieu, tu te le mérites.

— Arrête, lui dit-elle mais en souriant, tandis qu'elle lui donnait une tape sur l'épaule.

Lui, il lui donna un baiser. Pas celui d'un amant, mais pas non plus d'un ami.

Elle regarda l'heure.

— Je crois que tu dois y aller, lui dit-elle, peut-être pour en finir avec l'embarras, avec ce poids, cette envie de la faire pour une fois, la folie, le caprice de lui demander de rester, d'aller ensemble dans cette trattoria du Trastevere, celle qui est un peu pour touristes mais où on mange des pâtes *alla gricia** dignes de ce nom. Ce sera pour la prochaine fois, pour la prochaine vie.

Lanza, un peu plus loin, écoutait , sans même le regarder, Clouseau qui parlait à en perdre le souffle. L'ami de Michele gardait les yeux fixés sur la baie. Il observait les voitures garées, celles qui arrivaient, celles qui partaient, sous la pluie battante.

— On y va ? lui demanda Ferraro.

— Je dirais que oui. Si on reste, on rate l'avion.

— Dans la série : M. de La Palice, je le crains pas !

Ils commencèrent à se diriger vers l'enregistrement.

— En quel sens, pardon ? Pourquoi j'aurais peur de lui ?

Ah, le revoilà ! Recommençons :

---

* Plat de pâtes romain typique : *bucatini* (gros spaghettis creux) avec des dés de joue de porc et du fromage de brebis râpé.

— Je voulais dire que tu as prononcé une évidence digne de La Palice.

— Mais tu sais qu'en réalité, le truisme sur Jacques de La Palice est une erreur de transcription ?

Oh mon Dieu, pourquoi je ne me tais pas ?

2

Il y avait de l'attente. D'abord le vol pour Bruxelles, puis celui pour Milan-Linate. Ils attendirent.

Clouseau lisait un livre, Lanza, lui, était collé à un téléviseur réglé sur Rai News qui envoyait en continu des vidéos de manifestations. On aurait dit que pour lui, il n'y avait rien de plus important.

— Qu'est-ce que tu regardes ? demanda Ferraro, que déprimait la solitude dans la multitude.

— Tout est en train de changer. Une nouvelle fois.

— Qu'est-ce que tu dis ?

— On va devoir revoir nos positions de politique étrangère, l'Histoire est encore en train de bouger. Tu vois qui c'est, René Thom ?

Bien sûr, évidemment, qui n'y penserait pas en regardant la télé ?

— Qui ?

— Ils sont jeunes, Ferraro.

Il continuait à parler sans détacher son regard de l'écran.

— Mais de quoi tu parles ?

Il tenta de l'imiter, pour y comprendre quelque chose. Ils parlaient en fixant le téléviseur, hypnotisés.

— L'Afrique est une terre ancienne, Ferraro. Et pourtant ils sont jeunes. L'âge moyen de la population est très bas, la moitié du nôtre. L'avenir est entre leurs mains.

Ferraro lut les nouvelles qui couraient dans un bandeau au bas de l'écran. Il s'était passé quelque chose en Tunisie, mais il n'avait pas bien compris quoi.

— Écoute, à propos d'Afrique…

— Tout peut arriver. Mais j'ai de l'espoir pour eux.

— … cette histoire de la fuite de Haile…

Lanza détacha son regard du téléviseur.

— Pourquoi, "à propos" ? Ce n'est pas "à propos". Il n'y a aucun rapport. Bien sûr, Haile est africain, mais le lien me semble faible.

C'est vrai, ce n'est pas "à propos". Mais les façons de parler ne sont pas "à propos". Comment le lui expliquer ? Il évita et poursuivit sa question.

— C'est-à-dire… j'ai pas vraiment compris grand-chose…

Lanza baissa le regard et se mit à fixer le bout de ses chaussures.

— Moi, je crois que ça s'est passé comme ça : la nouvelle de l'arrivée en Italie de Sayed Osman Beshir avait changé les plans de Haile. L'évasion a été organisée en peu de temps, il ne pensait sûrement pas à quelque chose d'aussi précaire. Trop d'incertitudes, trop de risques.

Il s'agenouilla et commença à se débattre avec ses lacets.

— Et alors…

— Mais il ne pouvait pas perdre cette occasion.

Il parlait en faisant des nœuds.

— … Donc, il a planifié l'évasion avec Zahra. La jeune femme connaissait Pierangelo Fusari, elle fréquentait son réseau d'affaires. Il a probablement trouvé les deux autres, Piccirillo et Iannone. Sauf qu'on ne peut pas penser faire fuir quelqu'un d'une manière aussi spectaculaire sans que les boss de Iannone soient informés. Et, en conséquence, Sayed lui-même, étant donné ses accointances.

Il se releva, pimpant comme un gamin. Il regarda ses chaussures d'un air satisfait, comme si c'était ce qu'il avait réussi de mieux dans la journée. Peut-être même dans la semaine.

— Donc, tu veux me dire qu'ils sont là en théorie pour permettre à Haile de fuir, mais qu'en réalité…

— En réalité, ils vont le tuer. Sayed maintenant s'appelle Nurhussien, c'est un homme d'affaires, il a une image publique à défendre. La découverte que Haile est vivant lui met martel en tête.

341

Bordel, mais qui dit encore "martel en tête", aujourd'hui, au XXI⁰ siècle ?

— Mais alors…

— Là, ça devient intéressant. Parce que aussi bien Zahra que Beshir ne font pas confiance au commando, pour des raisons différentes. La fille les suit en catimini ("en catimini" ? Mais quelle langue il parle, celui-là ?). Elle comprend que les choses ne se déroulent pas suivant les instructions données et décide d'intervenir pour défendre Haile de ses "libérateurs".

— Elle tire sur eux par-derrière et les tue, tandis que Haile, en se servant de l'infirmier comme d'un bouclier, réussit à se carapater.

— Se carapater ? Mais qu'est-ce que c'est que cette expression ?

Tiens, voilà M. Larousse qui la ramène.

— Avançons.

— Pas besoin, tant qu'on ne nous appelle pas, ça ne sert à rien de faire la queue.

— Lanza, je t'en prie. Avançons dans le discours, pas dans la queue !

— Ah, c'est vrai… je disais… Beshir non plus ne se fiait pas à l'équipe improvisée et pendant ce temps, il avait envoyé un de ses hommes de confiance à Lodi pour s'éviter de nouvelles préoccupations.

— Laurent.

— Exact.

— Bref, Sayed a protégé son cul.

— Qu'est-ce qu'il a fait ?

Ferraro sourit.

— Rien, ça n'a pas d'importance. De toute façon, ça ne lui a servi à rien.

3

On faisait bel et bien la queue, maintenant. C'était le moment de se saluer.

— *Au revoir, Ferraro, à la prochaine.**

342

Clouseau fit un effort gigantesque pour ne pas massacrer le nom de Michele. Trop de *r* d'un seul coup. Même le flottement sur le *o* final semblait farcesque.

— Ciao, inspecteur, dit le flic, fanfaron. Envoie-moi des chocolats belges en arrivant chez toi.

Quelle blague idiote.

— Seulement si tu m'envoies un panettone pour Noël. La pizza et la mandoline, je les ai déjà.

Qui blesse par l'idiotie, périra par l'idiotie. Un à zéro pour Clouseau.

— Ciao, Ferraro, bon retour à Milan, lui dit Lanza en lui serrant la main.

— Je crois que demain, je vais devoir recommencer à travailler sur ce braquage dans une villa.

— Vraiment ? De Matteis m'avait dit que l'affaire était close.

— Mais jamais de la vie ! Comaschi tourne à vide, le pauvre. On ne trouve pas le complice.

— Je comprends, dit Lanza. Tu n'as aucune idée, aucun indice.

— C'est le brouillard.

— Il y avait du brouillard ?

À chaque fois, il réussissait à l'étonner. Il le connaissait depuis des années et chaque fois, il se demandait s'il le faisait exprès. S'il avait un talent naturel ou si c'était un acteur consommé qui se foutait de tout le monde.

— Rien, je voulais dire. Rien, nichts, nada, *rien**. Noir complet, brouillard. Ok ? Maintenant, c'est clair ?

— D'accord. Mais ne t'énerve pas…

— Oui, excuse-moi, tu as raison…

L'hôtesse appelait Augusto Lanza dans le haut-parleur.

— Je dois y aller, sinon…

— Tu rates l'avion, je sais…

Il avait envie de l'embrasser, mais avec Lanza les contacts physiques s'étaient toujours limités à la poignée de main.

— Appelle de temps en temps.

— Ciao, Ferraro.

Lanza s'éloigna de quelques pas, rapide. Puis il commença à ralentir, l'index sur les lèvres, et s'arrêta. Il pivota sur ses talons et revint en arrière.

— Qu'est-ce qu'il y a, tu as oublié quelque chose ?

— Tu sais… je pensais… peut-être que vous devriez recommencer du début.

— Comment ça ?

— Je ne sais pas… d'abord regarder les voitures, en bas, dans la rue…

L'hôtesse appela de nouveau son nom. Clouseau avait franchi la porte et agitait les bras comme un malade.

— Lanza, on t'appelle.

— Oui, oui… mais… comment dire… Je veux te poser une question… peut-être qu'elle va te paraître absurde.

— Nooon, mais qu'est-ce que tu dis ? Tes questions ne sont jamais absurdes !

— Je te remercie, tu es très gentil. Mais je n'exagérerais pas dans cette assurance péremptoire. Tout le monde un jour ou l'autre exprime une absurdité.

Avec toi, on a plus vite fait de mentionner celles que tu n'exprimes pas ! pensa-t-il mais c'était vraiment une méchanceté, si affectueuse qu'elle soit.

— Vas-y, demande.

— Ce matin-là, à Lugano, tu te souviens ?

L'hôtesse était en train de perdre patience, ça se comprenait à sa diction moins contrôlée. Le prochain appel serait fait directement en dialecte romain.

— C'est ça, la question absurde ?

— Non. C'est-à-dire, ça c'est une question, mais elle ne me semble pas absurde. À toi, oui ?

— Lanza, je t'en prie, entre dans le vif du sujet, tu me fais venir des palpitations.

Surgi du néant, un steward se lança dans une discussion animée avec Clouseau tout en montrant Lanza, mais lui n'y prêta aucune attention.

— Bien… maintenant… voilà la question… Quand la fille de la victime t'a quitté, après que tu lui as appris la mort de son père… quand elle est partie, en voiture…

Ferraro regardait au-delà de la porte, il s'attendait à ce que d'un moment à l'autre, le steward frappe Clouseau jusqu'au sang et puis vienne finir le travail avec eux deux.

– Lanza, bouge-toi.

En fait, l'homme s'approchait, d'un air menaçant, et Ferraro n'avait aucune envie de se disputer.

– Maintenant, j'y vais, ne t'inquiète pas. Je disais : tu te rappelles, ce moment ?

– Oui, bien sûr.

– Certain ?

– Putain, Lanza, oui. Je me le rappelle. Qu'est-ce que tu veux me dire, merde ?

– *A bbello, se damo 'na mossa ?* *Che qua famo notte !,* Eh mon beau, on se bouge ? Parce que sinon, là, on en a pour la nuit ! dit le beauf parfait *de li miei cojoni*, de mes couilles.

– Je viens, j'arrive, dit Lanza à l'homme puis à Ferraro : Excuse-moi, je dois y aller, et tandis qu'il s'éloignait, il hurla : En tout cas, la question absurde, c'est : dans quel état était le goudron du parking ce matin-là ?

Ferraro resta là, hébété, la bouche entrouverte tandis qu'il le regardait disparaître derrière la porte de verre. Il ressemblait à un colossal point d'interrogation.

4

Il y pensa. Il y pensa tout le temps, dans l'avion, à Linate, dans le bus qui le conduisait en ville, dans la rue, à pied, piazzale Loreto, via Padova. Il ne pleuvait pas et, malgré le froid, la ville semblait l'inviter à la promenade. Qu'est-ce que ça voulait dire, "l'état du goudron" ? Pourquoi est-ce important ? Rien, il n'en venait pas à bout. La seule chose à faire, c'était de le rappeler le lendemain matin, par Skype, et de demander des explications. À condition que Lanza n'obscurcisse pas davantage, avec ses éclaircissements, la solution de l'énigme. Chez lui, il trouva le temps d'une douche réparatrice. Puis, en peignoir, il regarda un peu la télévision. Il avait sommeil mais il tergiversait, comme si avec l'attente, le bonheur de se mettre au pieu augmentait. Vers les trois heures du matin, il s'aperçut qu'il dormait comme un idiot la tête appuyée sur le dossier du canapé, tandis que la télé diffusait d'improbables téléventes de bijoux rares et exclusifs à prix ultra-populaires. Il éteignit et gagna sa couche.

Quelques secondes plus tard (quelques heures en fait mais qui ne lui parurent que quelques instants), le réveil sonna sur la table de chevet.

— Va te faire enculer, gargouilla-t-il et d'une claque sur le bouton, il le fit taire.

La machine en fut si heureuse qu'il lui vint l'envie de chanter encore pour cet homme rude et hirsute mais au fond muni d'un bon cœur. Elle ne le fit pas par pur hasard (ou par opportunisme, d'accord pour l'amour, mais les coups sur la tête, ça fait mal). Tout revenait à la normalité, enfin. Il la déplacerait loin de la table de chevet, afin qu'il ne puisse plus l'éteindre d'un simple geste de la main, mais grâce au lancer vibrant de pantoufles à travers la pièce. Il la manquerait, une et plusieurs fois et à la fin, il l'atteindrait. La normalité. Combien nous tranquillise l'esclavage des habitudes !

Cette fois, Ferraro perdit du temps dans la salle de bains. Chaque fois qu'il terminait une affaire, il mettait en acte tout un curieux rituel. Barbe, cheveux, oreilles, dents. Il choisit une veste bleue et une chemise claire. Jeta un œil dans la cour : la pluie avait recommencé à tomber. Prit son imperméable. S'attarda quelques secondes : écharpe ou pas écharpe, tel est le dilemme. Est-il plus noble de subir tête haute les dards de l'outrageux automne, ou peut-on s'en foutre de la posture virile et se couvrir gorge et poumons contre le froid piquant ? Après une longue méditation, il prit l'écharpe, il commençait à avoir un certain âge.

Maintenant, il s'agissait de chercher la voiture. Réfléchis, réfléchis, réfléchis… où l'avais-je laissée ? Peut-être qu'elle est devant chez Moustapha. Il vérifia si pendant ces derniers jours, il y avait eu un grand nettoyage des rues, se choper une amende n'était pas du tout souhaitable.

Via Transiti, via Termopili, via Marco Aurelio... rien, disparue dans le néant. Attends, peut-être qu'elle est via Giacosa.

Il prit la via Crespi et se retrouva devant le parc Trotter, bijou éducatif de la milanité quand être milanais, ça voulait dire imaginer une école populaire à l'avant-garde, alors que maintenant, c'était seulement un parc de quartier avec un patrimoine immobilier en ruine.

La voilà. Il s'approchait et vérifiait en même temps dans ses poches où étaient ses clés. La voiture devant la sienne démarra, fit une marche arrière pour gagner de l'espace et sortit de l'emplacement.

Ce fut là que Ferraro, enfin, comprit.

5

Il entra au commissariat avec la hargne d'un *marine* sur la plage normande durant le Débarquement. Monta les marches quatre à quatre. Buta contre De Matteis, distrait par la lecture de quelques documents dans le couloir.

— Salut, Ferraro, essaya de lui dire De Matteis, quand est-ce que tu...

— Après, répondit-il, avec autant d'égards qu'à un étron.

Le chef le vit s'éloigner à grandes enjambées décidées vers le bureau de Comaschi. Quel con, pensa-t-il même s'il devait admettre que le voir au commissariat le tranquillisait.

Le flic ouvrit à la volée la porte du bureau. Comaschi, les pieds sur son bureau, était occupé à décider si la toile d'araignée qu'il observait depuis dix minutes à l'angle de la cloison et du plafond devait rester là comme œuvre du génie animal ou s'il fallait brusquement l'anéantir, avec la fureur d'une divinité qui s'abat sur les misérables créatures des terres émergées.

— Mais bordel...

Il faillit en avoir une attaque.

— Mets-toi en contact avec les collègues de la frontière suisse, ordonna Ferraro. Demande-leur s'ils ont encore les enregistrements de la semaine dernière, entrées et sorties.

Il réfléchit un instant.

— … Pas seulement celles de Chiasso… Je vais voir si dans les autres postes de douane, ceux des routes provinciales, ils enregistrent le flux automobile.

— Bonjour, mon amour, quel bonheur de te revoir. Tu as fait bon voyage ? ironisa Comaschi en se rasseyant confortablement. Et fais-moi comprendre, tant que j'y suis, je m'enfile un balai dans le cul et je nettoie par terre ?

— Idiot, idiot, je suis un idiot !

Un peu plus et il se donnait des coups de poing.

— Pour si peu ? Tu aurais voulu t'en occuper, toi, du balai ?

— Excuse-moi, dit Ferraro en s'asseyant devant lui. Excuse-moi si je te parais un peu excité.

— Non, mais qu'est-ce que tu dis ? Tu as un ton tellement séraphique qu'il me semble entendre le chant d'un rossignol au printemps.

— Mais bougeons-nous, je ne voudrais pas qu'ils les aient déjà effacés.

Comaschi lui montra la paume de ses mains.

— Tu veux bien t'arrêter un instant et… (affectant la soumission) toujours si ça ne te déplaît pas… (pause théâtrale, changement de ton) m'expliquer de quoi, bordel, tu es en train de parler ?

Oui, en effet, il n'avait pas tous les torts.

— Il pleuvait ce matin-là. À Lugano, il pleuvait.

6

Comaschi décida de lui faire confiance. Dans la matinée, ils récupérèrent les données de la douane italienne, la douane des Suisses en revanche exigeait des demandes officielles, des requêtes à Interpol et toutes ces conneries qui font perdre du temps. De Matteis aussi demandait des explications, mais ils réussirent à se faire accorder au moins un après-midi avant de lui fournir un rapport officiel. Ils se mirent avec ardeur au visionnage des enregistrements.

Aux dires de Ferraro, quand la voiture de Graziella Murano quitta son emplacement, le goudron au-dessous était mouillé. Et ça n'aurait pas dû être possible. La fille avait dit qu'elle n'avait plus bougé de l'hôtel après son arrivée dans la cité lacustre. Mais cette nuit-là, il avait commencé à pleuvoir, en théorie sous le châssis de la voiture, le goudron aurait dû être sec. Bien sûr, ce n'était qu'une simple intuition mais c'était toujours quelque chose. Et surtout c'était une intuition de Lanza, donc, il valait mieux vérifier.

Ils trouvèrent la vidéo de la voiture qui franchissait la frontière vers Chiasso, mais aucune dans laquelle elle revenait à Milan le soir même. Peut-être que, pour brouiller les pistes, elle était revenue par les douanes des routes provinciales, en allant vers Porlezza ou Varese. Malheureusement, ces vidéos n'existaient pas, donc ils pouvaient être sur une fausse piste. Sauf que, durant l'analyse des flux de trafic, ils revirent la voiture de la fille traverser de nouveau la frontière vers la Suisse, en pleine nuit. Donc, pas à tortiller, elle avait quitté Lugano. Son plan était bon, admettons-le, et elle avait été attentive à brouiller les pistes, quand, venant de Lugano, elle avait rejoint son complice. Qui sait, peut-être que la *gadji* que Kako avait vue avec Niemen, c'était justement elle, il fallait faire une confrontation à l'américaine.

Le plan était un bon plan, en somme, mais comme d'habitude, seulement sur le papier. Les choses s'étaient probablement précipitées. Peut-être qu'elle n'imaginait pas le trouver, qu'elle le pensait déjà sur la route de l'hôtel, ou peut-être avait-elle programmé le meurtre de son père, ce casse-couilles égoïste qui gardait tout pour lui et ne voulait pas partir à la retraite, mais elle n'avait pas prévu sa réaction justicière. Devant les deux cadavres, il n'y avait pas grand-chose à faire, il fallait disparaître rapidement, éviter de se faire choper les doigts dans la confiture. À bien y penser, elle s'était libérée aussi bien du tueur que du plus incommode des témoins, son complice. Tout roulait. Mais au retour vers la Suisse, elle était probablement fatiguée, agitée, elle n'avait pas réfléchi et elle avait pris de nouveau l'autoroute des lacs.

Ils firent leur rapport à De Matteis, puis il y eut la réunion avec le magistrat pour formuler les chefs d'accusation.

Tu parles qu'elle pleurait, pensait Ferraro, en se la rappelant qui s'éloignait en voiture. Elle riait, celle-là. Je t'ai eu, flic de mes bottes. Je vous ai tous eus. Maintenant, je suis libre de faire tout ce que je veux.

Mon cul, ma chère. Je vais t'en faire baver des ronds de chapeau, sale conne !

7

Cette histoire de se garer commençait à faire chier. Et que je tourne et que je retourne, il ne trouvait pas de place même en pleurant en chinois. À Quarto, il n'y avait pas ce problème, on trouvait toujours une place en bas de chez soi, au pire on mettait la voiture, comme faisait tout le monde, en double file au parking de la via Lopez, au point mort et puis si quelqu'un devait sortir, il suffisait de pousser pour libérer la sortie. Une sorte d'accord tacite, à sa manière, symptôme d'une cohabitation hautement civilisée. Donnons-nous mutuellement un coup de main, moi je t'occupe le passage, c'est vrai, mais je te laisse la possibilité de sortir quand tu veux. Toi, tu me déplaces la voiture mais tu ne me la laisses pas au milieu de la chaussée. Aujourd'hui moi, demain, toi. Tout cela donnait à Quarto Oggiaro le visage d'un amène faubourg, fréquenté par des voisins bien élevés. Et peut-être l'était-il aussi, d'une certaine façon.

Ici, en revanche, régnait une sorte d'exaltation de l'égoisme urbain. Bandes bleues, jaunes ou blanches systématiquement occupées, places pour handicapés pleines de grosses motos, trottoirs encombrés, sorties d'immeubles assiégées, 4 × 4 en deuxième, troisième, quatrième file, fourgons qui chargent et déchargent au milieu de la chaussée, files de trams en panne, hurlement, insultes, klaxons. Un cauchemar. Il fallait plus de temps pour chercher une place que pour y arriver, à la maison.

Il repéra une voiture qui sortait d'un trou étroit via Costa, s'y glissa à la place d'un autre utilitaire arrivé avant lui et en attente avec les quatre flèches clignotantes, encaissa le va te faire enculer de rigueur, et se gara. De travers, vu l'espace disponible. Puis il prit la via Bambaia. Il faisait déjà nuit, les journées mouraient vite en cette saison. Il regarda sa montre, il s'était plus ou moins entendu avec Francesca pour qu'elle lui amène Giulia les prochains jours. Au fond, il avait fait des heures supplémentaires cette semaine et De Matteis lui avait accordé deux jours de repos, sauf qu'il n'avait reçu aucune confirmation de la part de son ex-femme. Il lui vint un doute : il prit son portable. Idiot. Il était déchargé. Peut-être qu'elle t'a téléphoné et maintenant, tu te retrouves avec la boîte vocale pleine de gros mots.

La rue croisait le front d'immeubles de la via Padova. Il aimait la zone où il était allé habiter. Juste en face, sous l'enseigne lumineuse d'un restaurant chinois, au premier étage, il remarqua un balcon, dans un édifice qui à vue de nez pouvait être des années 30. Quelque chose qui n'avait pas été balayé par les bombes de la Deuxième Guerre mondiale (piazzale Loreto était à quelques pas, un vide de sens urbain, tout reconstruit dans l'après-guerre, où l'unique question que les touristes occasionnels se posaient, en y passant, c'était où diable on avait pendu le Duce). Il vit derrière les portes-fenêtres éclairées un séjour aux cloisons colorées. Un homme qui mettait la table, deux fillettes qui jouaient à s'attraper, une femme au téléphone. Une famille. Il éprouva de l'envie. Peut-être que cet homme a un travail normal, tranquille, qu'il ne doit pas tirer sur les gens, peut-être qu'il n'a pas d'inquiétudes. Ou peut-être que si. Peut-être qu'il doit payer un emprunt de trente ans, qu'il n'en dort pas la nuit, qu'il a peur de ne pas y arriver, mais qu'il a une famille qui l'aime, un endroit où rentrer le soir, où il se sent chez lui. Qu'est-ce qu'il avait, Ferraro ?

Il se promenait ainsi, mains dans les poches, col relevé, les yeux cachés sous son chapeau – s'il avait eu un chapeau – via Padova. Il était presque arrivé à la porte de l'immeuble quand il entendit les hurlements.

— Laissez-moi, connards.

Il connaissait cette voix.

— ¡ *Chúpame la polla, maricón* !

Celle-là, en fait, il ne la connaissait pas.

Il entendit, nettement, le bruit d'une gifle puis d'une bagarre. Oh merde, ils sont en train de cogner Simone. Il fit les derniers mètres en courant. Il courait et hurlait :

— Eh là, fils de pute ! Arrêtez ! Police !

— ¡ *Diego, los policías. Vámonos* ! disait une autre voix.

Ferraro arriva à la porte à temps pour voir un des deux agresseurs se catapulter au milieu de la chaussée ; il s'en fallut de peu qu'une Fiesta ne le renverse. Le chauffeur se mit à klaxonner de manière hystérique, il tournait probablement depuis des heures pour trouver une putain de place et il n'en pouvait plus.

— ¿ *Conchatumadre, dónde vas* ? hurlait l'autre, évidemment bourré. Mais il comprit que ça tournait mal, arracha le sac à l'épaule de Simone, qui était à genoux, et s'élança lui aussi.

Ferraro eut le temps de lui faire un croc-en-jambe digne d'un tacle de Gentile sur Maradona au bon vieux temps quand il regardait encore les matchs à la télé : l'homme roula à terre, lâcha sa prise sur le sac de Simone et continua, plié en avant, sa fuite dans la rue, se cognant d'abord contre la Fiesta, désormais décidée à le repasser mieux qu'une chemise pour la confirmation, avant de parvenir indemne sur l'autre trottoir.

Ferraro évita de le poursuivre, il n'en avait ni l'envie, ni le physique. Il alla plutôt aider Simone à se relever.

— Quels connards, quels connards.

Le garçon pleurait, le pauvret. Il avait imprimée sur la joue la mornifle du Sud-Américain.

— Allez, lève-toi.

— Je les déteste, tu comprends ? Je les déteste.

— Maintenant, calme-toi.

— Je les hais, je hais ce quartier. Je veux m'en aller, à Brera, ça ne m'arrive pas, ce genre de choses, là, ils sont gentils, ils ne se moquent pas de moi, ils n'essaient pas de me violer.

— Allez, Simone.

Il lui passa les mains dans les cheveux, comme un père.

— Tu n'imagines pas ce que je dois supporter. On m'a déjà volé l'iPod, une fois. Et puis ils se moquent de moi, ils rient dans mon dos, ils veulent que je leur fasse des pompiers gratis, ils sont violents, ils sont méchants. Moi je baise qui je veux, c'est clair ?

— Eh, ne t'en prends pas à moi !

— Péruviens de merde !

Ok. Sur le versant solidarité de classe entre minorités, il y avait encore du boulot, apparemment.

— Comment tu te sens ?

Le garçon posa délicatement la main sur son visage douloureux.

— Mais moi je me demande… comment vous faites, vous, les mecs, pour flanquer des baffes pareilles, on vous donne des cours ?

Celle-là, il l'avait déjà entendue dans un film. Extraordinaire, Simone, qui savait être *glam* même dans les moments désespérés comme celui-là.

— Regarde, dit Ferraro, en lui montrant son sac.

— Oh, merci, merci. J'avais tout dedans, les papiers, la carte de crédit… merci, tu es mon héros.

Il jeta les bras autour du cou du flic et lui posa un baiser très affectueux sur la joue. Encore un peu et il levait la jambe comme une actrice de film muet.

— Papa ? fut la première voix qu'il entendit, tandis que les lèvres de Simone se pressaient sur sa joue rasée de frais.

— Mic ? fit la deuxième voix.

Oh, merde ! Giulia et Francesca. Juste au bon moment. Maintenant, tu vas lui expliquer à ta fille qui vient juste d'avoir ses premières règles que son père n'a pas tout à coup viré casaque ?

8

Pour finir, ils passèrent la soirée chez Simone. Ce fut Samantha, Simy pour les amis, sa voisine de palier qui vint le soigner. Ferraro la connaissait, une prostituée *bien âgée** qui exerçait à domicile, de manière discrète. Elle amena une sauce tomate qu'elle avait préparée et mise au freezer ("moi j'aime bien cuisiner mais après je suis seule, qui va me manger tout ça ?"), sortit de la réserve de Simone un paquet de *bucatini* et se mit aux fourneaux.

Francesca n'était pas du genre à rester inactive, elle commença donc à mettre la table. Pendant que les femmes remuaient les casseroles, Simone montrait à Giulia sa garde-robe. La fillette exécuta même un très comique défilé avec les affaires glanées dans l'armoire et pour finir, Simone lui offrit cette très belle écharpe de chiffon, blanche, tellement à la mode cette année. ("Qu'est-ce que tu en sais, toi, vilain ! On dirait que c'est moi qui dois penser à ta fille !")

Francesca souriait et regardait Michele. Son silence disait : tu vois que j'ai raison, tu vois que tu attires les paumés ? Michele répondait avec un demi-sourire qui signifiait : qu'est-ce que tu veux que je te dise ? J'ai l'impression que tu as raison, ça doit être mon karma.

Ils mangèrent, ils burent. Trop, même. Francesca fit un concours de petits verres de sambuca avec Simone, et le battit. Il déclara, emphatique, qu'elles seraient sœurs pour toujours. Ferraro regarda autour de lui : une putain d'âge avancé, une gamine de douze ans, un pédé avec des manies de drag-queen, un flic, une ex-femme. Peut-être que c'était aussi, à sa manière, sa famille.

— Papa, regarde, gloussa Giulia, devant la fenêtre de la cour.

— Qu'est-ce qu'il y a, ma chérie ?

Il se leva du fauteuil et se plaça à côté d'elle. Giulia ouvrit la fenêtre, un coup de griffe glacé tira au-dehors une partie de la chaleur accumulée dans la pièce.

— Regarde, lui dit-elle, montrant l'obscurité.

Le père posa les mains sur ses épaules, et enfin, il la vit lui aussi. Ils restèrent ainsi, Dieu sait combien de temps. Il la vit. Ce n'était certes pas celle de son enfance, épaisse comme une couverture, blanche comme le lait, mais c'en était ; elle s'insinuait timidement, on aurait dit qu'elle rentrait à la maison, après une longue absence, on aurait dit un nuage qui avait perdu son troupeau, qui cherchait le repos dans cette vieille cour d'immeubles milanais, mince, fragile, mais c'en était ; elle était là, elle s'étendait, prenait les mesures du bassin de pierre et de crépi, faisait pâlir l'obscurité, lui donnait un air fantastique, se gonflait, humidifiait l'air, la peau, adoucissait les douleurs, émouvait, rappelait la mort et pourtant la fuyait, suspendait le temps, paralysait les choses, les personnes, le monde, interrompait les peurs, les amplifiait, fantasmatique, consolait, racontait et faisait taire, apeurait quand elle se raréfiait, trompait quand elle se devenait dense, sculptait avec le givre, se dissolvait avec l'air, effaçait, remémorait, perdait les choses lointaines, les gardait avec elle, éclairait, annulait, blanchissait. Il la vit, étreignant sa fille, et cela lui suffisait. La brume, la brume.

Remerciements

Le premier de mes remerciements va à tous les lecteurs qui – après avoir lu sur la ville, les couches-culottes, l'éros, les divorces, la psychogéographie et tant d'autres absurdes aménités – ont quand même attendu (im)patiemment le retour de Ferraro. Certains craignaient sa disparition, aussi affligés que s'ils avaient perdu quelqu'un de leur famille. Je ne suis peut-être pas un auteur malin, mais en tout cas je suis un auteur honnête : j'avais autre chose à dire, dans d'autres formes, voilà tout. Cette histoire bourdonnait dans ma tête depuis quatre ans, j'attendais seulement de trouver la langue qui la raconterait.

Je remercie les amies et amis de la COOPI, pour le travail qu'ils font et pour m'avoir fait connaître l'Afrique, vraiment.

Je dédie une pensée affectueuse à la mémoire de mon oncle Franco, à qui j'ai volé des souvenirs, et un remerciement à Andrea, poète globe-trotter, à qui j'ai volé le désert.

J'exprime ici ma sincère gratitude à ceux qui m'ont aidé à déménager – Marco, Franz, Piero, Mario –, et merci aussi à via Padova qui nous a accueillis en nous faisant nous sentir immédiatement chez nous.

Un baiser à Elena et à Sara, et un autre spécial à Laura qui a inventé le titre de ce roman.

Ce livre est dédié à Maria, la mère de ma femme, dont je sais qu'elle aurait apprécié notre balcon, rempli de plantes et de fleurs.

Cet ouvrage a été imprimé par
CPI Firmin Didot à Mesnil-sur-l'Estrée
en avril 2013

Cet ouvrage a été composé par
FACOMPO
à Lisieux (Calvados)

N° d'édition : 0738001 – N° d'impression : 117201
Dépôt légal : mai 2013

Imprimé en France